LEONARD SAX

Uma geração em colapso

A crise da autoridade na família

Tradução
Igor Barbosa

QUADRANTE

Todos os direitos reservados a
QUADRANTE EDITORA
Rua Bernardo da Veiga, 47 | Tel.: 3873-2270
CEP 01252-020 | São Paulo - SP
atendimento@quadrante.com.br
www.quadrante.com.br

Reservados todos os direitos desta obra. Proibida toda e qualquer reprodução desta edição por qualquer meio ou forma, seja ela eletrônica ou mecânica, fotocópia, gravação ou qualquer outro meio de reprodução, sem permissão expressa do editor.

Direção geral
Renata Ferlin Sugai

Direção de aquisição
Hugo Langone

Direção editorial
Felipe Denardi

Produção editorial
Juliana Amato
Karine Santos
Ronaldo Vasconcelos

Preparação de texto
Beatriz Mancilha

Capa & diagramação
Karine Santos

Uma geração em colapso —
A crise da autoridade na família
Leonard Sax
1ª edição — 2025
Título original:
*The Collapse of Parenting:
How We Hurt Our Kids
When We Treat Them Like
Grown-Ups*
Copyright © 2016 by
Leonard Sax

Dados Internacionais de Catalogação na Publicação (CIP)

Sax, Leonard
Uma geração em Colapso: A crise da autoridade na família / Leonard Sax; tradução de Igor Barbosa — São Paulo: Quadrante Editora, 2025.

ISBN (Capa dura): 978-85-7465-803-2
ISBN (Brochura): 978-85-7465-837-7

1. Pais e filhos: Educação de filhos: Vida Familiar. I Título.

CDD 649.1

Índices para catálogo sistemático:
1. Filhos: Educação de filhos: Vida familiar 649.1

Sumário

PARTE I - **Os problemas**

Introdução
Pais à deriva   11

1
A cultura do desrespeito   19

2
Por que tantas crianças estão acima do peso?   45

3
Por que tantas crianças estão sendo medicadas?   67

4
Por que os alunos americanos estão ficando para trás?   99

5
Por que tantas crianças são tão frágeis?   117

PARTE II - **As soluções**

6
O que importa?   141

7
Concepções errôneas   167

8
Em primeiro lugar, ensine a humildade   189

9
Em segundo lugar, aproveite   203

10
Em terceiro lugar, tenha em mente o sentido da vida   217

Conclusão   233

Agradecimentos   241

Créditos e permissões   245

*Dedicado à minha esposa, Katie,
e à minha filha, Sarah.*

PARTE I
Os problemas

INTRODUÇÃO
Pais à deriva

Eu sabia o que queria dizer. Mas não disse.

Al e Mary McMaster[1] têm duas filhas, Tara e Margo. A mãe havia trazido Tara, de catorze anos, para uma consulta comigo. Mary estava preocupada com uma brotoeja nos dois cantos da boca de Tara.

— Experimentei alguns cremes de farmácia, mas nada funcionou — disse a mãe. — O que o doutor acha que é?

Depois de examinar a erupção cutânea, respondi:

— Esse tipo de brotoeja às vezes pode ser um sinal de deficiência de vitaminas. Eu frequentemente vejo erupções assim em pessoas que não têm o hábito de comer vegetais crucíferos, como brócolis, couve-de-bruxelas, repolho e couve-flor, ou verduras de folha escura, como espinafre e couve. A Tara tem se alimentado bem com esses vegetais?

Tara riu pelo nariz. A mãe suspirou.

— Eu e o pai dela temos uma alimentação muito saudável — disse a mãe. — Mas Tara se recusa a comer a maioria dos legumes. Para ser sincera, hoje em dia, praticamente as únicas coisas que ela come são batatas fritas...

— Batatas fritas *do McDonald's* — interrompeu Tara.

— Batatas fritas do McDonald's, *pizza*, *nuggets* de frango e salgadinhos — concluiu a mãe. — Isso é praticamente tudo no momento, com exceção de sobremesas congeladas, como picolés e sorvetes.

---

[1] Todos os nomes foram alterados, exceto onde se indica o contrário.

— E quanto ao brócolis ou à couve-flor? Ou espinafre? — perguntei.

— Ela simplesmente não come nada disso — disse Mary.

"Comeria, se ficasse com fome", pensei comigo mesmo. Mas não disse.

***

Jim e Tammy Bardus têm uma filha, Kimberly, de oito anos. Depois de pesquisar cuidadosamente as escolas públicas locais, Jim e Tammy estavam preocupados com o que lhes parecia uma ênfase excessiva em habilidades básicas, como leitura e escrita, e a eliminação do que as escolas públicas agora chamam de "atividades extracurriculares", especialmente arte e música. Esses programas haviam sido cortados devido a déficits no orçamento do distrito. Assim, Jim e Tammy decidiram matricular Kimberly em uma escola particular, mesmo que essa não fosse uma escolha fácil para eles do ponto de vista financeiro.

Tammy levou Kimberly para visitar quatro escolas diferentes. Tammy e Jim gostaram da escola X: o ambiente era acolhedor e estimulante, os professores eram entusiasmados e os resultados de longo prazo dos alunos estavam bem documentados. Mas Kimberly gostou da escola Y. Em sua visita à escola Y, Kimberly se identificou com a aluna acompanhante, uma garota de nove anos chamada Madison. Madison e Kimberly descobriram que ambas gostavam dos livros *Beezus* e *Ramona*, da autora Beverly Cleary, e que ambas gostavam das bonecas American Girl. Mas os pais ficaram preocupados com as condições degradadas da escola, a falta de entusiasmo dos professores e administradores e com o fato de a escola se recusar a informá-los onde os formandos da escola (de nível primário e ginasial) iam fazer o ensino médio. Tammy e Jim aconselharam sua filha a frequentar a escola X. Mas Kimberly insistiu na escola Y. E é nessa escola que ela está matriculada agora.

Quando perguntei a Tammy por que ela e seu marido permitiram que sua filha de oito anos tivesse a palavra final, Tammy respondeu: "Acho que ser bom pai significa deixar as crianças decidirem. É assim que as crianças aprendem, certo? Se eu tomar todas as decisões por ela, como ela aprenderá a decidir por conta própria? E se eu a obrigar a ir para uma escola que não foi sua preferida, como vou responder se depois ela reclamar da escola?".

Há quarenta anos, a maioria dos pais que mandavam seus filhos para escolas particulares não perguntava a seus filhos qual escola eles preferiam. Há quarenta anos, os pais tomavam essa decisão, muitas vezes ignorando a preferência do filho. Mesmo trinta anos atrás, quando me formei na faculdade de medicina, seria incomum que os pais deixassem uma criança de oito anos ter a palavra final na escolha da escola. Hoje isso é comum.

Não estou sugerindo que as décadas de 70 ou 80 foram melhores do que a nossa época. Toda época tem suas deficiências. Mas acho que não estamos enfrentando as nossas.

Minha amiga Janet Phillips e seu falecido marido, Bill Phillips (nomes verdadeiros), criaram quatro filhos. Quando os meninos estavam no ensino médio, Janet e Bill ficaram preocupados com as histórias que ouviam sobre o consumo de álcool entre os jovens. Então, eles viram com os próprios olhos: jovens do ensino médio claramente bêbados e, ainda assim, assumindo o volante de um carro. O que fazer?

Bill comprou um bafômetro. Na próxima vez em que houve uma festa na casa deles, Bill viu um rapaz que parecia estar bêbado. Bill disse ao rapaz: "Venha comigo". Ele entregou o bafômetro ao rapaz e disse-lhe para soprar no aparelho. E de fato o rapaz estava bêbado. Janet ligou para os pais do rapaz e pediu-lhes que viessem buscar o filho embriagado. Para a surpresa de Bill e Janet, os pais do garoto ficaram ofendidos com o telefonema. A mãe do garoto levou o filho para casa, mas não agradeceu nem a Janet nem a Bill.

Outros pais também não acolheram com entusiasmo a estratégia do bafômetro de Janet e Bill. Um dos pais, a Senhora Stoltz, foi bem direta com Janet.

— Os jovens de hoje em dia vão beber, quer você goste ou não — disse Stoltz. — Acho que nosso trabalho é ensiná-los a beber responsavelmente.

— Aos quinze anos de idade? — Janet perguntou.

— Em qualquer idade. Prefiro que eles bebam em minha casa do que escondidos de mim.

Vários dias depois, Janet estava a poucos metros de distância quando a Senhora Stoltz chegou à escola para buscar seu filho mais novo, com cerca de doze anos de idade. O menino se instalou no banco de trás do carro.

A Senhora Stoltz se virou e lhe perguntou:

— Como foi seu dia?

Seu filho lhe respondeu:

— Vira pra frente. Não fala nada. Só dirige.

A Senhora Stoltz olhou para Janet e partiu sem dizer uma palavra.

Pelo que Janet se lembra, ela e o marido usaram o bafômetro apenas duas vezes. Mas sempre que algum de seus filhos adolescentes dava uma festa, eles o mantinham à vista de todos os jovens. A casa deles ficou conhecida como a casa dos "pais malucos que te testam com um bafômetro". E isso teve resultados.

Alguns desses resultados eram de se esperar, mas outros talvez não. Os quatro filhos do casal eram populares, por isso a casa deles era um ponto de encontro muito apreciado — *no começo* da noite. Então, por volta das nove e meia, um certo grupinho saía para ir a outras festas com bebida liberada. Mas outros jovens ficavam por lá.

E, às vezes, ainda chegavam outros rapazes e moças. Era isto que não se esperava: nem todos os adolescentes gostam de ficar bêbados. Alguns não gostam. Mas, para um adolescente na cultura americana contemporânea, é difícil "simplesmente dizer 'não'" sem parecer quadrado. Nos casos deles, ter uma desculpa ajuda; uma moça ou um rapaz pode dizer, quando lhe oferecerem uma bebida: "Poxa, até que eu queria, mas daqui a pouco vou para a casa dos Phillips e você conhece o pai maluco deles — aquele com o bafômetro". E essa é uma desculpa convincente para quem não quer beber.

***

Reparem que coisa estranha: nós, pais, estamos gastando cada vez mais tempo e dinheiro com a criação dos filhos, mas os resultados parecem mostrar que as coisas estão piorando ao invés de melhorar. Hoje em dia, as crianças americanas têm muito mais probabilidade de serem diagnosticadas com TDAH, transtorno bipolar ou outros transtornos psiquiátricos do que há vinte e cinco anos (apresentarei evidências disso no capítulo 3), e também são mais pesadas e estão em pior forma física (capítulo 2). Pesquisas de longo prazo sugerem que as crianças americanas atuais são menos resilientes e mais frágeis do que no passado. No capítulo 5, explicarei o que quero dizer com "mais frágeis" e também apresentarei as evidências que sustentam essa afirmação.

O que está havendo?

Meu diagnóstico é o seguinte. Nas últimas três décadas, houve uma gigantesca transferência de autoridade dos pais para os filhos. Junto com essa transferência de autoridade, a maneira de avaliar as opiniões e preferências dos filhos mudou. Hoje há muitas famílias nas quais o que os filhos pensam, o que os filhos gostam e o que os filhos querem passou a importar tanto ou mais do que o que os pais pensam, gostam e querem. "Deixe as crianças escolherem" tornou-se um mantra da boa educação. Como mostrarei, essas mudanças bem-intencionadas têm sido profundamente prejudiciais às crianças.

A primeira metade deste livro apresenta os problemas. A segunda metade fornece as soluções. Acho que descobri onde erramos e como resolver o problema. Minha prescrição baseia-se principalmente nas coisas que observei no consultório neste último quarto de século, mas também no que descobri em minhas conversas com pais, professores e crianças dentro e fora dos Estados Unidos.

***

Você deve estar se perguntando: "Quem é esse tal de Leonard Sax e o que faz dele um especialista?". Essa é uma pergunta justa. Sou médico de família certificado pelo conselho de medicina para essa especialização, e atualmente atendo no Condado de Chester, Pensilvânia. Também tenho um doutorado em psicologia. Cresci nos subúrbios de Cleveland, Ohio, onde frequentei escolas públicas do jardim de infância até o décimo segundo ano.[2] Obtive meu diploma de *undergraduate*[3] em biologia no MIT em Cambridge, Massachusetts. Obtive meus títulos de MD (Médico) e PhD (doutor em psicologia) da Universidade da Pensilvânia. Depois de cumprir três anos de residência em medicina familiar, exerci a profissão por nove anos na região metropolitana de Washington, D.C., em Maryland. Em seguida, mudei-me para a Pensilvânia. Minhas principais fontes para este livro são as mais de noventa mil consultas que realizei como médico desde 1989. Atendi crianças, adolescentes e seus pais, com uma ampla variedade de origens e circunstâncias. Vi, a partir da perspectiva íntima e objetiva do médico de família, as profundas mudanças na vida americana no último quarto de século. Sou testemunha ocular do colapso de uma geração.

Em 2001, comecei a visitar escolas e comunidades — primeiro nos Estados Unidos e depois na Austrália, Canadá, Inglaterra, Alemanha, Itália, México, Nova Zelândia, Escócia, Espanha e Suíça — encontrando-me com professores e pais, conversando com crianças e adolescentes e comparando observações com professores.[4] Publiquei três livros voltados para pais e mães, nos quais compartilho as coisas que descobri: *Why Gender Matters* (2005),

---

2 Este é o último ano de escolarização obrigatória nos EUA. Equivale, em termos de idade, ao terceiro ano do ensino médio no Brasil — NT.

3 Algo parecido com o bacharel, mas ainda visto como um grau intermediário, não propriamente de ensino superior; em geral e especialmente no contexto, semelhante ao que chamaríamos de um bom curso profissionalizante ou tecnólogo — NT.

4 As listas de meus eventos de 2006 até o presente estão disponíveis em meu *site* (www.leonardsax.com).

Boys Adrift (2007) e *Girls on the Edge* (2010). O sucesso desses livros me trouxe mais convites para visitar escolas e comunidades. De julho de 2008 a junho de 2013, tirei uma prolongada licença da prática médica para me dedicar a essas visitas em tempo integral. Já visitei mais de trezentos e oitenta locais na América do Norte e em todo o mundo, encontrando-me pessoalmente com alunos, professores e/ou pais.

Em meus livros anteriores, concentrei-me em questões de gênero, que ainda considero importantes. O que uma menina precisa para se tornar uma mulher bem-sucedida e realizada pode, às vezes, ser diferente do que um menino precisa para se tornar um homem bem-sucedido e realizado. Mas as questões que exploro neste livro transcendem as diferenças de gênero.

Neste livro, compartilharei o que aprendi, nos últimos trinta anos, sobre o colapso da autoridade dos pais. Como qualquer médico competente, primeiro analisarei os indícios. Em seguida, explicarei meu diagnóstico e prescreverei um tratamento. O tratamento será composto de atitudes — três, na verdade — que você pode tomar imediatamente, em sua casa, sem gastar dinheiro, e que aumentarão as chances de que tudo dê certo com seus filhos.

E compartilharei histórias de sucesso. Ouviremos mais sobre Janet Phillips e seus quatro filhos e outras famílias como a dela: famílias que se saíram bem, apesar das adversidades. Essas histórias, complementadas pela produção acadêmica recente, darão o fundamento para as três atitudes que você deve tomar se pretende criar uma criança saudável no mundo moderno — saudável não apenas fisicamente, mas também emocionalmente, de bom caráter, honesta e consciente. Ainda é possível criar uma criança saudável. Não é fácil, mas é possível.

***

Alguns aspectos do colapso da autoridade na família são tão problemáticos na Inglaterra e na Austrália quanto nos Estados Unidos. Em todos os países que visitei, encontrei pais incertos de seu papel. Eles perguntam: "Devo ser o principal confidente do meu filho? Seu melhor amigo? Mas se eu for o melhor amigo do meu filho, como vou poder dizer a ele que não pode jogar jogos eletrônicos violentos?". O Doutor Timothy Wright é diretor da Shore, uma escola particular que visitei em Sydney, Austrália. Recentemente, ele me contou que uma mãe pediu que ele aconselhasse o filho sobre o uso adequado de jogos eletrônicos: quais jogos são bons para jogar, quais não são e quanto tempo ele deve passar jogando. Gentilmente, mas com firmeza, o Doutor Wright se recusou. Ele explicou que o trabalho de orientar e governar o uso de jogos eletrônicos por um menino é tarefa dos pais, não de um diretor escolar.

Portanto, alguns aspectos desse problema são encontrados em todo o mundo. Mas outros aspectos do colapso da paternidade são muito característicos da América do Norte e, especialmente, dos Estados Unidos. O principal deles é a cultura do desrespeito.

1
A cultura do desrespeito

Para que serve a infância?

Vamos definir a "infância" como o intervalo decorrido entre o desmame e a maturidade sexual. Para a maioria das espécies, o objetivo do jogo é passar por uma infância tão breve quanto possível para que os indivíduos comecem a se reproduzir o quanto antes. Os coelhos bebês podem ser desmamados aos dois meses de idade ou antes.[1] Quatro meses depois, aos seis meses de idade, os coelhos estão prontos para começar a ter seus próprios filhotes.[2] Portanto, o intervalo entre o desmame e a maturidade sexual dos coelhos é de cerca de quatro meses. Os coelhos vivem até os quatro anos ou mais, portanto, normalmente passam menos de um décimo de suas vidas na infância.[3]

Agora, os cavalos. Os potros geralmente são desmamados da égua por volta dos seis meses de idade. A maioria das potras atinge a maturidade sexual — tornando-se capazes de engravidar — aos dezoito meses. Portanto, os cavalos têm uma "infância", ou período juvenil, de cerca de doze meses. Mas o cavalo de dezoito meses não é adulto. Quando biólogos ou veterinários falam sobre

---

1 Ver "How to wean kits from the doe" [Como desmamar os gamos], em *Florida 4-H*. Disponível em: http://florida4h.org/projects/rabbits/MarketRabbits/Activity8_Weaning.html.

2 Ver "The age of sexual maturity in rabbits" [A idade da maturidade sexual nos coelhos], em *Florida 4-H*. Disponível em: http://florida4h.org/projects/rabbits/MarketRabbits/Activity8_Maturity.html.

3 Segundo o *site* JustRabbits.com, os maiores coelhos vivem até cerca de cinco anos, enquanto as raças menores podem viver até dez aos doze anos.

adolescência, eles estão se referindo ao intervalo entre o início do amadurecimento sexual e a conquista do *status* de cavalo adulto completamente maduro. Os cavalos atingem a maturidade aos quatro anos de idade. Isso significa que um cavalo é adolescente pelos cerca de dois anos e meio entre a marca de dezoito meses e a de quatro anos.[4] O coelho de seis meses, por outro lado, já é um adulto completo. Não existe coelho adolescente.

A duração média da vida de um cavalo é de vinte e cinco a trinta e três anos.[5] Portanto, cerca de 4% da vida de um cavalo equivale à sua infância, e até 10% à adolescência.

A maioria dos bebês humanos é desmamada do peito por volta de um ano de idade, muitas vezes antes.[6] A menarca, ou seja, o momento em que as meninas passam a poder engravidar, atualmente acontece em torno de seus doze anos de idade.[7] Atualmente, a maioria dos meninos atinge a maturidade sexual por volta dos treze anos de idade. Portanto, nos seres humanos, a infância dura cerca de onze anos, no caso das meninas, e doze para os meninos. Dois séculos atrás, as meninas atingiam a maturidade sexual por volta dos dezesseis anos de idade; e as meninas que vivem em

---

[4] Sobre idades para cavalos, ver "Horse breeding", em *Horses and Horse Information*. Disponível em: www.horses-and-horse-information.com/articles/horse-breeding.shtml.

[5] Katherine Blocksdorf, "How long do horses live?" [Quanto tempo vivem os cavalos?], em *About: Horses*. Disponível em: http://horses.about.com/od/understandinghorses/qt/horse age.htm.

[6] Para fins de nossa discussão aqui, a alimentação por mamadeira pode substituir o aleitamento materno. A maioria dos bebês é desmamada da mamadeira aos meses de idade, com a introdução de alimentos sólidos em sua dieta por volta dos seis meses de idade. A Academia Americana de Pediatria recomenda que os pais desencorajem a mamadeira após os doze meses de idade, pois a criança pode começar a pular refeições por saber que a mamadeira estará disponível. Ver "Discontinuing the bottle" [Aposentando a mamadeira], em *HealthyChildren*. Disponível em: www.healthychildren.org/English/ages-stages/baby/feeding-nutrition/Pages/Discontinuing-the-bottle.aspx. Nas comunidades de caçadores-coletores, pode acontecer de a criança ser aleitada ao peito da mãe até os dois, três ou até quatro anos de idade. Ver Melvin Konner, "Hunter-gatherer infancy and childhood" [Infância entre povos coletores-caçadores], em *HunterGatherer Childhoods: Evolutionary, Developmental, and Cultural Perspectives*, editado por Barry Hewlett e Michael Lamb. Chicago: Aldine, 2005, pp. 19–64. Essas comunidades implantam a amamentação prolongada, em parte porque os alimentos que uma criança pequena pode comer facilmente não estão prontamente disponíveis.

[7] Susanne Cabrera e colegas, "Age of thelarche and menarche in contemporary US females: A cross-sectional analysis" [Idade da telarca e da menarca em mulheres dos EUA atuais: uma análise transversal], em *Journal of Pediatric Endocrinology and Metabolism*, 2014, vol. XXVII, pp. 47–51.

comunidades de caçadores-coletores, em condições primitivas, continuam tendo sua menarca em volta dos quinze ou dezesseis.[8] A expectativa de vida dos seres humanos nos países desenvolvidos aumentou substancialmente nos últimos dois séculos. Em 1820, a expectativa de vida nos Estados Unidos era de nove anos. Portanto, há dois séculos, uma menina era uma criança até os dezesseis anos de idade, mas tinha uma expectativa de vida total de apenas nove anos.[9] Hoje, a expectativa média de vida ao nascer nos Estados Unidos é de setenta e oito anos, mas a infância *encurtou* — embora a fração da vida que os seres humanos passam na infância, de aproximadamente 15%, ainda seja maior do que a de qualquer outra espécie,[10] mesmo sem incluir a adolescência.

A adolescência, como eu disse, é o período entre o início da maturidade sexual — a capacidade de engendrar ou conceber uma criança — e a conquista da maturidade plena. Podemos pensar em maturidade não apenas em termos de desenvolvimento físico, mas

---

8 Grace Wyshak e Rose Frisch, "Evidence for a secular trend in age of menarche" [Evidência de uma tendência secular na idade da menarca], em *New England Journal of Medicine*, 1982, vol. CCCVI, pp. 1033–1035 Em meu livro *Girls on the Edge* [Meninas no limite], dedico um capítulo à análise de como o início precoce da menarca e da puberdade afetou negativamente as meninas. Mas esse não é o nosso tópico aqui.

9 Estou ciente de que a estatística da expectativa de vida ao nascer pode ser enganosa quando a mortalidade infantil é alta. Por exemplo, em 1900, a expectativa de vida ao nascer era de quarenta e sete anos, enquanto em 1998 era de setenta e cinco anos, um aumento de vinte e oito anos. Porém, em 1900, a mortalidade infantil — a proporção de recém-nascidos que morrem no primeiro ano de vida — era de aproximadamente cento e cinquenta mortes para cada mil nascidos vivos. Em 1998, esse número havia caído para apenas sete mortes em mil nascidos vivos. Como observam Rohin Dhar e seus colegas, "em 1900, a expectativa de vida de alguém que chegava ao vigésimo aniversário era de aproximadamente sessenta e três anos. Em 1998, esse número subiu para setenta e oito. Portanto, enquanto a expectativa de vida desde o nascimento aumentou em vinte e oito anos de 1900 a 1998, a expectativa de vida após os vinte anos de idade aumentou em apenas quinze anos". (Todos os números deste parágrafo foram extraídos de "Why life expectancy is misleading" [Por que a expectativa de vida é uma medida enganosa], em *Priceonomics*, 11 de dezembro de 2013. Disponível em: http://priceonomics.com/why-life-expectancy-is-misleading). No entanto, mesmo quando levamos esses fatores em consideração, o fato é que a infância encurtou nos últimos dois séculos, enquanto a vida adulta aumentou.

10 Para obter informações sobre a expectativa de vida ao nascer nos Estados Unidos, em 2010, ver Centros de Controle e Prevenção de Doenças, "Table 22. Life expectancy at birth, at age 65, and at age 75, by sex, race, and Hispanic origin: United States, selected years 1900–2010" [Tabela 22. Expectativa de vida ao nascer, aos sessenta e cinco anos e aos setenta e cinco anos, por sexo, raça e origem hispânica, EUA, 1900–2010]. Disponível em: www.cdc.gov/nchs/data/hus/2011/022.pdf.

também de desenvolvimento cerebral e em termos de maturidade mental e emocional. As meninas atingem a maturidade plena em termos de desenvolvimento cerebral por volta dos vinte e dois anos de idade; os meninos, somente aos vinte e cinco anos.[11] Se definirmos uma mulher adulta como uma mulher com mais de vinte e dois anos e um homem adulto como um homem com mais de vinte e cinco anos, então a *adolescência* dura aproximadamente dez anos para as meninas (dos doze aos vinte e dois anos) e doze anos para os meninos (dos treze aos vinte e cinco anos).[12] Independentemente de como você calcula os intervalos exatos, tanto a infância quanto a adolescência dos seres humanos duram mais (em termos absolutos bem como proporcionais ao tempo de vida) que as de quaisquer outros mamíferos.[13]

Qual é o sentido disso? Por que nós, humanos, somos tão diferentes dos outros animais?

A resposta é: *cultura*. Quando os antropólogos usam o termo "cultura", eles se referem ao conjunto de práticas e costumes

---

11 Ver, por exemplo, Rhoshel Lenroot e Jay Giedd, "Sex differences in the adolescent brain" [Diferenças nos cérebros adolescentes entre os sexos], em *Brain and Cognition*, vol. LXXII, pp. 46–55, 2010. Convidei o Doutor Giedd, o principal pesquisador desse estudo, para falar em uma conferência que organizei em Lincolnshire, Illinois. Na conferência, o Doutor Giedd fez uma piada com base nessas descobertas. Ele disse: "A Hertz e a Avis têm os melhores neurocientistas". Ele estava se referindo ao fato de que a Hertz e a Avis (locadoras de carros) às vezes cobram uma substancial taxa adicional para um condutor abaixo dos vinte e cinco anos de idade, enquanto não impõem nenhuma sobretaxa a um locatário com sessenta e quatro anos de idade. A pessoa de vinte e quatro anos, em média, terá melhor audição e melhor visão do que a pessoa de cinquenta e nove anos, mas, explicou o Doutor Giedd, a Hertz e a Avis entendem que a pessoa de vinte e quatro anos ainda não é um adulto maduro. O risco de um acidente automobilístico está mais ligado ao bom senso e à maturidade do que a uma audição e visão melhores

12 Sim, isso significa que estou definindo um homem de vinte e quatro anos como um adolescente. Dedico grande parte de meu livro *Boys Adrift* para explicar por que essa definição faz sentido atualmente (veja também a nota anterior). Mas, como eu disse, não compensa discutirmos os números; os números exatos não são fundamentais para o argumento.

13 Ver, por exemplo, Barry Bogin, "The evolution of human growth" [A evolução do desenvolvimento humano], em *Human Growth and Development*. Nova York: Academic Press, 2012, pp. 287–324. Bogin afirma que devemos considerar quatro períodos no desenvolvimento inicial dos seres humanos: a primeira infância (bebê), a infância, a pré-adolescência e a adolescência. Ele denomina o período "juvenil" ou "pré-adolescente" como o que vai dos sete aos dez anos para as meninas e dos sete aos doze anos para os meninos. O período juvenil termina, segundo o esquema de Bogin, com o início da puberdade. Para nossos propósitos, é mais simples pensar na "infância" de Bogin como a primeira infância e no período "juvenil" de Bogin como a última infância.

característicos dos indivíduos de uma comunidade que não são compartilhados por indivíduos em outra comunidade da mesma espécie. Embutida no conceito está a noção de que as diferenças entre as duas comunidades não são geneticamente programadas. As crianças e os adolescentes aprendem esses costumes e práticas observando os adultos ou recebendo instruções diretas dos adultos.[14]

Está em aberto, entre os biólogos e antropólogos, a questão de haver ou não algum animal, além dos humanos, que verdadeiramente apresente "cultura":[15] isto é, variações consistentes a distinguir uma comunidade de outra, mantidas por gerações e que não pareçam ser geneticamente programadas. Atualmente, há indícios razoavelmente bons de que os chimpanzés em estado selvagem realmente têm cultura, assim definida. Os chimpanzés da floresta tropical de Kibale, em Uganda, costumam usar gravetos para comer, enquanto os da floresta tropical de Budongo raramente usam gravetos, embora em Budongo haja tantos gravetos disponíveis quanto em Kibale. Os chimpanzés de Budongo preferem usar os dedos. Essas diferenças entre dois grupos vizinhos de chimpanzés selvagens que ocupam *habitats* semelhantes parecem aprendidas, não inatas.[16] Podemos dizer que os dois grupos observam diferentes regras de etiqueta.[17]

Usar gravetos para pegar comida, em vez de comer com os dedos, é uma diferença relativamente pequena. Em nossa espécie, as peculiaridades culturais explodem de um modo que não encontra

---

14 Para saber mais sobre esse ponto, Ver Melvin Konner, "Enculturation", em *The Evolution of Childhood*. Cambridge: Harvard University Press, 2010, parte IV, pp. 595–727.

15 Para uma introdução ao debate acadêmico sobre se alguma espécie não humana realmente tem "cultura", ver Konner, *The Evolution of Childhood*, especialmente a seção intitulada "Does nonhuman culture exist?" [Existe uma cultura não humana?], pp. 579–592.

16 Thibaud Gruber e colegas, "Wild chimpanzees rely on cultural knowledge to solve an experimental honey acquisition task" [Chimpanzés selvagens empregam conhecimento cultural para resolver uma tarefa experimental de aquisição de mel], em *Current Biology*, 2009, vol. XIX, pp. 1806–1810.

17 Josep Call e Claudio Tennie, analisando as descobertas de Gruber e colegas em "Wild chimpanzees rely on cultural knowledge to solve an experimental honey acquisition task", comparam as diferenças entre as duas comunidades de chimpanzés selvagens com as diferenças humanas nas maneiras à mesa. Ver o artigo "Animal culture: Chimpanzee table manners?", em *Current Biology*, 2009, vol. XIX, pp. R981–R983.

paralelo em nenhum outro animal. Imagine uma criança criada em Kyoto, no Japão. Compare essa criança com outra criada em Appenzell, na Suíça. As duas crianças falam idiomas diferentes. Elas observam regras de comportamento diferentes, tanto entre os colegas de sua idade quanto com seus pais. Elas comem alimentos diferentes e com talheres diferentes (usando *hashis* num caso, e garfo, faca e colher no outro). A criança suíça pode aprender sobre a fabricação do queijo Appenzeller e, aos doze anos, pode estar apta a realizar algumas das tarefas típicas do queijeiro. A criança japonesa criada em Kyoto não sabe nada sobre a fabricação de queijo, mas pode conhecer um tanto do protocolo da cerimônia do chá.

Essas diferenças não são geneticamente programadas. Elas são específicas da cultura. Suponhamos que a criança japonesa e a criança suíça fossem trocadas ao nascer, a criança suíça sendo criada em Kyoto, e a criança japonesa, em Appenzell. A experiência da paternidade adotiva nos ensina que a criança japonesa falará *Schwyzertüütsch* (suíço-alemão) tão perfeitamente e dominará essa cultura com a mesma facilidade que qualquer outra criança criada em Appenzell; da mesma forma, a criança suíça criada em Kyoto falará japonês tão bem quanto qualquer criança nascida e criada em Kyoto, e atingirá o mesmo nível de fluência cultural.

Os acadêmicos em geral concordam que o objetivo das longas infância e adolescência observadas em nossa espécie é a *enculturação*:[18] o processo pelo qual são adquiridos todas as habilidades, conhecimentos e o domínio de todos os costumes e comportamentos necessários para uma atuação competente em meio à cultura em que o indivíduo vive. São necessários anos para dominar os detalhes do idioma, da cultura e do comportamento japoneses; o mesmo se aplica ao idioma, à cultura e ao comportamento suíços. Se você ou eu, já adultos, nos mudássemos para Kyoto ou Appenzell, poderíamos passar o resto de nossas vidas nos esforçando por dominar as complexidades do idioma e das artes locais, isto

---

18 Ver Konner, *The Evolution of Childhood*, para uma longa defesa dessa afirmação. Se desejar, você pode pular diretamente para a parte IV, "Enculturation" [Enculturação], pp. 595–727.

é, da *cultura* local. É provável que sempre nos sentíssemos como forasteiros, mesmo que alcançássemos dominar ao menos o idioma depois de vinte anos ou mais.

Mas somos adultos. Em comparação com o cérebro da criança ou do adolescente, o cérebro adulto é mais difícil de mudar num sentido fundamental. Nos últimos anos, tem havido muito burburinho sobre a "neuroplasticidade", a capacidade de mudança do cérebro humano adulto.[19] É verdade que o cérebro humano adulto não é imutável. Mas também é verdade que o cérebro humano adulto é muito menos passível de ser alterado do que o da criança ou do adolescente. Quando uma mulher jovem chega aos vinte e dois anos de idade, ou quando um homem jovem atinge os vinte e cinco, a completa absorção de um novo idioma, uma nova cultura, uma nova vida se torna mais difícil para eles.[20]

***

O que significa aprender uma cultura? É algo que vai além de aprender um determinado ofício ou profissão, um idioma ou uma culinária. Significa aprender como as pessoas se relacionam umas com as outras nessa cultura.

---

19 Quando me refiro ao burburinho sobre neuroplasticidade, estou pensando em artigos como o de Shufei Yin e colegas, "Intervention-induced enhancement in intrinsic brain activity in healthy older adults" [Melhoria induzida por intervenção na atividade cerebral intrínseca em idosos saudáveis], em *Scientific Reports*, 2014, vol. IV. Disponível em: www.nature.com/srep/2014/141204/srep07309/full/srep07309.html; Eduardo Mercado, "Neural and cognitive plasticity: From maps to minds" [Plasticidade neural e cognitiva: dos mapas às mentes], em *Psychological Bulletin*, 2008, vol. CXXXIV, pp. 109–137; e C. S. Green e D. Bavelier, "Exercising your brain: A review of human brain plasticity and training-induced learning" [Exercitando seu cérebro: uma revisão da plasticidade do cérebro humano e da aprendizagem induzida pelo treinamento], em *Psychology and Aging*, 2008, vol. XXIII, pp. 692–701.

20 Ver, por exemplo, Jacqueline Johnson e Elissa Newport, "Critical period effects in second language learning: The influence of maturational state on the acquisition of English as a second language" [Efeitos do período crítico na aprendizagem de uma segunda língua: a influência do estado de amadurecimento na aquisição do inglês como segunda língua], em *Cognitive Psychology*, 1989, vol. XXI, pp. 60–99. Para uma reavaliação recente da hipótese do período crítico, ver Jan Vanhove, "The critical period hypothesis in second language acquisition: A statistical critique and a reanalysis" [A hipótese do período crítico na aquisição de uma segunda língua: uma crítica estatística e uma reanálise], em PLOS *One*, 25 de julho de 2013. Disponível em: http://journals.plos.org/plosone/article?id=10.1371/journal.pone.0069172#pone-0069172-g009.

Há três décadas, um pastor chamado Robert Fulghum escreveu um pequeno livro intitulado *All I Really Need to Know I Learned in Kindergarten* [Tudo o que eu realmente preciso saber eu aprendi no jardim de infância], que vendeu mais de quinze milhões de cópias. Aqui vai um trecho da obra:

> Compartilhe tudo. Jogue limpo. Não agrida ninguém. Coloque as coisas de volta no lugar onde você as encontrou. Limpe a bagunça que você fizer. Não pegue o que não lhe pertence. Peça desculpas quando magoar alguém. Lave as mãos antes de comer. Dê descarga. Viva uma vida equilibrada — aprenda um pouco, pense um pouco, desenhe, pinte, cante, dance, brinque e trabalhe todos os dias um pouco. Quando estiver fora de casa, tome cuidado com o trânsito, segure a mão e não se afaste de quem está com você.[21]

Você pode pensar que essas regras são universais e/ou inatas, mas elas não são. O filho de um samurai, criado no Japão por volta de 1700, não ouviria um conselho como: "Não agrida ninguém"; tampouco lhe ensinariam: "Peça desculpas quando magoar alguém". Vamos contrastar o livro de Fulghum acima com alguns trechos do *Hagakure: o livro do samurai*, escrito por Yamamoto Tsunetomo no início dos anos 1700:

> As artes arruínam o corpo. Sem exceção, a pessoa que pratica uma arte é um artista, não um samurai, e deves intencionar ser chamado de "samurai". [...] Pelo senso comum não é possível alcançar grandes coisas. [...] Tudo que cabe ao homem são questões violentas. [...] A única maneira de evitar o opróbrio [...] é a morte. [...] Diante da escolha entre morrer ou não morrer, é melhor morrer. [...] O caminho do samurai se realiza na morte. [...] Um homem de verdade não pensa em vitória ou derrota. Ele se lança imprudentemente a uma morte irracional. [...] Se fores morto em uma batalha, deves decidir-te a cair de tal forma que teu cadáver encare o inimigo. [...] [A melhor maneira]

---

21 Robert Fulghum, *All I Really Need to Know I Learned in Kindergarten: Uncommon Thoughts on Common Things* [Tudo o que realmente preciso saber aprendi no jardim de infância]. Nova York: Ivy, 1988.

de educar o filho de um samurai: desde a infância, deve-se incentivar a bravura.[22]

Cada cultura constrói suas regras de bom comportamento de uma forma diferente. Não estou dizendo que o nosso jeito é o certo e que o samurai japonês estava errado. Estou dizendo que *nenhuma criança nasce sabendo as regras*. Todas precisam ser ensinadas.

Costumávamos ser muito mais eficientes ao ensinar as regras específicas de nossa cultura. Trinta anos atrás, o jardim de infância e o primeiro ano nas escolas americanas tinham como objetivo a "socialização", como se dizia na época: ensinar as regras de Fulghum e outras coisas. A partir de meados da década de 80, muitas escolas e distritos escolares americanos decidiram que o ensino fundamental não deveria priorizar a socialização, mas sim os letramentos textual e matemático. Naquela época, os Estados Unidos encaravam com grande ansiedade o fato de que os estudantes japoneses tinham passado à frente dos americanos em algumas medidas de desempenho acadêmico.[23] O pressuposto tácito parece ter sido o de que as regras básicas de bom comportamento — a parte mais importante da enculturação — seriam ensinadas às crianças de alguma outra forma: por suas famílias, em casa, ou pelo ambiente cultural como um todo.[24] Naquela época, durante as décadas de 80 e 90 — e em

---

22 Todas as citações são de Yamamoto Tsunetomo, *Hagakure: The Book of the Samurai* [O livro do samurai]. Como o livro tem quase trezentos anos, ele está amplamente disponível em versões *online* de domínio público. Essa versão específica, traduzida por Lapo Mori, está disponível em: http://judoinfo.com /pdf/hagakure.pdf. Para outro livro que oferece uma visão semelhante sobre a cultura e a crença dos samurais, ver o livro de Thomas Cleary: *Code of the Samurai: A Modern Translation of the Bushido Shoshinshu of Taira Shigesuke* [Código do samurai: tradução moderna do Bushido]. Tóquio: Tuttle, 1999. Para uma visão geral mais acadêmica da vida japonesa na era que vai do estabelecimento do Xogunato Tokugawa em 1603 até a Restauração Meiji de 1868, ver Charles Dunn, *Everyday Life in Traditional Japan* [Vida cotidiana no Japão Tradicional]. Tóquio: Tuttle, 1969.

23 O relatório federal da Era Reagan intitulado *A Nation at Risk* [Nação em perigo] (1983) expressou o temor americano sobre o declínio percebido no desempenho dos alunos americanos em comparação com suas contrapartes japonesas e alemãs, em especial. Para uma crítica perspicaz desse relatório e da ansiedade do início da década de 80 com relação à educação americana, ver "A Nation at Risk twenty-five years later" [Nação em perigo vinte e cinco anos depois], de Richard Rothstein, Cato Unbound, 7 de abril de 2008. Disponível em: www.cato-unbound.org/2008/04/07/richard-rothstein/nation-risk-twenty-five-years-later.

24 Para saber mais sobre por que as escolas americanas mudaram sua ênfase da socialização para a alfabetização e o cálculo, ver o capítulo 2 de meu livro *Boys Adrift: The Five Factors*

muitos distritos, ainda hoje — a glória de muitos administradores escolares era a introdução do "rigor" no ensino fundamental. Eu morava no Condado de Montgomery, em Maryland, quando o superintendente local foi nacionalmente louvado por implementar o "rigor acadêmico" no jardim de infância, eliminando as "coisas fofas", como brincadeiras, viagens de campo e cantigas de roda, e exigir que as professoras do jardim de infância passassem mais tempo ensinando leitura pelo método fônico.[25]

A mudança no currículo dos primeiros anos do ensino fundamental e o consequente descuido do ensino das habilidades sociais puseram sobre os pais americanos um fardo inédito. No entanto, justamente quando mais do que nunca as crianças precisam dos pais para ensinar-lhes tudo que significa ser uma boa pessoa dentro de nossa cultura específica, a autoridade dos pais para realizar esse trabalho foi enfraquecida. Vivemos agora em uma cultura em que os filhos valorizam mais a opinião dos colegas da mesma idade do que a opinião dos pais; uma cultura em que a autoridade dos pais diminuiu não apenas aos olhos dos filhos, mas também aos olhos dos próprios pais.

***

Os pais de hoje sofrem de *confusão de papéis*. "Confusão de papéis" é uma tradução plausível de "Statusunsicherheit", um termo usado pelo sociólogo alemão Norbert Elias para descrever a transferência de autoridade dos pais para os filhos.[26] Elias

---

Driving the Growing Epidemic of Unmotivated Boys and Underachieving Young Men [Meninos à deriva: os cinco fatores que impulsionam a crescente epidemia de meninos desmotivados e jovens com baixo desempenho] (Nova York: Basic Books, 2007), e o capítulo 5 de meu livro *Girls on the Edge: The Four Factors Driving the New Crisis for Girls. Sexual Identity, The Cyberbubble, Obsessions, Environmental Toxins* [Meninas no limite: os quatro fatores que impulsionam a nova crise para as meninas. Identidade Sexual, a bolha cibernética, obsessões, toxinas ambientais] (Nova York: Basic Books, 2010).

25 Jerry D. Weast, superintendente escolar do Condado de Montgomery, Maryland, "Why we need rigorous, full-day kindergarten" [Porque precisamos de jardins de infância em tempo integral e rigorosos], da edição de maio de 2001 da *Principal Magazine*.

26 A tradução literal seria "insegurança de *status*" ou "incerteza de *status*", mas "confusão de papéis" é uma tradução mais expressiva, considerando o contexto.

observou que, na segunda metade do século XX, os europeus ocidentais passaram a ficar menos confortáveis diante de qualquer tipo de desigualdade de poder nas relações sociais. Ele observou que, antes da Primeira Guerra Mundial, as desigualdades de poder eram nitidamente definidas em vários âmbitos: as desigualdades entre aristocratas e membros das classes mais baixas, entre homens e mulheres, entre gestores e funcionários e entre pais e filhos. Ao longo do século XX, e especialmente nas décadas após 1945, as pessoas na Europa Ocidental — e também na América do Norte, devo acrescentar — ficaram desconfortáveis com todos essas desigualdades de poder. No que se refere à desigualdade de poder entre homens e mulheres: em nome da justiça social, as mulheres adquiriram direitos iguais, embora em velocidades diferentes em cada região (somente em 1991 as mulheres de Appenzell, na Suíça, obtiveram o direito de votar nas questões locais). Com relação à desigualdade de poder entre gestores e funcionários: nas últimas décadas, muitas empresas abandonaram o sistema de gerenciamento hierárquico antiquado, substituindo-o por algo na linha de "dar voz aos funcionários". Com relação à antiga deferência das classes mais baixas para com as classes mais altas: a aristocracia quase desapareceu, pelo menos no estilo *Downton Abbey*, tradicional, senhor-*versus*-servo. E com relação a pais e filhos: a autoridade dos pais e, o que é ainda mais significativo, a *importância* dos pais na vida de seus filhos diminuíram substancialmente.[27]

Há mais de cinquenta anos, o sociólogo James Coleman, da Universidade Johns Hopkins, fez a seguinte pergunta a adolescentes americanos: "Digamos que você sempre tenha tido vontade de fazer parte de um determinado clube na escola e, finalmente, acaba sendo convidado a participar. Depois, porém, você descobre

---

[27] Esse parágrafo resume os aspectos relevantes do ensaio de Norbert Elias "Changes in European standards of behaviour in the twentieth century" [Mudanças nos padrões de comportamento europeus no século XX], em *The Germans: Power Struggles and the Development of Habitus in the Nineteenth and Twentieth Centuries* [Os alemães: a luta pelo poder e a evolução do *habitus* nos séculos XIX e XX], editado por Michael Schröter, traduzido por Eric Dunning. Nova York: Columbia University, 1998, pp. 23–43.

que seus pais não aprovam o grupo. Você ainda assim entraria no clube?". Naquela época, a maioria dos adolescentes americanos respondeu que não: eles não entrariam no clube se seus pais não aprovassem.[28] Naquela época, para a maioria das crianças, a opinião dos pais era mais importante do que a boa opinião dos colegas da mesma idade.

Hoje não é assim. Apresentei uma versão atualizada da pergunta do Professor Coleman a centenas de crianças e adolescentes em dezenas de locais nos Estados Unidos entre 2009 e 2015. Perguntei a eles: "Se todos os seus amigos se inscrevessem em uma determinada rede social, e todos quisessem que você entrasse, mas um de seus pais não o aprovasse: você ainda assim entraria na rede?". A resposta mais comum à pergunta não foi nem "sim" nem "não", mas gargalhadas. A ideia de que as crianças perderiam tempo consultando seus pais antes de participar de uma rede social era tão implausível que chegava a ser engraçada. "Meus pais nem sabem o que é *ask.fm*. Eles provavelmente pensariam que é algum tipo de estação de rádio! Então, pra que perguntar a eles se posso me cadastrar? Se todos os meus amigos estão acessando essa rede, *é claro* que eu também vou".

Atualmente, na cultura americana, os colegas da mesma idade são mais importantes do que os pais. E os pais relutam em mudar as regras — insistindo, por exemplo, que o tempo com os pais e a família é mais importante do que o tempo com os colegas da mesma idade — porque os pais estão sofrendo da "confusão de papéis" descrita por Elias. Eles não sabem ao certo que tipo de autoridade deveriam ter e como exercê-la. Como resultado, os pais

---

28 James S. Coleman, *The Adolescent Society: The Social Life of the Teenager and its Impact on Education* [A sociedade adolescente: a vida social do adolescente e seu impacto na educação]. Nova York: Free Press, 1961, pp. 5–6. Os números reais foram os seguintes: 49,2% disseram que "provavelmente não se associariam" e 12,3% disseram que "definitivamente não se associariam" se seus pais não aprovassem. Portanto, uma sólida maioria de 61,5% disse que provavelmente ou definitivamente não se associaria se seus pais não aprovassem. Esses números são fornecidos na tese de doutorado de Edwin Artmann, "A comparison of selected attitudes and values of the adolescent society in 1957 and 1972" [Uma comparação de atitudes e valores selecionados da sociedade adolescente em 1957 e 1972]. North Texas State University, 1973.

americanos têm muito mais dificuldade de ensinar a seus filhos as regras de Fulghum. E quanto mais velho o filho ou filha, mais isso é verdade. Em um estudo, a atitude dos adolescentes americanos em relação a seus pais foi descrita como "ingratidão temperada com desdém".[29]

Como observou o psicólogo canadense Doutor Gordon Neufeld: na maioria das culturas, na maioria das épocas e na maioria dos lugares, a tarefa de introduzir a criança na cultura não é primordialmente da mãe e do pai. Toda a cultura toma parte no processo: as escolas, a comunidade e até mesmo as histórias populares atuam em harmonia para a inculcação das regras básicas que formam a trama da cultura.[30] Em nossa época, as escolas se afastaram da instrução normativa sobre o que é certo e o que é errado para se concentrarem nos estudos acadêmicos. É menos controverso concentrar-se na alfabetização fônica do que ensinar as regras de Fulghum ou qualquer outra noção absoluta de bom comportamento. É mais fácil para os professores e administradores escolares sugerirem que uma criança tem transtorno de déficit de atenção/hiperatividade e/ou transtorno desafiador opositivo e que ela pode se beneficiar de alguma medicação do que exortar os pais a se esforçarem mais na tarefa de ensinar a seus filhos habilidades sociais. O resultado final, como já disse, é que os pais de hoje carregam um fardo maior do que os pais das gerações anteriores, mas têm menos recursos para fazer seu trabalho.

***

---

[29] O estudo envolveu entrevistas de Ellen Galinsky com mil adolescentes americanos, que ela documenta em seu livro *Ask the Children: The Breakthrough Study That Reveals How to Succeed at Work and Parenting* [Pergunte às crianças: o estudo inovador que revela como ter sucesso no trabalho e na criação dos filhos]. Nova York: HarperCollins, 2000. Em *All Joy and No Fun: The Paradox of Modern Parenthood* (Nova York: Ecco [HarperCollins], 2014, p. 194), Jennifer Senior comenta assim as descobertas de Galinsky: "Durante a adolescência, essa ingratidão é adicionalmente temperada com desprezo".

[30] Esse é o tema central do livro de Gordon Neufeld, escrito com Gabor Maté, *Hold On to Your Kids: Why Parents Need to Matter More Than Peers* [Segure seus filhos: por que os pais precisam ser mais importantes do que os colegas]. Toronto: Vintage Canada, 2013, 2ª ed. Exploro mais detalhadamente a perspectiva do Doutor Neufeld no capítulo 5.

Antes de prosseguirmos em nossa discussão sobre o colapso da autoridade dos pais, preciso ter certeza de que você e eu estamos na mesma página com relação ao que quero dizer com "autoridade dos pais". Aprendi que, quando falo com mães e pais, muitos confundem "autoridade" com "disciplina". Eles acham que a autoridade paterna/materna se resume à imposição da disciplina. Na verdade, a autoridade se baseia, principalmente, numa *escala de valores*. Uma forte autoridade parental significa que, para o filho, pai e mãe são mais importantes do que os colegas da sua idade. Na cultura americana contemporânea, os colegas são mais importantes do que os pais.

Durante a maior parte da história da raça humana, as crianças aprenderam a cultura dos adultos. É por isso que a infância e a adolescência precisam durar tanto tempo em nossa espécie. Mas nos Estados Unidos de hoje, as crianças não aprendem mais a cultura com os adultos. As crianças americanas de hoje têm sua própria cultura: uma cultura de desrespeito, que aprendem com seus colegas e que ensinam a novos colegas.

Quando falo sobre a cultura do desrespeito, não me refiro apenas à já mencionada "ingratidão temperada com desdém", que agora é a atitude característica de muitas crianças e adolescentes americanas em relação aos *pais*; refiro-me também ao fato de atualmente ser comum que as crianças e adolescentes americanos demonstrem desrespeito *uns pelos outros* e que vivam em uma cultura na qual esse desrespeito é considerado a norma. Há cinco décadas, o *single* dos Beatles, *I want to hold your hand*, foi um sucesso mundial. Em 2006, Akon lançou um *single* intitulado *I wanna f*** you*. (A versão limpa, intitulada *I wanna love you*, foi tocada nas rádios; mas foi a versão original, com linguagem obscena, que alcançou a primeira posição nos Estados Unidos.)

Camisetas. Aqui estão algumas das mensagens que recentemente vi jovens americanos usando em camisetas:

PARECE QUE EU ME IMPORTO?
MUITA AREIA PRO SEU CAMINHÃOZINHO

> VOCÊ NÃO TEM NADA MELHOR PRA MOSTRAR?
> PELA SUA CARA, EU PRECISO DE OUTRO DRINQUE
> (OU SUA VARIANTE: ME PAGUE OUTRA BEBIDA,
> VOCÊ CONTINUA FEIO)
> NÃO PRECISO DE VOCÊ, TENHO WI-FI
> VOCÊ ERA MAIS BONITO NO FACEBOOK[31]

Essas camisetas não pretendiam principalmente comunicar uma mensagem aos adultos (homens acima de vinte e cinco anos, mulheres acima de vinte e dois anos). Elas eram uma forma de comunicação com os colegas da mesma idade. As mensagens nessas camisetas simbolizam o desdém de *uns pelos outros*.

Não se trata apenas de *hip-hop* e camisetas. A coisa está em toda parte. Até mesmo o Disney Channel promove ativamente a cultura do desrespeito e enfraquece a importância dos pais. Considere os programas mais populares do Disney Channel, como *Jessie*, uma *sitcom* em que os pais quase estão sempre ausentes (e são irrelevantes), enquanto os três filhos são mais competentes do que o mordomo atrapalhado e a babá desastrada. Ou *Liv e Maddie*, em que a patética mãe — que por acaso é psicóloga e orientadora pedagógica — é regularmente deixada em embaraço, tanto filha mais patricinha quanto pela mais amolecida (ambas interpretadas pela mesma atriz). Ou *Stan, o cão blogueiro*, em que o pai é um psicólogo — outro psicólogo! — que não sabe nada sobre o comportamento infantil, uma peculiaridade que leva os filhos a zombarem do pai, com muita justiça. A falta de noção do pai é um gancho humorístico recorrente no programa. O cachorro falante é mais perspicaz do que o pai.

Não é preciso ir muito longe para ver como a cultura americana mudou nesse aspecto. Os programas de TV mais populares das décadas de 60 a 80 retratavam consistentemente o pai como

---

[31] O autor se refere ao traço de comportamento que no Brasil se qualifica como "afrontoso". No Brasil, as mensagens do mesmo tipo mais populares em camisetas foram, em torno da segunda metade da década de 2010: "Tá, tchau", "RANÇO", "meiga e abusada" e coisas do gênero — NT.

o guia prestimoso e confiável das crianças. Era isso que se retratava em *The Andy Griffith Show*, na década de 60; era o que se retratava em *Caras e caretas*, na década de 80. Mas não é o que se retrata hoje. Analisando a lista dos cento e cinquenta programas de TV mais populares da televisão americana no momento, não encontrei nenhum que retratasse um pai como consistentemente confiável e prestimoso.[32]

É difícil ser pai em uma cultura que constantemente enfraquece a autoridade paterna. Há duas gerações, os pais e professores americanos tinham muito mais autoridade. Naquela época, os pais e professores americanos ensinavam o certo e o errado em termos inequívocos. "Faça aos outros o que gostaria que fizessem a você". "Ame seu próximo como a si mesmo". Essas frases eram ordens, não sugestões.

Hoje, a maioria dos pais e professores americanos não age mais com essa autoridade. Eles não dão ordens. Em vez disso, *perguntam*: "Como você se sentiria se alguém fizesse isso com você?". A ordem deu lugar a uma pergunta. Os pais e professores americanos têm dificuldade para responder quando o aluno responde: "Se alguém fizesse isso comigo, eu lhe daria um chute nas bolas". Mesmo quando os alunos reproduzem a resposta enlatada que sabem que os adultos querem ouvir, eles estão apenas regurgitando. Eles não digeriram nada. Não houve verdadeira comunicação entre as gerações — o mais importante fator da enculturação.

O que significa afirmar sua autoridade como pai? Não é, necessariamente, ser um disciplinador severo. Entre outras coisas, significa garantir que o relacionamento entre pais e filhos tenha prioridade sobre os relacionamentos entre a criança e seus colegas da mesma idade. Não apenas no caso das crianças pequenas, mas também no dos adolescentes. Significa que os pais fazem seu trabalho — pode-se dizer que cumprem seu papel biológico — de ensinar a criança a se comportar dentro e fora da unidade familiar. Lembre-se de que o objetivo de uma infância prolongada em nossa

---

32 Para isso, usei a lista em www.tvguide.com/top-tv-shows.

espécie parece ser, antes de mais nada, que a criança aprenda com os adultos a cultura adulta. Quando os pais perdem sua autoridade — quando os colegas da mesma idade são mais importantes do que os pais — os filhos perdem o interesse em aprender a cultura dos pais. Eles passam a preferir o aprendizado da cultura infantil e da cultura adolescente. Ao longo deste livro, veremos o quanto isso é prejudicial.

São muitos os benefícios da autoridade paterna. Quando os pais são mais importantes do que os colegas, eles podem ensinar o certo e o errado de forma profunda. Eles podem priorizar os vínculos familiares em detrimento dos vínculos com colegas da mesma idade. Eles podem promover melhores relacionamentos entre seus filhos e outros adultos. Podem ajudar seus filhos a desenvolver um senso de identidade mais sólido e autêntico, baseado não em quantas "curtidas" uma foto recebe no Instagram ou no Facebook, mas na natureza mais verdadeira da criança. Eles podem *educar o desejo*, incutindo um anseio por coisas melhores e mais elevadas a encontrar na música, nas artes e no próprio caráter.

***

Por que essa mudança ocorreu — e por que aqui nos Estados Unidos, em um grau maior do que na Europa Ocidental? Para responder a essa pergunta, começo com as percepções acima mencionadas de Norbert Elias. Ao longo do século XX, a legitimidade de quase todo tipo de autoridade tornou-se suspeita em toda a Europa Ocidental e na América do Norte. Em termos políticos, podemos resumir a segunda metade do século XX como o empoderamento dos que antes não tinham direito a nada: as pessoas de cor foram empoderadas. As mulheres foram empoderadas. Os funcionários (pelo menos no discurso) foram empoderados. E as crianças foram empoderadas. Ninguém parou para dizer: "Sim, é justo que, entre adultos em suas relações recíprocas, haja igualdade de direitos. É justo que haja igualdade de direitos entre as mulheres e as pessoas de cor frente aos homens brancos. Mas o que é válido para adultos, em suas relações com outros adultos, talvez não seja válido para os pais em suas relações com os filhos".[33] Mas vamos empoderar todo mundo! Por que não?

Minha resposta é: porque a primeira tarefa dos pais é ensinar cultura aos filhos. E o ensino exige autoridade para ser levado a sério.

Como já mencionei, alguns aspectos desse problema são globais. Outros são mais pronunciados aqui nos Estados Unidos. Por que isso acontece? Parte da minha resposta tem a ver com a forma como nós, americanos, consideramos a ideia de "progresso". Nos Estados Unidos, o "progresso" é geralmente visto como uma coisa boa. A história americana, a contar com o que vi ser ensinado em muitas escolas americanas de ensino fundamental e médio, tem uma trajetória suavemente ascendente, embora com alguns percalços no último meio século (por exemplo, a Guerra do Vietnã). Começamos como um conjunto de colônias britânicas na costa; agora somos uma poderosa nação de cinquenta estados a cobrir um continente, além do Alasca e do Havaí. Nossas instituições já foram racistas; agora afirmamos a igualdade de direitos para todos perante a lei. Dois séculos atrás, nossa nação não era rica; agora somos prósperos. No léxico da publicidade americana, "novo" é praticamente um sinônimo de "melhorado".

Essa noção permeia não apenas nossa história e nossa publicidade, mas até mesmo nossa arquitetura. É mais comum nos Estados Unidos do que em qualquer outro lugar que as incorporadoras derrubem prédios antigos para construir novos. Em defesa dos incorporadores, os novos edifícios geralmente são maiores e, às vezes, até melhores do que os antigos. Quando as pessoas na Europa pensam em edifícios antigos, elas pensam em algo como a Catedral de Colônia. Quando as pessoas nos Estados Unidos pensam em edifícios antigos, pensam em telhas de amianto.

---

33 Essa não é a história completa. Publiquei outras ideias sobre as possíveis razões por trás da transferência de autoridade dos pais para os filhos em www.leonardsax.com/afterthoughts.htm.

A cultura do desrespeito

De acordo com minha experiência, a suposição de que "novo" geralmente significa "melhor" é muito menos evidente em países como a Suíça e a Escócia. Com relação à arquitetura, em Zurique e Lucerna (Suíça) e Edimburgo e Stirling (Escócia), os edifícios mais grandiosos são as catedrais, os castelos e as torres medievais, preservados e celebrados por todas as gerações de habitantes, inclusive crianças e adolescentes. Com relação à história, todos os europeus compartilham a memória da Primeira e Segunda Guerras Mundiais. Mesmo na Suíça, que manteve a neutralidade, a maioria das pessoas pode contar histórias de parentes que morreram nessas guerras. A noção de história como uma trajetória de suave progresso foi, na verdade, popular em toda a Europa desde a década de 1870 até o verão de 1914.[34] Mas você não a encontra na Europa hoje. E quando ligo a televisão em Stirling ou Lucerna, até mesmo o estilo da publicidade é diferente: é menos comum encontrar um anúncio promovendo um produto cuja principal argumento é o fato de ele ser "novo".

A celebração do novo em detrimento do velho se traduz facilmente na celebração do recente em detrimento do velho e dos jovens em detrimento dos idosos. Nos Estados Unidos, o culto à juventude — a celebração da juventude por si mesma — é mais difundido do que em qualquer outro país que visitei. Nas cidades americanas, frequentemente vejo *outdoors* promovendo cirurgiões plásticos que prometem lhe dar uma aparência mais jovial. Poucas vezes vi *outdoors* desse tipo no Reino Unido, na Alemanha ou na Suíça.

Quando a cultura valoriza a juventude em detrimento da maturidade, a autoridade dos pais é sabotada. Os jovens facilmente superestimam a importância da cultura jovem e subestimam a

---

34 Houve uma grande quantidade de livros sobre o período que antecedeu a Primeira Guerra Mundial, à medida que observamos os vários centenários. Meu tratamento favorito desse tópico — o otimismo ensolarado dos europeus antes da eclosão da guerra em agosto de 1914, sua confiança de que a história é uma história de progresso suave e contínuo — vem de um livro anterior: Niall Ferguson, *The Pity of War: Explaining World War I* [A lástima da guerra: explicando a Primeira Guerra Mundial] (Nova York: Basic Books, 2000, pp. 143–173), especialmente o capítulo 6, "The last days of mankind: 28 June 1914–4 August 1914" [Os últimos dias da humanidade: de 28 de junho de 1914 a 4 de agosto de 1914].

cultura das gerações anteriores. "Por que temos de ler Shakespeare?" é um refrão comum que ouço de estudantes americanos. "Tipo, ele não tem *nada a ver com nada*".

A ambivalente atitude europeia em relação ao progresso é bem resumida por Nicolás Gómez Dávila, filósofo do final do século XX educado na França, que escreveu: "Há duzentos anos, era razoável confiar no futuro sem ser totalmente estúpido. Mas já agora, quem poderá acreditar nas profecias atuais, visto que somos o esplêndido futuro de ontem? 'Progresso' significa, em última análise, tirar do homem aquilo que o enobrece, para lhe vender bem barato aquilo que o rebaixa".[35]

Também há, na Europa Ocidental e no Reino Unido, um lastro cultural maior do que nos Estados Unidos. Quando me reuni com estudantes escoceses e suas famílias em Edimburgo, Perthshire e Stirling, encontrei muitos meninos e algumas meninas que se orgulhavam de usar as roupas tradicionais usadas por seus pais e avós. Os *kilts* passam de uma geração para a outra, e não como peças de museu, mas como roupas a serem usadas sempre que a ocasião as indicar. E as ocasiões para usar um *kilt* surgem frequentemente. Os rapazes na Escócia não se acanham de improvisar uma palestra sobre as características de um *kilt* escocês adequado e como distinguir o artigo genuíno das fraudes importadas baratas que são vendidas aos turistas.

Seria surpreendente encontrar uma moça ou um rapaz americano que usasse orgulhosamente as roupas de seus avós.

Mas, no que diz respeito à nossa tarefa enquanto pais, não importa realmente saber por que é que a cultura mudou ou por

---

35 Essas citações foram extraídas *de Scholia to an Implicit Text* [Escólios a um texto implícito], de Nicolás Gómez Dávila, editado por Benjamin Villegas, traduzido para o inglês por Roberto Pinzón. Bogotá: Villegas Editores, 2013. Gómez Dávila, um cidadão colombiano educado na França, teve o cuidado de manter uma mentalidade europeia em contradição com a cultura *latino-americana*, que ele desdenhava. Não compartilho nem apoio sua atitude negativa em relação à cultura latino-americana; incluo a menção à sua atitude apenas para indicar que Gómez Dávila não gostaria de ser chamado de "filósofo latino-americano". As passagens citadas no texto foram extraídas de *Scholia to an Implicit Text*, pp. 55 e 137. Na segunda passagem, eu me afastei da tradução em inglês de Pinzón. Eis o original em espanhol: "El Progreso ['P' maiúsculo no original, daí meu uso de aspas em torno de 'Progresso'] se reduce finalmente a robarle al hombre lo que lo ennoblece, para poder venderle barato lo que le envilece".

que a cultura do desrespeito é mais pronunciada aqui nos Estados Unidos que nos outros países desenvolvidos. Precisamos entender o *que fazer a respeito*, que é o foco deste livro.

***

O problema nem sempre é o fato de os pais não estarem dispostos a fazer valer sua autoridade. Às vezes, eles acreditam que estão fazendo bem a seus filhos ao sair do caminho e permitir-lhes tomar decisões. Aqui está um exemplo do que *não se deve* fazer — em outras palavras, um exemplo de como muitos pais americanos se comportam atualmente.

Megan e Jim, ambos pais de quarenta e poucos anos, haviam planejado uma viagem de férias para esquiar por quatro dias entre o Natal e o Ano Novo. Sua filha de doze anos, Courtney, gentilmente recusou-se a acompanhá-los. "Vocês sabem que eu não gosto muito de esquiar", disse ela. "Vou ficar na casa de Arden durante esses quatro dias. Os pais dela disseram que não há problema. Eles têm um quarto de hóspedes livre e tudo mais". Assim, seus pais saíram de férias para esquiar sozinhos, e Courtney passou quatro dias na casa de sua melhor amiga. "Eu não me importei. Na verdade, fiquei feliz por Courtney ser tão independente", disse-me Megan.

Mas Megan está enganada. Courtney não é independente. Pessoa nenhuma de doze anos pode ser independente. O que aconteceu foi Courtney transferir sua natural dependência dos pais, de quem ela deveria depender, para suas colegas da mesma idade, de quem ela não deveria depender. As principais prioridades de Courtney agora são agradar os amigos, ser querida pelos amigos, ser aceita pelos colegas da mesma idade. Seus pais se tornaram um detalhe, um meio para obter certos fins.[36]

É fácil ver como bons pais que amam seus filhos podem cair nessa armadilha. Você ama seu filho. É natural querer agradar

---

[36] Para essa análise do comportamento de Megan, tenho uma dívida com o Doutor Gordon Neufeld e seu livro *Hold On to Your Kids*, citado acima na nota 30. Exploro mais detalhadamente a perspectiva do Doutor Neufeld no capítulo 5.

alguém que você ama. Se a sua filha não quiser ir com você e seu cônjuge em uma viagem de férias para esquiar, é difícil dizer: "De qualquer forma, apesar dos seus protestos, você virá conosco". Mas é isso que você deve dizer. Por quê? Porque se divertir juntos é um dos fundamentos da paternidade a ser respeitada[37] no mundo moderno. Porque se a maioria dos bons momentos acontece quando as crianças estão se divertindo com outras crianças, não é de se admirar que elas não queiram passar mais tempo com os adultos. Porque se for raro que seus filhos passem tempo em atividades divertidas com você, eles não darão às horas em família mais valor que àquelas passadas com colegas da sua idade. Isso compõe o sentido da autoridade paterna.

Acabei de mencionar o Doutor Neufeld, um psicólogo canadense que recentemente se aposentou da prática ativa após quarenta anos de trabalho com crianças e adolescentes. Nas últimas quatro décadas, ele observou em primeira mão uma mudança fundamental na maneira como as crianças de toda a América do Norte formam e priorizam vínculos. Há quarenta anos, o principal vínculo das crianças era com seus pais. Hoje, para a maioria das crianças nos Estados Unidos e no Canadá, o principal vínculo é com outras crianças. "Pela primeira vez na história", observa Neufeld,

> os jovens não estão buscando instrução, modelo e orientação nas mães, pais, professores e outros adultos responsáveis, mas em pessoas que a natureza nunca cogitou colocar em um papel paterna — seus próprios colegas... As crianças estão sendo educadas por pessoas imaturas que não têm condições de orientá-las para a maturidade. Elas estão sendo educadas umas pelas outras.[38]

---

37 Em inglês — essa distinção chega a ser analisada pelo autor nas notas — há duas palavras semelhantes: "Authoritarian" e "authoritative". A primeira se refere à pessoa que se impõe com autoridade, que exige ser tratada com deferência e obedecida; é o nosso conhecido "autoritário" que pode chegar a ser duro, renitente e até tirânico. A segunda palavra se refere àquelas pessoas dotadas de legítima autoridade e que a exercem, com ou sem necessidade de exigir obediência, mas que nunca são tirânicas porque suas ordens são legítimas. Evitamos chamar de "autoritários(as)" estas últimas, usando fórmulas como esta — NT.

38 Neufeld e Maté, op. cit., p. 7.

Hoje em dia, a maioria das crianças norte-americanas se preocupa mais com ser apreciado por seus colegas do que com por seus pais.

Neufeld descreve uma garota, Cynthia, que "havia se tornado rude, fechada e, às vezes, hostil" com seus pais, embora continuasse "alegre e encantadora" quando estava com seus amigos. "Ela era obsessiva com sua privacidade e insistia que sua vida não era da conta de seus pais. Sua mãe e seu pai achavam difícil falar com ela sem se sentirem intrometidos. Sua filha, que antes era amorosa, parecia estar cada vez menos à vontade na companhia deles... Era impossível manter qualquer conversa com ela".

Pessoalmente, descobri — não apenas em minha prática médica, mas em minhas reuniões com pais em todos os Estados Unidos — que esse cenário é comum em crianças e adolescentes do ensino fundamental ao médio. Qual é a melhor maneira de entendê-lo?

Neufeld pergunta:

> Imagine que seu cônjuge de repente começa a agir de forma estranha: não olha mais nos seus olhos, rejeita o contato físico, fala com você de por meio de irritantes monossílabos, foge de suas aproximações e evita sua companhia. Imagine, então, que você peça conselhos a amigos(as). Eles(as) lhe diriam: "Você já tentou dar um tempo? Você impôs limites e deixou claro quais são suas expectativas?". É óbvio para qualquer um que, no contexto das interações adultas, você não está lidando com um problema de comportamento, mas com um problema de relacionamento. E provavelmente a primeira suspeita que surgiria seria a de que seu parceiro estivesse tendo um caso.[39]

Neufeld observa que o principal problema no relacionamento de Cynthia com seus pais é que ela passou a valorizar mais o vínculo com os colegas do que com os pais. Quando isso acontece, qualquer tentativa dos pais de estabelecer limites para as interações da criança com os colegas — por exemplo, não enviar mensagens de texto ou fazer ligações telefônicas depois das nove

---

39 Ibid., pp. 15–16 (ênfase no original).

da noite — pode provocar mau humor ou birra. Os pais precisam reconhecer essas birras e amuos como sintomas de uma mudança no vínculo primário da criança, que está sendo transferido dos pais para os colegas.

Hoje em dia, com muita frequência, os pais permitem que o desejo de agradar seus filhos governe seu modo de os criar. Se o seu relacionamento com seu filho for regido por seu desejo de ser amado por ele, é bem provável que você não atinja sequer esse objetivo.

O que está em jogo aqui é algo inscrito em nosso âmago. A criança espera admirar os pais, ser instruída por eles e ser, verdadeiramente, governada por eles. Se os pais, em vez disso, servirem à criança, o relacionamento perderá seu equilíbrio natural. Talvez você não consiga conquistar o amor de seu filho de forma alguma — e quanto mais tentar, mais pateticamente fracassará. Nos últimos vinte e cinco anos, em minha atuação clínica, vi essa mesmíssima dinâmica se desenrolar pelo menos uma centena de vezes. O pai que coloca os desejos da criança em primeiro lugar pode ganhar apenas o desprezo da criança, não o seu amor.

Mas se você não estiver preocupado principalmente em conquistar o amor e a afeição de seu filho e, em vez disso, se concentrar em seus deveres como pai ou mãe — ensinando a seu filho o que é certo e o que é errado e comunicando o que significa ser um homem ou uma mulher responsável, um cavalheiro ou uma dama, dentro das restrições da cultura que você está tentando inculcar e compartilhar —, então talvez você acabe percebendo que seu filho o ama e o respeita, quando você menos esperar.

Recentemente, visitei várias escolas na Escócia, reunindo-me com alunos, conversando com pais e ministrando oficinas para os professores em cada uma delas. Para chegar à Escócia, voei da Filadélfia até o aeroporto de Londres-Heathrow, depois fiz conexão em um avião menor para Edimburgo. Cheguei no primeiro aeroporto bem antes do horário previsto do longo voo transatlântico em um grande Airbus A330. Esperando no portão do Terminal A do Aeroporto Internacional da Filadélfia, observei uma família americana: mãe, pai, filha adolescente e dois filhos menores.

— Cadê meus *donuts*? — perguntou um dos meninos. Ele parecia ter cerca de oito anos de idade.

— Querido, acho que deveríamos guardar os *donuts* para comer no avião — disse a mãe dele.

— Cadê meus *donuts*? Eu quero meus *donuts* agora! — o menino levantou a voz.

— Meu benzinho, você acabou de comer a sobremesa. Vamos esperar até...

— EU QUERO AGORAAAAAAAAAAAA!!! — o menino gritou a plenos pulmões. Sua mãe olhou em volta com ar de culpa, como se a segurança do aeroporto pudesse prendê-la. Sem dizer mais nada, ela procurou algo em sua bolsa e entregou a caixa inteira de *donuts* ao menino.

A voz do atendente do portão de embarque soou no sistema de som. "Em alguns minutos, iniciaremos o embarque no voo 728 da US Airways para o aeroporto de Heathrow, em Londres. O embarque é feito por número de zona. Você identificará o número da sua zona no seu bilhete de embarque. Abra seu passaporte na página da foto...".

A filha adolescente estava enviando mensagens de texto pelo celular.

— Trish, é hora de guardar o celular. Precisamos nos preparar para embarcar — disse a mãe. A filha a ignorou. — Trish?

— Mãe, dá pra *ficar quieta*, por favor? Não dá pra ver que eu estou ocupada?

— Trish? Precisamos nos preparar para embarcar? O avião? — as palavras da mãe soavam como perguntas. Sua filha continuou a ignorá-la. O olhar da mãe encontrou o meu. Eu me senti desconfortável e me afastei.

Percebi o desconforto da mãe. Eu também estava desconfortável. Mas as crianças estavam em seu elemento, vivendo em uma cultura diferente. A mãe não havia *cultivado* em seus filhos a cultura dela. Em vez disso, ela estava tentando se adaptar à cultura das crianças, a cultura do desrespeito, que elas haviam aprendido com seus colegas. E por mais que naquele momento seus filhos pudessem estar de certa forma se divertindo, comendo rosquinhas e mandando mensagens de texto, o fato de os pais não os terem educado e instruído corretamente significa que eles não estarão preparados para enfrentar os desafios da juventude e da vida adulta.

Às vezes, é preciso esperar antes de comer as rosquinhas. Às vezes, você nem chega a comer as rosquinhas. Assim é a vida.

2
Por que tantas crianças estão acima do peso?

As crianças americanas estão mais pesadas hoje do que antigamente. A tendência começou na década de 70 e continuou de forma constante até 2000. Desde meados da década de 2000, a tendência diminuiu. Mas a forma da infância mudou.

No início da década de 70, apenas 4% das crianças americanas de cinco a onze anos eram obesas. Em 2008, 19,6% das crianças americanas nessa faixa etária eram obesas. A proporção de crianças obesas mais do que quadruplicou — de 4% para 19,6% — em menos de quatro décadas. Houve uma quadruplicação semelhante na taxa de obesidade entre os adolescentes americanos entre doze e nove anos: de 4,6% em 1970 para 18,4% em 2010.[1] E estamos falando de *obesidade*, não apenas de sobrepeso.[2]

---

1 Esses números são de Cheryl Fryar e colegas, "Prevalence of obesity among children and adolescents: United States, trends 1963–1965 through 2009–2010" [Taxa de obesidade entre crianças e adolescentes: Estados Unidos, tendências 1963–1965 até 2009–2010]. Centros de Controle e Prevenção de Doenças, 13 de setembro de 2012. Disponível em: www.cdc.gov/nchs/data/hestat/obesity_child_09_10/obesity_child_09_10.htm. A figura intitulada "Prevalence of obesity among American children and teenagers" [Prevalência de obesidade entre crianças e adolescentes americanos] foi adaptada de "CDC grand rounds: Childhood obesity in the United States". Centros de Controle e Prevenção de Doenças, 21 de janeiro de 2011. Disponível em: www.cdc.gov /mmwr/preview/mmwrhtml/mm6002a2.htm#fig1.

2 Alguns pais ficam confusos sobre quando usar os termos "obeso" e "sobrepeso". Vários deles me repreenderam por usar a palavra "obeso" porque acham que ela é depreciativa. "Você deveria dizer 'com sobrepeso'", me disseram. Mas os dois termos têm definições precisas, que são diferentes. Nos Estados Unidos, o termo "sobrepeso", para crianças, aplica-se a indivíduos com um índice de massa corporal (IMC) entre os percentis 85 e 95 para os valores de referência específicos de idade e sexo estabelecidos pelos Centros de Controle e Prevenção de Doenças (CDC) em seu gráfico de crescimento publicado em 2000. O termo "obeso", para crianças, aplica-se àquelas com IMC acima do percentil 95 no gráfico de crescimento do

Recentemente, houve uma enxurrada de notícias sobre novos dados que supostamente mostram que essa tendência que já dura quarenta anos chegou ao fim, e pode até já ter se revertido. "Cai a taxa de obesidade entre crianças pequenas" foi uma típica manchete na mídia americana.[3] Um colunista do *New York Times* alardeou que os novos dados eram "notícias fantásticas" e que o relatório comprovava a eficácia do programa Play 60, defendido por Michelle Obama, que incentivava crianças e adolescentes a se exercitarem por pelo menos sessenta minutos por dia.[4]

Mas vamos devagar. O que os dados mais recentes mostram de fato? Que não houve qualquer melhora nas taxas de obesidade em nenhuma faixa etária dos americanos, com a exceção (única) das crianças de dois a cinco anos de idade. A taxa de obesidade entre essas crianças muito jovens caiu, de modo que agora elas têm a mesma prevalência de obesidade que as crianças da mesma faixa de idade no ano 2000.

O entusiasmo no *New York Times* e em outros lugares baseou-se na aposta razoável de que, se hoje as crianças de três anos de idade têm menor probabilidade de serem obesas em comparação com as crianças de três anos de idade de cinco anos atrás, então, daqui a cinco anos, quando essas crianças de três anos de idade tiverem

---

CDC de 2000. Ver Cynthia Ogden e Katherine Flegal, "Changes in terminology for childhood overweight and obesity" [Mudanças na terminologia referente ao sobrepeso e a obesidade infantis]. CDC, 25 de junho de 2010. Disponível em: www.cdc.gov/nchs/data/nhsr/nhsr025.pdf. Você pode baixar dois mil gráficos de crescimento do CDC em "2000 CDC growth charts for the United States: Methods and development", maio de 2002. Disponível em: www.cdc.gov/growth charts/2000growthchart-us.pdf. As calculadoras de IMC estão facilmente disponíveis na *internet* — por exemplo, em National Heart, Lung, and Blood Institute, "Calculate your body mass index" [Calcule seu IMC]. National Institutes of Health, disponível em: www.nhlbi.nih.gov/guidelines/obesity/BMI/bmicalc.htm.

Alguns exemplos podem ajudar a tornar isso mais concreto. Um garoto de quinze anos de idade, com 1,80 m, seria obeso se pesasse mais de 81,6 kg. Se ele pesasse 70 kg, estaria acima do peso, mas não seria obeso. Uma garota de quinze anos de idade, com 1,80 m de altura, seria obesa se pesasse mais de 76 kg. Se ela pesasse 64 kg, estaria acima do peso, mas não seria obesa. Lembre-se de que essas regras se aplicam a crianças e adolescentes, não a adultos.

3 Por exemplo, ver Sabrina Tavernise, "Obesity rate for young children plummets" [Cai a taxa de obesidade para crianças pequenas], em *New York Times*, 26 de fevereiro de 2014.

4 Mark Bittman, "Some progress on eating and health" [Alguma melhoria na alimentação e saúde], em *New York Times*, 4 de março de 2014. Disponível em: www.nytimes.com/2014/03/05/opinion/bittman-some-progress-on-eating-and-health.html.

oito anos de idade, talvez vejamos uma taxa menor de obesidade entre as crianças de oito anos de idade, e assim por diante. Mas essa aposta é apenas uma aposta. O registro histórico sugere o contrário. Os dados dos Estados Unidos sugerem que as taxas de obesidade entre crianças de três anos de idade subestimam as taxas de obesidade posteriores entre crianças mais velhas, conforme mostrado no gráfico da página ao lado.

Não me entendam mal. O declínio da obesidade entre crianças de dois a cinco anos é uma boa notícia, mas qualquer comemoração por isso é prematura. Mesmo que nossos desejos se realizem e vejamos um declínio comparável entre todas as faixas etárias na próxima década, com as taxas de obesidade voltando às taxas observadas no ano 2000 em todos os recortes, isso não é bom o suficiente. Se quisermos voltar ao tempo em que a obesidade não era um grande problema para as crianças americanas, teremos que voltar mais de quarenta anos, até 1971.

Boa forma física não é a mesma coisa que magreza, e mau condicionamento físico não é a mesma coisa que obesidade. Sim, crianças gordas tendem a ser menos aptas fisicamente do que crianças magras. Mas há, nos Estados Unidos, muitas crianças e adolescentes ao mesmo tempo esbeltos e fora de forma, que não conseguem correr quinhentos metros sem se cansar. Na última década, como acabei de observar, os índices de *obesidade* têm se mantido bastante estáveis entre as crianças e adolescentes americanos de seis a dezoito anos de idade. Mas, na mesma década, o *condicionamento físico* das crianças americanas deteriorou significativamente, embora a criança média não tenha engordado mais. Em 2014, pesquisadores dos Centros de Controle e Prevenção de Doenças (CDC) divulgaram os resultados de um estudo que comparou a aptidão física de jovens de doze a quinze anos de idade em 2012 com a de seus colegas em 1999 e 2000. Eles descobriram que o condicionamento físico médio de meninas e meninos diminuiu significativamente durante esse período. A proporção de crianças que se enquadravam no padrão mínimo de condicionamento físico, medido a partir de sua capacidade de se exercitar, diminuiu de 52,4% em 1999 e 2000 para

42,2% em 2012. E essa redução na aptidão física ocorreu apesar do fato de que as crianças de 2012 não eram significativamente mais gordas do que as crianças de 1999 e 2000. As crianças de 2012 eram apenas menos capazes de se exercitar.[5]

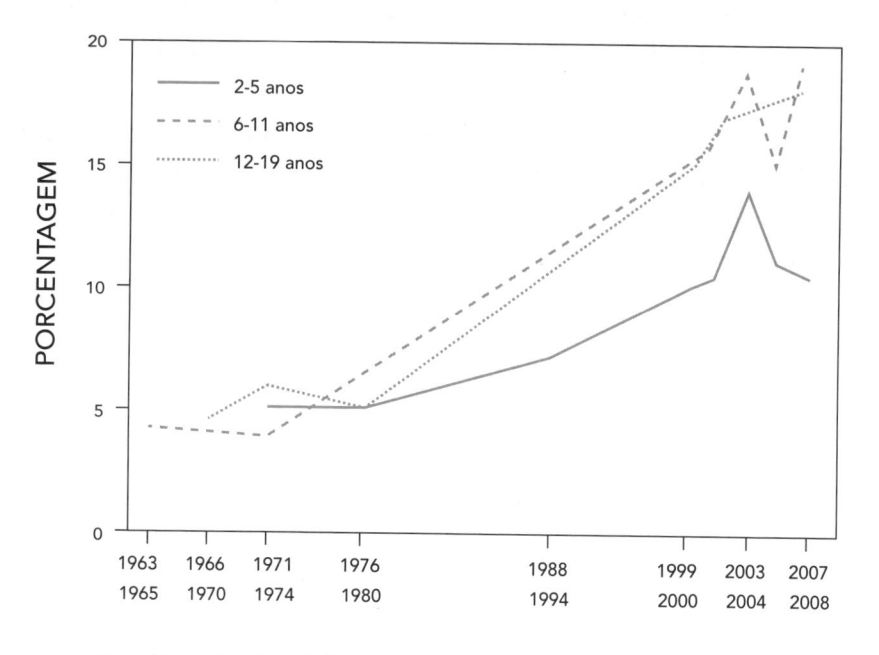

Prevalência de obesidade entre crianças e adolescentes americanos.[6]

Fatores como raça, etnia e a renda familiar não influenciam os resultados encontrados pelos CDC. As crianças ricas não estavam em melhor forma do que as crianças de baixa renda. As crianças brancas não estavam em melhor ou pior forma do que as crianças negras ou hispânicas. Independentemente de onde se olhe, as crianças americanas estão ficando menos em forma. "Essas não são boas notícias", disse Janet Fulton, pesquisadora principal dos CDC. O Doutor Gordon Blackburn, cardiologista da Cleveland Clinic,

---

5 Jaime Gahche e colegas, "Cardiorespiratory fitness levels among US youth aged 12–15 years: United States, 1999-2004 and 2012" [Níveis de capacitação física cardiorrespiratória entre pessoas de doze a quinze anos: EUA, 1999–2004 e 2012). NCHS Data Brief 153, maio de 2014. Disponível em: www.cdc.gov/nchs/data /databriefs/db153.htm.
6 Fonte: Centros de Controle e Prevenção de Doenças.

ecoa seus comentários. "Trinta anos atrás, não esperaríamos ver crianças de doze anos com sintomas de doença cardíaca", disse o Doutor Blackburn. "Agora tivemos que criar uma clínica pediátrica de cardiologia preventiva".[7]

Certa vez, um casal trouxe seu filho de onze anos de idade para a unidade de atendimento de emergência onde eu estava atendendo. O menino estava correndo no *playground* com os amigos quando sentiu um aperto no peito e falta de ar. Fizemos uma avaliação completa, incluindo um eletrocardiograma e uma radiografia do tórax (o menino deixou o iPad de lado para que eu pudesse fazer o exame). Tudo estava normal. Concluí que a causa do aperto no peito e da falta de ar era "descondicionamento", que é uma palavra chique para "fora de forma".[8]

Eu vejo isso sempre.

Tendências semelhantes foram registradas em todo o mundo desenvolvido. Nas últimas décadas, pesquisadores documentaram um aumento nas taxas de sobrepeso e obesidade na Austrália, Canadá, Finlândia, Alemanha, Holanda, Espanha, Suécia, Suíça e Reino Unido. A magnitude do aumento varia de um país para outro. Por exemplo, na Holanda, apenas 1 menino em cada mil

---

[7] As citações do Doutor Fulton e do Doutor Blackburn são de Gretchen Reynolds, "This is our youth" [Eis a nossa juventude], em *Well* (blog). *New York Times*, 9 de julho de 2014. Disponível em: http://well.blogs.nytimes.com/2014/07/09/young-and-unfit.

[8] Observo também que o distrito escolar público desse menino reduziu a educação física para economizar dinheiro e dedicar mais tempo à leitura, à redação e à matemática. Quando ele tem "educação física" em seu currículo, o que passa por educação física pode ser apenas uma aula de saúde sobre puberdade, as virtudes do sexo seguro e coisas do gênero, tudo com as crianças sentadas. Nesse caso, ficou claro que essa criança estava simplesmente fora de forma: seus pulmões estavam limpos e sua função pulmonar máxima estava normal. Em casos semelhantes, já vi crianças diagnosticadas com "asma induzida por exercícios". Muitos pais e até mesmo alguns médicos parecem acreditar que a falta de ar causada pelo exercício é igual à asma induzida pelo exercício, mesmo na ausência de chiado. Mas isso não é verdade. Muitas crianças que apresentam falta de ar após exercícios estão simplesmente fora de forma. No entanto, conheço vários médicos que parecem achar mais fácil dizer: "Seu filho tem asma induzida por exercícios" e prescrever um inalador do que dizer: "Seu filho está fora de forma porque não se exercita o suficiente". Não sou o único médico a expressar preocupação com o fato de as crianças americanas estarem sendo diagnosticadas com "asma induzida por exercícios" quando o diagnóstico correto é "falta de ar causada por exercícios por estarem fora de forma". Ver, por exemplo, Yun Shim e colegas, "Physical deconditioning as a cause of breathlessness among obese adolescents with a diagnosis of asthma" [Descondicionamento físico como causa de falta de ar em adolescentes obesos com diagnóstico de asma], em *PLOS One*, 23 de abril de 2013, DOI: 10.1371/journal.pone.0061022.

era obeso em 1980; em 1997 esse número havia aumentado para 11 meninos em cada mil. Tecnicamente, isso significa um aumento de onze vezes na taxa de obesidade entre os meninos na Holanda entre 1980 e 1997, mas a prevalência real de obesidade entre os meninos holandeses em 1997 era inferior à taxa de obesidade entre os meninos nos Estados Unidos em 1980 (no mesmo período, a taxa de obesidade entre as meninas na Holanda aumentou de cinco para dezenove a cada mil). Portanto, as tendências são semelhantes em todos os países desenvolvidos, mas a magnitude absoluta do problema varia significativamente.[9] Separadamente do excesso de

---

9 Meus comentários sobre Austrália, Canadá, Finlândia, Alemanha, Holanda, Espanha, Suécia, Suíça e Reino Unido baseiam-se em um artigo seminal que descreve o caráter mundial desse problema: Youfa Wang e Tim Lobstein, "Worldwide trends in childhood overweight and obesity" [Tendências mundiais em sobrepeso e obesidade infantil], em *International Journal of Pediatric Obesity*, 2006, vol. I, pp. 11-25. A tendência internacional de aumento do sobrepeso e da obesidade é clara apenas entre as crianças com seis anos ou mais; não é clara entre as crianças com cinco anos ou menos. Para saber mais sobre esse ponto, ver A. Cattaneo e colegas, "Overweight and obesity in infants and pre-school children in the European Union: A review of existing data" [Excesso de peso e obesidade em bebês e crianças em idade pré-escolar na União Europeia: uma revisão dos dados existentes], em *Obesity Reviews*, 2009, vol. XI, pp. 389-398. Os estudos holandeses mencionados nesse parágrafo são de A. M. Fredriks e colegas, "Body index measurements in 1996-1997 compared with 1980" [Medições do índice corporal em 1996-1997 em comparação com 1980], em *Archives of Disease in Childhood*, 2000, vol. LXXXII, pp. 107-112; R. A. Hirasing e colegas, "Increased prevalence of overweight and obesity in Dutch children, and the detection of overweight and obesity using international criteria and new reference diagrams" [Aumento da prevalência de sobrepeso e obesidade em crianças holandesas e detecção de sobrepeso e obesidade usando critérios internacionais e novos diagramas de referência], em *Nederlands Tijdschrift voor Geneeskunde*, 2001, vol. CXLV, pp. 1303-1308. Aqui estão algumas atualizações recentes sobre esse tópico, país por país: Austrália — Michelle Haby e colegas, "Future predictions of body mass index and overweight prevalence in Australia, 2005-2025" [Previsões futuras do índice de massa corporal e prevalência de excesso de peso na Austrália, 2005-2025], em *Health Promotion International*, 2012, vol. XXVII, pp. 250-260. Inglaterra — E. Stamatakis e colegas, "Childhood obesity and overweight prevalence trends in England: Evidence for growing socioeconomic disparities" [Tendências de obesidade infantil e prevalência de excesso de peso na Inglaterra: evidências de crescentes disparidades socioeconômicas], em *International Journal of Obesity*, 2010, vol. XXXIV, pp. 41-47. França — S. Péneau e colegas, "Prevalence of overweight in 6- to 15-year-old children in central/western France from 1996 to 2006: Trends toward stabilization" [Prevalência de excesso de peso em crianças de seis a quinze anos no centro/oeste da França de 1996 a 2006: tendências para a estabilização], em *International Journal of Obesity*, 2009, vol. XXXIII, pp. 401-407. Escócia — Sarah Smith e colegas, "Growing up before growing out: Secular trends in height, weight and obesity in 5-6-year-old children born between 1970 and 2006" [Crescer para cima antes de crescer para os lados: tendências seculares em altura, peso e obesidade em crianças de cinco a seis anos nascidas entre 1970 e 2006], em *Archives of Disease in Childhood*, 2013, vol. XCVIII, pp. 269-273. Espanha — E. Miqueleiz e colegas, "Trends in the prevalence of childhood overweight and obesity according to socioeconomic status: Spain, 1987-2007" [Tendências da prevalência de sobrepeso e obesidade infantil segundo o nível socioeconômico: Espanha, 1987-2007], em *European Journal of Clinical Nutrition*,

peso, foi registrado um declínio no condicionamento físico das crianças fora dos Estados Unidos, assim como aqui.[10]

O que aconteceu nas últimas quatro décadas? Em 1971, era raro encontrar uma criança ou um adolescente obeso ou que não conseguisse correr um quarto de milha sem ficar com falta de ar. Em 2000, isso havia se tornado comum. Desde 2000, a criança americana média não ficou mais gorda, mas agora há uma proporção maior de crianças e adolescentes que não estão em boa forma física. Como é possível?

Atualmente, os pesquisadores concordam em geral com três fatores que impulsionaram o aumento da obesidade e do sobrepeso e o declínio do condicionamento físico entre as crianças. Esses três fatores são:

1. O que as crianças *comem*
2. O que as crianças *fazem*
3. O quanto as crianças *dormem*

Outros fatores — como desequilíbrios endócrinos, bactérias intestinais, consumo de trigo geneticamente modificado e antibióticos — podem desempenhar um papel, mas sobre estes há menos consenso.[11] Vamos falar sobre os fatores 1, 2 e 3, para que você

2014, vol. LXVIII, pp. 209–214. Estados Unidos — Cynthia Ogden e colegas, "Prevalence of obesity and trends in body mass index among US children and adolescents, 1999–2010" [Prevalência de obesidade e tendências no índice de massa corporal entre crianças e adolescentes dos EUA, 1999–2010], em *Journal of the American Medical Association*, 2012, vol. CCCVII, pp. 483–490.

10 Ver, por exemplo, D. Cohen e colegas, "Ten-year secular changes in muscular fitness in English children" [Mudanças seculares de dez anos na aptidão muscular em crianças inglesas], em *Acta Paediatrica*, 2011, vol. C, pp. 175–177. Ver também Helen Peters e colegas, "Trends in resting pulse rates in 9-11-year-old children in the UK 1980–2008" [Tendências nas pulsações em repouso em crianças de nove a onze anos no Reino Unido, 1980–2008], em *Archives of Disease in Childhood*, 2014, vol. XCIX, nº 1, pp. 10–14; D. Moliner-Urdiales e colegas, "Secular trends in health-related physical fitness in Spanish adolescents [Tendências seculares na aptidão física relacionada à saúde em adolescentes espanhóis], em *Journal of Science and Medicine in Sport*, 2010, vol. XIII, pp. 584–588.

11 Para obter mais evidências sobre o papel dos desreguladores endócrinos na promoção do excesso de peso — bem como sugestões de como proteger seu filho dessas substâncias presentes em alimentos, bebidas, cremes, loções e xampus —, ver o capítulo 5 do meu livro *Boys Adrift*, e o capítulo 9 do meu livro *Girls on the Edge*. Para uma introdução à pesquisa

possa ver o papel central desempenhado pela autoridade dos pais — ou mais precisamente, pela confusão de papéis e pela renúncia dos pais ao exercício da autoridade — em cada um desses fatores

O que as crianças e adolescentes comem

Na dieta da criança americana média, os alimentos saudáveis deram lugar a alimentos e bebidas menos saudáveis. *Pizza*, batatas fritas, *chips*, sorvete e refrigerante tomaram o lugar de frutas, legumes e leite. Essa mudança não ocorreu em todos os lares americanos, mas ocorreu em muitos.

Quando os pais estão inequivocamente no comando, eles decidem o que será servido no jantar, e os filhos comem o que lhes é oferecido ou ficam com fome. Essa era a norma nas famílias americanas até a década de 70, mas hoje é a exceção. Na década de 70, era comum os pais dizerem: "Nada de sobremesa até você comer o brócolis", e: "Nada de lanches entre as refeições". Alguns pais americanos ainda insistem nessas regras, mas agora eles são minoria. O consumo *per capita* de refrigerante quase triplicou entre os adolescentes dos Estados Unidos entre 1978 e 1994.[12] Entre 1977 e 1995, a proporção de refeições que os americanos faziam em restaurantes *fast-food* aumentou em 200%.[13] Algumas escolas americanas até tentaram arrecadar dinheiro instalando

---

sobre o papel das bactérias intestinais na obesidade, ver a revisão de Kristina Harris e colegas, "Is the gut microbiota a new factor contributing to obesity and its metabolic disorders?" [Será a microbiota intestinal um novo fator que contribui para a obesidade e os seus distúrbios metabólicos?], em *Journal of Obesity*, 2012, artigo ID 879151, DOI: 10.1155/2012/879151.

12 Richard Troiano e colegas, "Energy and fat intake of children and adolescents in the United States" [Energia e ingestão de gordura das crianças e adolescentes nos Estados Unidos], em *American Journal of Clinical Nutrition*, 2000, vol. LXXII, pp. 1343s–1353s. Disponível em: http://ajcn.nutrition.org/content/72/5/1343s.full. Ver também Joanne Guthrie e Joan Morton, "Food sources of added sweeteners in the diets of Americans" [Fontes alimentares dos adoçantes adicionados nas dietas dos americanos], em *Journal of the American Dietetic Association*, 2000, vol. C, pp. 43–51.

13 Simone French, Mary Story e Robert Jeffery, "Environmental influences on eating and physical activity" [Influências ambientais sobre a alimentação e atividade física], em *Annual Review of Public Health*, 2001, vol. XXII, pp. 309–335. O fato sobre o aumento de 200% está na p. 312.

máquinas de venda automática de Coca-Cola, Pepsi, Pop-Tarts e Doritos. As regulamentações federais que entraram em vigor em 2014 supostamente proíbem a venda de lanches não nutritivos e bebidas açucaradas nas escolas.[14]

E por falar em escola: no ano letivo de 2009–2010, o National School Lunch Program [Programa Nacional de Merenda Escolar] gastou US$ 458 milhões em *pizza*, US$ 241 milhões em *nuggets* de frango e US$ 104 milhões em hambúrgueres.[15] Michelle Obama foi uma garota-propaganda da lei federal que entrou em vigor em 2010 e que determinou a gradual introdução de refeições mais saudáveis nas escolas americanas — não apenas para as crianças que recebem seus almoços e merendas gratuitamente por meio do National School Lunch Program, mas para todas as crianças que comem em escolas públicas, inclusive as que pagam pelo almoço. O projeto de lei foi denominado "The Healthy, Hunger-Free Kids Act" [Lei das crianças saudáveis e sem fome]. Ele exigia que as escolas oferecessem alimentos mais saudáveis no almoço e tirassem do cardápio algumas das opções menos saudáveis. Quatro anos depois, em 2014, um especialista brincou que a nova lei havia resultado em "latas de lixo saudáveis e sem fome", porque grande parte dos alimentos saudáveis vinha sendo rejeitada pelas crianças e acabava no lixo.[16] Em outubro de 2014, a National School Boards Association [Associação Nacional de Conselhos Escolares] informou que 84% dos distritos escolares americanos relataram um aumento no desperdício de alimentos depois que a lei entrou

---

14 Kelsey Sheehy, "Junk food axed from school vending machines" [Comida de baixo valor nutricional removida das máquinas automáticas de venda nas escolas], em us *News & World Report*, 1º de julho de 2013. Disponível em: www.usnews.com/education/blogs/high-school--notes/2013/07/01/junk-food-axed-from-school-vending-machines.

15 Esses números foram extraídos de Nicholas Confessore, "How school lunch became the latest political battleground" [Como a merenda escolar se tornou o mais recente campo de batalha política], em *New York Times*, 7 de outubro de 2014. Disponível em: www.nytimes.com/2014/10/12/magazine/how-school-lunch-became-the-latest-political-battleground.html.

16 Pete Kasperowicz, "Michelle Obama's school lunch rules leading to healthy, hunger-free trash cans" [As regras de merenda e almoço escolar de Michelle Obama estão deixando as latas de lixo saudáveis e sem fome], em *The Blaze*, 14 de outubro de 2014. Disponível em: www.theblaze.com/blog/2014/10/14/michelle-obamas-school-lunch-rules-leading-to-healthy--hunger-free-trash-cans-2.

em vigor, e 76% observaram uma diminuição na participação dos alunos no programa de almoço.[17]

Michelle Obama expressou publicamente sua insatisfação com relatos de que grande parte dos alimentos saudáveis exigidos pela nova lei estava sendo descartada. Ela alegou que os administradores de alguns distritos escolares "se limitam a dizer: 'Ah, as crianças gostam de comer besteiras, então vamos dar a elas besteiras'". Segundo ela, as novas refeições seriam mais populares se mais distritos se esforçassem mais para divulgá-las para os alunos.[18]

Com todo o respeito, acho que a [ex-]primeira-dama se equivocou ao colocar a culpa em uma suposta falta de entusiasmo dos administradores do distrito. As crianças americanas de hoje crescem em uma cultura na qual seus desejos são a coisa mais importante; na qual as lições escolares são frequentemente apresentadas como entretenimento; na qual os professores universitários são avaliados pelos alunos com base, em parte, no quanto suas aulas são divertidas. Nessa cultura, não é razoável esperar que crianças acostumadas com *pizza* e batatas fritas aceitem sem protestar brócolis e couve-de-bruxelas. Nos distritos localizados em bairros ricos, muitas crianças começaram a trazer seus próprios almoços de casa, em vez de comprar os almoços mais saudáveis impostos pela nova lei.[19] Especialmente em bairros mais abastados, onde as crianças têm muitas opções, é irrealista esperar que o simples fato *de oferecer* opções saudáveis às crianças fará com que elas *façam* escolhas mais saudáveis de forma consistente e confiável.

---

17 National School Boards Association, "New poll validates concerns about federal school meals" [Nova pesquisa confirma preocupações a respeito das refeições nas escolas federais], nota à imprensa, 13 de outubro de 2014. Disponível em: www.nsba.org/newsroom/press-releases/national-school-boards-association-celebrates-national-school-lunch-week-new.

18 As observações da Senhora Obama foram amplamente divulgadas, por exemplo, por Annika McGinnis da Reuters em "Michelle Obama expands push to get Americans to drink more water" [Michelle Obama expande o esforço para fazer com que os americanos bebam mais água], em *Huffington Post*, 23 de julho de 2014. Disponível em: www.huffingtonpost.com/2014/07/22/michelle-obama-water_n_5611501.html.

19 Ver Samreen Hooda, "#BrownBagginIt trending on Twitter as Pittsburgh students protest school lunches" [#BrownBagginIt viraliza no Twitter, enquanto alunos de Pittsburgh protestam contra a merenda escolar], em *Huffington Post*, 2 de outubro de 2012. Disponível em: www.huffingtonpost.com/2012/08/31/pittsburgh-students-are-brownbagginit_n_1846682.html. Ver também Confessore, "How school lunch became the latest political battleground".

Hoje é comum que os pais, especialmente os mais abastados, mantenham lanches embalados no carro para consumo no caminho de ida e volta para a escola. Deus nos livre de que as crianças passem fome sequer por um minuto. "Não quero que eles tenham hipoglicemia", disse-me uma mãe enquanto eu a observava carregar um *cooler* com lanches refrigerados no carro para a viagem de meia hora até a escola particular de seus filhos. Eu não critico. É melhor para as crianças comer palitos de cenoura cortados em casa do que parar no Burger King para comer um *cheeseburger* com batatas fritas.

Novas evidências sugerem que permitir que as crianças tenham acesso livre a alimentos pode ser um fator que promove a obesidade, independentemente do número total de calorias consumidas. Alimentar-se à vontade ao longo do dia parece interromper os ritmos circadianos, interferindo no metabolismo normal e perturbando o equilíbrio dos hormônios que regulam o apetite. Estudos laboratoriais recentes com cobaias animais demonstraram que os indivíduos com acesso livre a alimentos engordam mais do que aqueles com acesso programado aos alimentos, mesmo quando o total de calorias consumidas é o mesmo para os dois grupos. Restringir a quantidade de tempo em que a comida está disponível para nove ou doze horas por dia — sem restringir as calorias — melhora a saúde e faz com que o peso volte ao normal. "A ingestão de alimentos na hora certa não apenas evita, como também reverte a obesidade", disse o Doutor Satchidananda Panda, autor de um dos estudos citados aqui.[20]

---

20 Megumi Hatori e colegas, "Time-restricted feeding without reducing caloric intake prevents metabolic diseases in mice fed a high-fat diet" [A alimentação com restrição de tempo sem redução da ingestão calórica previne doenças metabólicas em ratos alimentados com uma dieta rica em gordura], em *Cell Metabolism*, 2012, vol. xv, pp. 848–860. Ver também Amandine Chaix e colegas, "Time-restricted feeding is a preventative and therapeutic intervention against diverse nutritional challenges" [A alimentação com restrição de tempo é uma intervenção preventiva e terapêutica contra diversos desafios nutricionais], em *Cell Metabolism*, 2014, vol. xx, pp. 991–1005. Esses estudos dizem respeito a camundongos. Para evidências de que o mesmo fenômeno é verdadeiro em humanos, ver M. Garaulet e colegas, "Timing of food intake predicts weight loss effectiveness" [A periodização da ingestão de alimentos prevê a eficácia da perda de peso], em *International Journal of Obesity*, 2013, vol. xxxvii, pp. 604–611. Para uma visão geral útil das implicações práticas dessa pesquisa, ver Gretchen Reynolds, "A 12 hour window for a healthy weight" [Uma janela de doze horas para um peso

De qualquer forma, desde quando alguns minutos de fome se tornaram inaceitáveis? Quando as crianças têm a palavra final, os pais precisam se esforçar ao máximo para garantir que elas não se sintam desconfortáveis. Nem mesmo por cinco minutos. A fome — mesmo que seja apenas no trajeto de carro da escola para casa — tornou-se intolerável. Crianças que nunca passaram fome crescerão mais pesadas, mas, psicologicamente, provavelmente serão mais frágeis. Elas não aprenderam a dominar suas próprias necessidades.

Quando os pais começam a ceder o controle aos filhos, as escolhas alimentares costumam ser a primeira coisa a se estragar. "Nada de sobremesa até você comer os brócolis" se transforma em: "Que tal se você comer três pedaços de brócolis e depois comer a sobremesa?". Como descrevi anteriormente, as ordens se transformaram em pedidos ou perguntas, finalizados com subornos. Recentemente, eu estava em um restaurante e vi um pai bem-vestido implorando à filha, que parecia ter cerca de cinco anos de idade: "Docinho, me faz um favor? Pode tentar comer uma garfada de suas ervilhas?". As crianças levam esses apelos ao pé da letra. Se essa menina condescender em comer um pouco de suas ervilhas verdes, é provável que ela acredite que fez um favor ao pai e que ele agora lhe deve um favor em troca.

O que as crianças fazem

As crianças americanas de hoje são substancialmente menos ativas em comparação com suas contrapartes de trinta ou quarenta anos atrás. A atividade de lazer mais comum das crianças americanas em 1965 era brincar ao ar livre. Hoje em dia, é mais provável que as crianças americanas fiquem sentadas em frente à TV ou à tela do computador. Em 1965, de acordo com um estudo, o

---

saudável], em *New York Times*, 15 de janeiro de 2015. Disponível em: http://well.blogs.nytimes.com/2015/01/15/a-12-hour-window-for-a-healthy-weight. A citação do Doutor Panda foi extraída do artigo de Reynolds.

americano típico passava noventa e dois minutos por dia assistindo TV, o que equivale a cerca de dez horas e meia por semana.[21] Ainda mais importante, em 1965, mais de 80% das residências americanas com TV tinham apenas um aparelho de TV, o que fazia com que pais e filhos assistissem TV juntos.[22] Em 1965, havia apenas três canais de televisão transmitidos nacionalmente: ABC, CBS e NBC. Não havia TV cabo: nem Disney Channel, nem Nickelodeon, nem mesmo MTV. No final da década de 60 e início da década de 70, a programação diurna era composta de novelas como *As the World Turns*, *Suplício de uma Saudade* (*Love Is a Many Splendored Thing*) e *General Hospital*. Esse não é o tipo de coisa que as crianças querem assistir. De acordo com a última pesquisa nacional, a criança americana média de nove anos de idade passa agora mais de cinquenta horas por semana em frente a uma tela eletrônica, incluindo a TV, telas de computador e telefones celulares. O adolescente americano médio passa agora mais de setenta horas por semana na frente de uma tela.[23]

---

21 John P. Robinson, "Television and leisure time: Yesterday, today, and (maybe) tomorrow", em *Public Opinion Quarterly*, 1969, vol. XXXIII, pp. 210–222. Essa pesquisa foi realizada em 1965; o artigo foi publicado em 1969. Robinson coletou dados apenas de adultos, não de crianças. É provável que as crianças passassem significativamente menos tempo assistindo TV do que o relatado pelos adultos, pois a maior parte da programação da TV em 1965 era voltada para adultos, com exceção dos desenhos animados das manhãs de sábado. E, como observado, a maioria das residências tinha apenas uma TV. Como resultado, programas noturnos populares como *Gidget* eram destinados a um público familiar, o que significa que adultos e crianças assistiam juntos.

22 Em 1965, apenas 19,4% das residências americanas com televisão tinham duas ou mais, e 7,4% das residências americanas não tinham sequer um aparelho, de acordo com o Television Bureau of Advertising (TBA) em "TV Basics: A report on the growth and scope of television" [O básico sobre a TV: um relatório do crescimento e escopo da televisão]. Disponível em: www.tvb.org/media/file/TV_Basics.pdf. Acessado em 6 de maio de 2015. O número de 19,4% vem da tabela intitulada "Multiset and VCR households", e o número de 7,4% vem da tabela intitulada "TV households", ambas na p. 2.

23 Kaiser Family Foundation, "Generation M2: Media in the life of 8 to 18 year olds" [A geração M2: as mídias na vida das pessoas entre oito e dezoito anos], janeiro de 2010. Disponível em: http://kff.org/other/poll-finding /report-generation-m2-media-in-the-lives. Em suas diretrizes de outubro de 2013 para o uso da mídia por crianças e adolescentes, a Academia Americana de Pediatria citou esse relatório da Kaiser Family Foundation como a pesquisa recente mais definitiva sobre o uso da mídia por crianças e adolescentes americanos. Ver Academia Americana de Pediatria, Conselho de Comunicações e Mídia, "Children, Adolescents, and the Media", 28 de outubro de 2013, DOI: 10.1542/peds.2013-2656; publiquei essas diretrizes em www.leonardsax.com/guidelines.pdf.

Em minha infância e adolescência em Ohio, nas décadas de 60 e 70, a maioria das crianças do meu bairro — e com certeza, todos os meninos — passava o tempo livre ao ar livre. Entrávamos para fazer as refeições, e pronto. Nosso quintal ficou tão desgastado por causa dos jogos de beisebol que, três anos depois de o último de nós ter se mudado, ainda era possível ver onde ficavam o montinho do arremessador e as bases.

Há pouco tempo, uma mãe que conheço disse ao filho de onze anos: "Está um dia tão bonito. Por que você não vai brincar lá fora?". Ele respondeu, com toda a seriedade: "Mas onde é que eu conecto meu Xbox?".

As crianças americanas têm menos tempo livre para brincar do que costumavam ter, e é mais frequente que suas brincadeiras sejam organizadas e supervisionadas por adultos.[24] Mas a maior mudança é simplesmente o fato de que muitas crianças americanas de hoje preferem "brincar" com um dispositivo eletrônico em vez de sair para brincar de amarelinha, queimada ou pular corda. Muitos distritos escolares chegaram a proibir alguns jogos americanos tradicionais, como o *dodgeball*, por causa do risco de serem responsabilizadas por acidentes e da crença de que esses jogos promovem o *bullying*, além de uma preocupação de que esses jogos possam diminuir a autoestima da criança.[25]

Desligue as telas. Leve seus filhos para o ar livre. Vá para fora e brinque com eles. Se a escola de seus filhos for próxima e vocês morarem em um bairro seguro, por que não mandá-los ir a pé para a escola? Em 1969, 41% das crianças americanas iam para a escola a pé ou de bicicleta. Em 2001, essa proporção havia caído

---

24 Para uma análise cuidadosa das mudanças nas brincadeiras das crianças americanas, e por que elas precisam de mais brincadeiras sem supervisão, ver David Elkind, *The Power of Play: Learning What Comes Naturally* [O poder de brincar: aprendendo o que vem naturalmente]. Boston: Da Capo, 2007.

25 Ver, por exemplo, "Dodgeball banned after bullying complaint" [*Dodgeball* proibido após queixa de *bullying*], em *Headline News*, 28 de março de 2013. Disponível em: www.hlntv.com/article/2013/03/28/school-dodgeball-ban-new-hampshire-district. Para um relatório anterior, ver Tamala Edwards, "Scourge of the playground: It's dodgeball, believe it or not. More schools are banning the childhood game, saying it's too violent" [A escória do parquinho: é o *dodgeball*, acredite se quiser. Mais escolas proíbem o jogo, alegando que ele é muito violento], em *Time*, 21 de maio de 2001, p. 68.

para 13%.²⁶ Se houver um mercadinho a menos de um quilômetro de sua casa, faça uma caminhada diária ou a cada dois dias até lá com seu filho e traga uma sacola de compras para casa.

Quanto as crianças dormem

Nos últimos quinze anos, os pesquisadores reconheceram que dormir menos à noite parece levar ao sobrepeso e à obesidade. Esse efeito se mostra mais pronunciado em crianças e adolescentes do que em adultos.²⁷

Comecei a ler as pesquisas sobre a relação entre a privação do sono e a obesidade há cerca de dez anos. No início, a ideia de que dormir *menos* faria com que você *ganhasse* peso não fazia sentido para mim. Se você está dormindo menos, presume-se que esteja mais ativo, porque está fazendo alguma coisa em vez de dormir. E praticamente qualquer atividade queima mais calorias do que dormir. Mas acontece que quando crianças ou adultos são privados de sono, os hormônios que regulam o apetite ficam bagunçados, o que confunde horrivelmente o nosso cérebro. Seu cérebro adota o seguinte discurso: "Estou tão cansado que *mereço* batatas fritas/sorvete/doces/biscoitos/bolo/e preciso deles *agora*".

Isso é ruim.²⁸

---

26 Noreen McDonald, "Active transportation to school: Trends among US schoolchildren, 1969–2001" [Ida ativa à escola: tendências entre alunos dos EUA, 1969–2001], em *American Journal of Preventive Medicine*, 2007, vol. XXXII, pp. 509–516.

27 Em uma meta-análise de estudos envolvendo 30.002 crianças de dois a dezoito anos e 604.509 adultos com mais de dezoito anos, Francesco Cappuccio e seus colegas descobriram que a diminuição do tempo de sono estava mais fortemente associada à obesidade em crianças do que em adultos. Especificamente, a razão de chances foi de 1,89 para crianças e 1,55 para adultos. Ver Francesco Cappuccio e colegas, "Meta-analysis of short sleep duration and obesity in children and adults" [Metanálise sobre a curta duração do sono e obesidade em crianças e adultos], em *Sleep*, 2008, vol. XXXI, pp. 619–626. Para um estudo longitudinal especialmente persuasivo, ver Julie Lumeng e colegas, "Shorter sleep duration is associated with increased risk for being overweight at ages 9 to 12 years" [A duração reduzida do sono está associada ao aumento do risco de excesso de peso nas idades de nove a doze anos], em *Pediatrics*, 2007, vol. CXX, pp. 1020–1029. Disponível em: http://pediatrics.aappublications.org/content/120/5/1020.full.

28 Ver, por exemplo, Shahrad Taheri e colegas, "Short sleep duration is associated with reduced leptin, elevated ghrelin, and increased body mass index" [Sono de duração curta associado

As crianças americanas não estão dormindo tanto quanto precisam. E, nas últimas duas décadas, houve uma significativa diminuição na quantidade de horas que as crianças passam dormindo.[29] Este é o consenso dos especialistas sobre de quanto sono as crianças precisam:[30]

- Crianças em idade pré-escolar/jardim de infância (dois a cinco anos de idade): pelo menos onze horas por dia.
- Ensino fundamental (de seis a doze anos de idade): pelo menos dez horas por dia.
- Adolescentes (treze a dezoito anos): pelo menos nove horas por dia.

Como esses padrões se comparam à quantidade de sono que as crianças americanas estão realmente dormindo? Aos dez anos, a criança americana média dorme cerca de 9,1 horas por noite; aos quinze anos, 7,3 horas; aos dezessete anos, apenas 6,9 horas.[31] Em todas as faixas etárias, dos seis aos dezoito anos, a média das crianças americanas está sendo privada de sono; e quanto mais velha a criança, mais privada de sono ela provavelmente

---

à redução da leptina, elevação da grelina e aumento do índice de massa corporal], em PLOS *Medicine*, 7 de dezembro de 2004. Disponível em: www.plosmedicine.org/article/info%3A-doi%2F10.1371%2Fjournal.pmed.0010062. Ver também Chantelle Hart e colegas, "Changes in children's sleep duration on food intake, weight, and leptin" [Mudanças na duração do sono das crianças em relação à ingestão de alimentos, peso e leptina], em *Pediatrics*, 2013, vol. CXXXII, pp. e1473–e1480.

29 Katherine Keyes e colegas, "The great sleep recession: Changes in sleep duration among US adolescents, 1991–2012" [A grande recessão do sono: mudanças na duração do sono entre adolescentes dos EUA, 1991–2012], em *Pediatrics*, 16 de fevereiro de 2015, DOI: 10.1542/peds.2014-2707.

30 O National Institutes of Health (NIH) tenta estabelecer um consenso nacional entre os especialistas em muitos tópicos. Esses números foram extraídos do National Heart, Lung, and Blood Institute, "How much sleep is enough?" [Quanto sono é suficiente?]. NIH, 22 de fevereiro de 2012. Disponível em: www.nhlbi.nih.gov/health/health-topics/topics/sdd/howmuch.html.

31 Esses números foram extraídos da figura 3 em Eve Van Cauter e Kristen Knutson, "Sleep and the epidemic of obesity in children and adults" [O sono e a epidemia de obesidade em crianças e adultos], em *European Journal of Endocrinology*, vol. CLIX, pp. S59–S66. Ver também a National Sleep Foundation, "Children and Sleep" [As crianças e o sono], 1º de março de 2004. Disponível em: www.sleepfoundation.org/sites/default/files/FINAL %20SOF%20 2004.pdf.

será. As crianças americanas de hoje estão dormindo muito menos do que as crianças americanas de vinte anos atrás. As crianças britânicas de hoje, por outro lado, estão dormindo um pouco *mais* em comparação com as crianças britânicas de vinte anos atrás.[32]

Por quê? A presença de dispositivos no quarto pode ser um fator que contribui para a privação do sono entre as crianças americanas. Se uma criança ou adolescente tiver uma TV no quarto, ou um telefone celular, ou um console de *videogame*, ou um computador com acesso à *internet* no quarto, haverá a tentação de usar esses dispositivos em vez de dormir. Atualmente, há boas evidências de que a presença de telas no quarto interfere no sono.[33]

Em 2013, a Academia Americana de Pediatria (AAP) divulgou novas recomendações sobre o uso de mídias por crianças e adolescentes, a primeira grande reformulação das diretrizes desde 2001.[34] Entre outras recomendações, os pediatras aconselharam que *não houvesse telas no quarto de dormir*: nada de TVs, telefones celulares, computadores ou *tablets*. Eles não disseram que as crianças não devem usar esses dispositivos. Eles disseram que esses dispositivos não devem estar no quarto. Quarto é lugar de dormir.

As recomendações da AAP me pareceram razoáveis e sensatas. Eu mesmo venho dizendo praticamente a mesma coisa há anos. Por isso, fiquei incomodado com a reação desdenhosa da mídia americana às diretrizes da AAP. O artigo da Associated Press sobre as novas diretrizes começa num tom irônico, com a *hashtag*

---

32 Lisa Matricciani e colegas, "In search of lost sleep: Secular trends in the sleep time of school-aged children and adolescents" [Em busca do sono perdido: tendências seculares no tempo de sono de crianças e adolescentes em idade escolar], em *Sleep Medicine Reviews*, 2012, vol. XVI, pp. 203–211.

33 Ver, por exemplo, Jennifer Falbe e colegas, "Sleep duration, restfulness, and screens in the sleep environment" [Duração do sono, repouso e telas no ambiente de sono], em *Pediatrics*, 2015, vol. CXXXV, pp. e367–e375.

34 Publiquei o texto completo das diretrizes da AAP em www.leonardsax.com/guidelines.pdf. O texto exato da recomendação que estou citando aqui é: "Mantenha o aparelho de TV e os dispositivos eletrônicos conectados à *internet* fora do quarto da criança" (p. 959). Observo que um telefone celular com acesso à *internet* conta como um "dispositivo eletrônico conectado à *internet*".

#goodluckwiththat.[35] Outro grande meio de comunicação classificou as novas diretrizes da AAP como "um exercício de futilidade" e previu que as novas diretrizes seriam "ignoradas".[36]

Comecei a ministrar oficinas para crianças e adolescentes em 2001. Minhas oficinas para alunos não são sermões nem apresentações didáticas, mas conversas. Faço perguntas e ouço aqueles que levantarem as mãos. Depois, peço a outras crianças que respondam aos comentários de seus colegas. Uma pergunta que tenho feito regularmente desde 2001 é: "O que você mais gosta de fazer em seu tempo livre, quando está sozinho e ninguém está olhando?". De 2001 a 2010, aproximadamente, ouvi muitas respostas diferentes. Mas desde 2011, aproximadamente, uma resposta se tornou predominante entre as crianças americanas, especialmente entre as crianças ricas. Essa resposta é: "Dormir". Atualmente, as crianças americanas estão tão ocupadas tentando fazer tantas coisas que a maioria delas parece estar privada de sono — tanto que sua atividade de lazer favorita não é música, arte, esporte ou leitura, mas dormir.

Isso é triste.

***

Você já pode ver várias maneiras pelas quais a cultura do desrespeito pode resultar em mais crianças gordas. Quando as crianças não respeitam a autoridade dos pais, é menos provável que comam legumes. É menos provável que façam tarefas domésticas e mais provável que joguem *videogame*. É menos provável que

---

35 [Isto é, "Boa sorte aí!".] Centenas de meios de comunicação americanos reproduziram essa reportagem da Associated Press na última semana de outubro de 2013. Ver, por exemplo, Lindsey Tanner, "Docs to parents: Limit kids' texts, tweets, online" [Dos médicos para os pais: limite as mensagens de texto, *tweets* e *online* das crianças], em *Huffington Post*, 28 de outubro de 2013. Disponível em: www.huffingtonpost.com/2013/10/28/doctors-kids-media-use_n_4170182.html.

36 Marshall Connolly, "Futile report? Pediatricians advise limiting kids to 2 hours on internet, TV" [Relatório inútil? Pediatras aconselham limitar a *internet* e TV para as crianças a duas horas], em *Catholic Online*, 28 de outubro de 2013. Disponível em: www.catholic.org/health/story.php?id=52916.

durmam na hora certa, e mais provável que fiquem acordadas até tarde em frente a uma tela. Mas há também algumas evidências intrigantes que parecem apoiar uma ligação direta: quanto mais desrespeitosa a criança, maior a probabilidade de que seja uma criança gorda.

Nas últimas duas décadas, várias pesquisas relataram exatamente essa descoberta: ou seja, que crianças e adolescentes que são afrontosos, desrespeitosos e simplesmente grosseiras têm maior probabilidade de *desenvolver* sobrepeso ou obesidade, em comparação com crianças mais bem comportadas.[37] Como se verificou, é um efeito de larga escala. Em um estudo, os pesquisadores descobriram que crianças cronicamente afrontosas e desrespeitosas tinham uma probabilidade cerca de três vezes maior de se tornarem

---

37 Para obter uma visão geral desse tópico, ver Daphne Korczak e colegas, "Are children and adolescents with psychiatric illness at risk for increased future body weight? A systematic review" [As crianças e adolescentes com doenças psiquiátricas correm risco de aumento do peso corporal futuro? Uma revisão sistemática], em *Developmental Medicine and Child Neurology*, 2013, vol. LV, pp. 980–987. Alguns dos artigos que demonstram esse fenômeno — de que a criança desobediente tem maior probabilidade de ficar acima do peso ou obesa — incluem (em ordem alfabética): Sarah Anderson e colegas, "Externalizing behavior in early childhood and body mass index from age 2 to 12 years: Longitudinal analyses of a prospective cohort study" [Conduta externalizante na primeira infância e índice de massa corporal dos dois aos doze anos: análises longitudinais de um estudo de coorte prospectivo], em BMC *Pediatrics*, 2010, vol. X. Disponível em: www.biomedcentral.com/1471-2431/10/49; Cristiane Duarte e colegas, "Child mental health problems and obesity in early adulthood" [Problemas de saúde mental infantil e obesidade no início da idade adulta], em *Journal of Pediatrics*, 2010, vol. CLVI, pp. 93–97; Daphne Korczak e colegas, "Child and adolescent psychopathology predicts increased adult body mass index: Results from a prospective community sample" [A psicopatologia de crianças e adolescentes prevê aumento do índice de massa corporal em adultos: resultados de uma amostragem comunitária prospectiva], em *Journal of Developmental and Behavioral Pediatrics*, 2014, vol. XXXV, pp. 108–117; Julie Lumeng e colegas, "Association between clinically meaningful behavior problems and overweight in children" [Associação entre problemas de comportamento clinicamente significativos e excesso de peso em crianças], em *Pediatrics*, 2003, vol. CXII, pp. 113–1145; A. Mamun e colegas, "Childhood behavioral problems predict young adults' BMI and obesity: Evidence from a birth cohort study" [Problemas comportamentais na infância predizem o IMC e a obesidade em adultos jovens: evidências de um estudo de coorte de nascimentos], em *Obesity*, 2009, vol. XVII, pp. 761–766; Sarah Mustillo e colegas, "Obesity and psychiatric disorder: Developmental trajectories" [Obesidade e transtorno psiquiátrico: trajetórias de desenvolvimento], em *Pediatrics*, 2003, vol. CXI, pp. 851–859; Daniel Pine e colegas, "Psychiatric symptoms in adolescence as predictors of obesity in early adulthood: A longitudinal study" [Sintomas psiquiátricos na adolescência como preditores de obesidade no início da idade adulta: um estudo longitudinal], em *American Journal of Public Health*, 1997, vol. LXXXVII, pp. 1303–1310. Disponível em: www.ncbi.nlm.nih.gov/pmc/articles/PMC1381090; B. White e colegas, "Childhood psychological function and obesity risk across the lifecourse" [Função psicológica infantil e risco de obesidade ao longo da vida], *International Journal of Obesity*, 2012, vol. XXXVI, pp. 511–516.

obesas, se comparadas a crianças mais bem comportadas. E quanto mais magra a criança, maior o efeito. Crianças magras persistentemente afrontosas e desrespeitosas tinham uma probabilidade cerca de *cinco* vezes maior de se tornarem obesas, em comparação com crianças igualmente magras e mais bem comportadas.[38]

Isso faz sentido. Se as crianças se mostrarem afrontosas ou desrespeitosas e se recusarem a comer vegetais, alguns pais americanos permitirão que elas comam *pizza* e batatas fritas no jantar. Esses pais não dirão: "Nada de sobremesa até que você coma seus legumes". Esses pais podem achar mais fácil dar à criança *pizza* e sorvete em vez de tomar uma atitude, se a criança tiver tendência a se comportar mal. Mas por que o efeito é mais acentuado em crianças magras? Ora, é porque se uma criança já estiver acima do peso no começo da pesquisa não haverá muito espaço para que uma grande mudança seja observada. Cada caso de uma criança magra que depois se torna obesa gera um efeito entre as crianças magras, efeito que será maior do que o que se possa encontrar entre crianças que já estivessem acima do peso ou obesas.

Eis uma surpresa. Essa relação entre mau comportamento e obesidade posterior, confirmada em muitos estudos realizados nos Estados Unidos, pode não se manter na Nova Zelândia. Um único estudo prospectivo sobre esse tópico foi realizado na Nova Zelândia, na década de 90. Neste estudo, as meninas cujo comportamento foi avaliado como ruim exibiram uma probabilidade um pouco *menor* de desenvolver obesidade em comparação com as meninas mais bem comportadas (a pesquisa não avaliou meninos).

---

38 O estudo que estou citando aqui é o de Lumeng e colegas, "Association between clinically meaningful behavior problems and overweight in children" [Associação entre problemas de comportamento clinicamente significativos e sobrepeso em crianças]. Embora esses autores usem o termo "sobrepeso", sua definição de "sobrepeso" é, na verdade, a definição de 2010 para "obesidade" (ver a nota 2 acima). Eles descobriram que a razão de chances de crianças que se comportavam mal se tornarem obesas era de 2,95. Uma razão de chances de 3,0 significaria que as crianças que se comportavam mal tinham exatamente três vezes mais chances de se tornarem obesas. Quando eles restringiram a análise às crianças que tinham peso normal na linha de base, a razão de chances aumentou para 5,23. Em outras palavras, as crianças com peso normal que se comportavam mal tinham uma probabilidade mais de cinco vezes maior de se tornarem obesas, em comparação com as crianças com peso normal que não se comportavam mal.

Os pesquisadores especularam que as meninas mal-comportadas da Nova Zelândia poderiam pesar menos do que as "boas meninas" porque as "meninas más" tinham maior probabilidade de fumar cigarros.[39] Essa conjectura não me convenceu. As meninas más têm maior probabilidade de fumar cigarros do que as boas nos Estados Unidos também, assim como na Nova Zelândia. Proponho uma hipótese diferente, com base em minhas conversas com pais e adolescentes em toda a Nova Zelândia, em Auckland, Hastings, Hawkes Bay e Christchurch. Os pais de lá me disseram que — pelo menos na década de 90 — seria incomum um pai ou uma mãe permitir que uma filha ou um filho decidisse o que seria servido no jantar. Se os pais na Nova Zelândia preparassem uma refeição saudável e, por acaso, uma filha afrontosa e desrespeitosa se recusasse a comê-la, essa menina provavelmente iria dormir com fome. O que, em um período de meses ou anos, poderia fazer com que ela perdesse peso.

No entanto: esse estudo da Nova Zelândia foi publicado em 1998, com base em pesquisas realizadas em meados da década de 90. Houve algumas mudanças nas duas décadas seguintes. Recentemente, quando compartilhei essa pesquisa com uma administradora de uma escola que visitei em Christchurch, ela disse ter observado que

> alguns jovens nos últimos anos têm se tornado mais mimados e impertinentes. Em Christchurch, após o terremoto, o nível de ansiedade dos adolescentes e os problemas de saúde mental associados podem ter agravado essa impertinência dos jovens. Tanto os pais quanto os profissionais parecem pisar em ovos quando se preocupam com o bem-estar dos adolescentes, e esse medo parece se manifestar em alguns adolescentes excessivamente autoindulgentes, que se dão níveis maiores de autonomia. Cada vez mais, há pais e mães que procuram as escolas em busca de orientação sobre como administrar o desrespeito e a rebeldia em casa.[40]

---

39 Anna Bardone e colegas, "Adult physical health outcomes of adolescent girls with conduct disorder, depression, and anxiety" [Resultados na vida adulta de saúde física de meninas adolescentes com transtorno de conduta, depressão e ansiedade], em *Journal of the American Academy of Child and Adolescent Psychiatry*, 1998, vol. XXXVII, pp. 594–601.

40 Melanie L'Eef, *e-mail*, 2 de maio de 2015.

Portanto, talvez todos nós precisemos de ajuda.

Na parte II do livro, vamos nos concentrar em estratégias concretas para desenvolver sua autoridade no contexto da cultura contemporânea do século XXI. Mas essas estratégias só serão eficazes se você começar por ter confiança sobre o que deseja ensinar ao seu filho ou filha. O que você precisa ensinar com relação à dieta e aos exercícios é o seguinte:

- *Alimente-se bem*: brócolis e couve-de-bruxelas vêm antes de *pizza* e sorvete.
- *Coma menos*: não exagere. Prepare pequenas porções e insista para que as crianças terminem de comer tudo o que está no prato, inclusive os legumes, antes de receberem uma segunda porção.
- *Exercite-se mais*: desligue os aparelhos. Saia de casa. Brinque e jogue.

Você consegue.

***

Quando os pais abdicam da autoridade e deixam que os filhos decidam o que comer no jantar, um dos resultados é mais crianças comendo *pizza* e batatas fritas em vez de brócolis e couve-flor. Esse é certamente um fator que contribui para o aumento do sobrepeso e da obesidade entre as crianças e os adolescentes de hoje.

É fácil ver como deixar as crianças decidirem pode levar a um maior número de crianças com sobrepeso. Mas outras consequências importantes não são tão óbvias. Por exemplo, não é imediatamente óbvio como o declínio da autoridade dos pais pode levar mais crianças a serem diagnosticadas com TDAH, transtorno desafiador opositivo ou transtorno bipolar infantil, especialmente nos Estados Unidos.

Mas o *link* está lá. Esse é o nosso próximo tópico.

3
Por que tantas crianças estão sendo medicadas?

Trent tem oito anos de idade. Em meu consultório, ele está feliz. Ele ri quando eu brinco com meu boneco do Patolino e faço minha voz de Patolino. Mas seus pais me disseram que, se Trent não consegue o que quer ou se alguma coisa não acontece como se espera, ele começa a fazer malcriação.

— Ele fica totalmente descontrolado — diz sua mãe. — Ele grita. Ele chora. Ele joga coisas. Mas cinco minutos depois já está rindo de novo.

Antes que eu possa dizer qualquer coisa, a mãe continua:

— Entrei na *internet* e pesquisei o caso dele, e estou pensando que talvez ele seja bipolar. Ciclo rápido.

— *Hmm* — eu assinto com um ar de sabedoria.

Após uma avaliação minuciosa, ficou claro que Trent não tem nenhum tipo de transtorno bipolar, nem de ciclo rápido nem de longo. Ele tem flutuações de humor. Ele fica bravo quando não consegue o que quer. Isso está dentro da faixa de normalidade para uma criança de oito anos. Mas seus pais parecem incapazes de orientar seu comportamento ou de reagir adequadamente às suas explosões. Começo a me perguntar: "Como vou informar essa mãe que, no caso dele, não há necessidade de medicação?". O problema não está em Trent, mas no fato de seus pais não estabelecerem e aplicarem limites e consequências consistentes.

Como mencionei no capítulo 1, uma grande parte da tarefa de enculturação é ensinar as regras de Fulghum: "Jogue limpo. Não agrida ninguém. Coloque as coisas de volta no lugar onde você as encontrou. Limpe a bagunça que você fizer. Peça desculpas quando magoar alguém". Nas três décadas entre 1955 e 1985, os pais podiam contar com a sala de aula do jardim de infância para ensinar essas regras. Naquela época, até mesmo os pais que não se esforçavam muito para educar os filhos podiam ter certeza de que eles conheciam e acatavam essas regras. Mas isso mudou. Hoje em dia, em muitos jardins de infância americanos, como eu disse no capítulo 1, é mais provável que se priorize ensinar ditongos do que o respeito, a cortesia e as boas maneiras.

Atualmente, os pais devem ensinar explicitamente as regras de Fulghum e tudo o que as acompanha. Mas muitos pais não fazem isso, pelo menos por dois motivos. Primeiro, talvez eles não percebam que precisam fazer isso. Seus próprios pais talvez não tenham lhes ensinado esses tópicos há vinte ou trinta anos; então por que eles teriam de ensinar essas coisas para seus filhos? Em segundo lugar, os pais de hoje se sentem menos confortáveis na hora de impor autoridade do que os pais das gerações anteriores.

Agora, encontro regularmente pais como a mãe de Trent, pais que se perguntam se seu filho pequeno pode ter transtorno bipolar de ciclo rápido ou alguma outra explicação neuropsiquiátrica para o mau comportamento. Explico a esses pais que é normal que uma criança de oito anos passe por diferentes estados de espírito ao longo de meia hora. Às vezes, de apenas cinco minutos. Isso não é transtorno bipolar de ciclo rápido: é ter oito anos de idade. Eu digo isso várias vezes: *o trabalho dos pais é ensinar autocontrole. Explicar o que é aceitável e o que não é. Estabelecer limites e impor consequências.*

Há duas décadas, isso era senso comum. Agora não é mais. Pelo menos não nos Estados Unidos.

Até 1994, era raro um indivíduo com menos de vinte anos ser diagnosticado como bipolar. Mas, em 2003, nos Estados Unidos, isso estava se tornando comum. Só no período entre 1994 e 2003, a taxa de diagnóstico de transtorno bipolar entre crianças e adolescentes americanos se multiplicou por quarenta. Em outras palavras: para cada criança diagnosticada com transtorno bipolar em 1994, houve quarenta crianças diagnosticadas com transtorno bipolar em 2003. E a maioria dos novos diagnósticos se referia a crianças americanas menores de quinze anos.[1]

Antes do início da década de 90, era raro que alguém fosse diagnosticado com transtorno bipolar infantil, fosse nos Estados Unidos ou em qualquer outro lugar. Antes de 1994, a maioria dos especialistas concordava que o transtorno bipolar era caracterizado pela alternância entre episódios de depressão e episódios de mania. Durante um episódio de mania, a pessoa afetada geralmente fica eufórica e enérgica, muitas vezes sem dormir. Os episódios de mania podem durar de dias a semanas; os episódios de depressão podem durar por semanas ou meses.

A partir de meados da década de 90, um grupo de pesquisadores liderado pelo Doutor Joseph Biederman, da Harvard Medical School, publicou uma série de artigos afirmando que, no caso das crianças, o transtorno bipolar se manifesta de maneira diferente. Nas crianças, alegavam Biederman e seus colegas, o transtorno bipolar não é episódico. Ele é *de ciclo rápido*, com cada fase durando por minutos em vez de semanas ou meses. Além disso, Biederman alegou que, na infância, a mania não é parecida com a mania dos adultos. As crianças maníacas não ficam enérgicas e eufóricas, segundo Biederman e seus colegas de Harvard; em vez disso, elas ficam irritáveis.[2]

---

[1] Veja Benedict Carey, "Bipolar illness soars as a diagnosis for the young" [Diagnóstico de transtorno bipolar dispara entre os jovens], em *New York Times*, 4 de setembro de 2007. Disponível em: www.nytimes.com/2007/09/04/health/04psych.html. O artigo *do New York Times* descreve um estudo publicado por C. Moreno e colegas, "National trends in the outpatient diagnosis and treatment of bipolar disorder in youth" [Tendências nacionais no diagnóstico ambulatorial e tratamento do transtorno bipolar em jovens], em *Archives of General Psychiatry*, 2007, vol. LXIV, pp. 1032–1039.

[2] Ver, por exemplo, Joseph Biederman e colegas, "Pediatric mania: A developmental subtype of bipolar disorder?" [Mania pediátrica: um subtipo de desenvolvimento do transtorno bipolar?], em *Biological Psychiatry*, 2000, vol. XLVIII, pp. 458–466.

As crianças que Biederman descreve são tão diferentes dos adultos com transtorno bipolar que seria razoável perguntar se Biederman estava mesmo descrevendo um tipo de transtorno bipolar. Mas Biederman insistiu que seu tema era, de fato, o transtorno bipolar e que ele deveria ser tratado com os mesmos antipsicóticos (medicamentos potentes como Risperdal e Seroquel) frequentemente usados para tratar o transtorno bipolar em adultos.

Houve céticos, e continua havendo. Um deles, o psicoterapeuta Dominic Riccio, acredita que Biederman e seus colegas "diagnosticam bipolaridade em casos em que uma criança manifesta flutuações de humor. Se uma criança se mostra feliz, depois triste, e depois tem explosões impulsivas, esse comportamento é caracterizado como bipolar. Mas as crianças têm flutuações de humor. Caracterizar isso como doença mental é um grave erro".[3] A psiquiatra Jennifer Harris estava cursando sua especialização em psiquiatria de pacientes adolescentes em 2002, quando o Doutor Biederman estava promovendo o diagnóstico de transtorno bipolar pediátrico. "Vimos um grande número de crianças chegando com esse diagnóstico", disse ela, mas "o diagnóstico de muitas delas não se manteve após uma avaliação completa". Harris concluiu: "Muitos clínicos acham mais fácil dizer aos pais que seus filhos têm um distúrbio cerebral do que sugerir mudanças em sua forma de educá-los".[4]

Essa é a situação em que eu me vi em relação a Trent e sua mãe. Trent tinha flutuações de humor. Quando seus pais não compravam o brinquedo que ele queria, ele gritava na loja de brinquedos. Mas seu pai e sua mãe nunca haviam lhe ensinado as regras de bom comportamento. Seu comportamento era precisamente o que se espera de uma criança que nunca tivesse sido educada de modo consistente.

---

3 Dominic Riccio é citado em Rob Waters, "Children in crisis? Concerns about the growing popularity of the bipolar diagnosis" [Crianças em crise? Preocupações com a crescente popularidade do diagnóstico bipolar], em *Psychotherapy Networker*, 24 de setembro de 2009. Disponível em: www.psychotherapy networker.org/component/k2/item/675-networker-news.
4 O Doutor Harris é citado em Waters, op. cit.

A mãe de Trent havia lido uma matéria de capa da *Newsweek* sobre transtorno bipolar infantil. O artigo apresentava o Doutor Biederman e seus colegas de Harvard e repetia a afirmação de Biederman de que os médicos estão deixando de diagnosticar o transtorno bipolar nas crianças.[5] A frustração da mamãe era compreensível: eu, Leonard Sax, sou apenas um médico de família local. Quem sou eu para contestar a revista *Newsweek* e o nacionalmente renomado Doutor Biederman, psiquiatra infantil de Harvard?

A mãe de Trent esperava que eu lhe dissesse que Trent tinha um desequilíbrio químico que poderia ser corrigido com Risperdal ou Seroquel, os medicamentos defendidos pelo Doutor Biederman. Eu disse a ela que Trent não precisava desses medicamentos. Trent precisava de pais que tivessem a confiança e a autoridade necessárias para ensinar as regras de Fulghum.

A mãe saiu do consultório irritada.

Menos de três semanas depois daquele dia, o Doutor Biederman e seus dois colegas de Harvard admitiram ter recebido mais de US$ 4 milhões da Johnson & Johnson (fabricante do Risperdal), da AstraZeneca (fabricante do Seroquel) e de outras empresas farmacêuticas. Os pagamentos foram descobertos no decorrer de uma investigação iniciada pelo senador norte-americano Charles Grassley e conduzida pela equipe do Comitê Judiciário do Senado.[6] Para ser claro, Biederman e seus colegas não infringiram nenhuma lei. Não há qualquer lei que proíba os médicos de aceitarem milhões de dólares de empresas farmacêuticas. Mas a ação do Doutor Biederman foi antiética, na minha opinião. Acho que o Doutor Biederman deveria ter dito à *Newsweek* e a todos os outros que ele estava agindo, essencialmente, como um porta-voz remunerado das empresas farmacêuticas. Mas ele

---

5 A matéria de capa da *Newsweek*, escrita por Mary Carmichael, intitula-se "Growing Up Bipolar" [Crescendo com bipolaridade], em *Newsweek*, 17 de maio de 2008. Disponível em: www.newsweek.com/growing-bipolar-maxs-world-90351.

6 Ver, por exemplo, Gardiner Harris e Benedict Carey, "Researchers fail to reveal full drug pay" [Pesquisadores não revelam o valor integral pago pelas farmacêuticas], em *New York Times*, 8 de junho de 2008. Disponível em: www.nytimes.com/2008/06/08/us/08conflict.html.

manteve segredo sobre os valores recebidos, ou pelo menos parece que tentou manter.[7]

A assistente social psiquiátrica Elizabeth Root observa que "o barato" oferecido pelos medicamentos deixa os pais satisfeitos. Os pais, então, deixam de querer realizar o trabalho árduo de resolver o problema na raiz.[8] A psiquiatra infantil Elizabeth Roberts vai ainda mais longe:

> Por causa de rebeldia e mau comportamento comuns, os psiquiatras atuais diagnosticam crianças erroneamente e as medicam excessivamente. Birras de crianças agressivas estão sendo cada vez mais caracterizadas como doenças psiquiátricas. Usando diagnósticos como transtorno bipolar, transtorno de déficit de atenção e hiperatividade (TDAH) e Asperger, os médicos estão justificando a sedação de crianças difíceis com poderosos medicamentos psiquiátricos que podem ter efeitos colaterais graves, permanentes ou até mesmo letais.[9]

As crianças precisam de autoridade em suas vidas. As famílias precisam de autoridade para funcionar. Mas quando os pais abdicam de sua autoridade, surge um vácuo. E a natureza abomina o vácuo. Entra em cena — pode-se dizer que é sugado — o médico, armado com seu receituário. A medicação desempenha o papel, que os pais deveriam ter ocupado, de governar o comportamento da criança.

---

7 Quando foi divulgada a notícia sobre os milhões de dólares pagos a Biederman e seus dois amigos, a única penalidade imposta pela Harvard Medical School foi um embargo de um ano durante o qual eles não poderiam mais receber dinheiro das farmacêuticas. Biederman nunca precisou devolver o dinheiro. No momento em que escrevo esta nota, anos depois que a situação foi revelada ao público, ele ainda mantém seu cargo de chefe de pesquisa em psicofarmacologia pediátrica no Massachusetts General Hospital. O site do MGH ainda menciona com destaque suas várias honrarias, mas não menciona o fato de que ele aceitou uma grande quantidade de dinheiro das empresas farmacêuticas e não divulgou esse fato até que o senador Grassley o obrigou a fazê-lo.

8 Elizabeth Root, *Kids Caught in the Psychiatric Maelstrom: How Pathological Labels and "Therapeutic" Drugs Hurt Children and Families* [Crianças apanhadas no redemoinho psiquiátrico: como rótulos patológicos e drogas "terapêuticas" prejudicam crianças e famílias]. Santa Barbara: ABC-CLIO, 2009, p. 40.

9 Elizabeth Roberts, "A rush to medicate young minds" [Pressa para medicar as mentes juvenis], em *Washington Post*, 8 de outubro de 2006. Disponível em: www.washingtonpost.com/wp-dyn/content/article/2006/10/06/AR2006100601391.html.

Hoje há muitos pais americanos para quem é mais fácil administrar uma pílula prescrita por um médico do que instruir uma criança com firmeza e impor consequências para seu mau comportamento. Isso é lamentável. E também é, na minha opinião, um fator importante entre aqueles que impulsionam a explosão na prescrição desses medicamentos nos Estados Unidos.

Esse fenômeno é peculiar à América do Norte. Pesquisadores alemães descobriram que, aproximadamente durante o mesmo período em que se podia observar uma explosão de diagnósticos de transtorno bipolar infantil nos Estados Unidos, a proporção de crianças diagnosticadas com transtorno bipolar na Alemanha *diminuiu*.[10] Igualmente na Espanha, entre 1990 e 2008, a taxa de diagnóstico de transtorno bipolar pediátrico não mudou entre os meninos e diminuiu entre as meninas.[11] Em um estudo da Nova Zelândia, a proporção de internações por transtorno bipolar pediátrico diminuiu significativamente, tanto para meninas quanto para meninos, entre 1998 e 2007.[12]

Os alemães observaram, secamente:

---

10 Martin Holtmann e colegas, "Bipolar disorder in children and adolescents in Germany: National trends in the rates of inpatients, 2000–2007" [Transtorno bipolar em crianças e adolescentes na Alemanha: tendências nacionais nas taxas de pacientes internados, 2000–2007], em *Bipolar Disorders*, 2010, vol. xii, pp. 155-163. Disponível em: http://onlinelibrary.wiley.com/doi/10.1111/j.1399-5618.2010.00794.x/full. Os pesquisadores alemães constataram um aumento significativo no diagnóstico de transtorno bipolar em adolescentes de quinze a dezenove anos de idade e um pequeno declínio "não significativo" no diagnóstico em crianças com menos de quinze anos de idade. Pode ter sido um declínio "não significativo" do ponto de vista alemão, mas, ainda assim, foi um *declínio*, e não um grande aumento como o observado nos Estados Unidos. Na página 159 de seu artigo, Holtmann e seus colegas citam uma taxa de 204 por cem mil adolescentes nos Estados Unidos que receberam alta com diagnóstico de transtorno bipolar, em comparação com 5,22 por cem mil adolescentes na Alemanha. Vamos calcular a razão de chances, comparando os EUA com a Alemanha: 204/5,22 = 39,1. Em outras palavras, um adolescente nos Estados Unidos tem uma probabilidade de ser diagnosticado com transtorno bipolar quase quarenta vezes maior do que um adolescente na Alemanha.

11 Juan Carballo e colegas, "Longitudinal trends in diagnosis at child and adolescent mental health centres in Madrid, Spain" [Tendências longitudinais no diagnóstico em centros de saúde mental infanto-juvenil em Madrid, Espanha], em *European Child & Adolescent Psychiatry*, 2013, vol. xxii, pp. 47-49.

12 Kirsten van Kessel e colegas, "Trends in child and adolescent discharges at a New Zealand psychiatric inpatient unit between 1998 and 2007" [Tendências nas altas de crianças e adolescentes em uma unidade de internação psiquiátrica na Nova Zelândia entre 1998 e 2007], em *New Zealand Medical Journal*, 2012, vol. cxxv, pp. 55-61.

> Não há nenhuma razão convincente para presumir que a frequência do transtorno bipolar em crianças e adolescentes seja de fato muito maior nos EUA do que na Europa. Conclui-se haver um considerável ceticismo europeu a respeito da alta taxa de prevalência de transtorno bipolar em crianças nos EUA. O diagnóstico de transtorno bipolar em menores é bastante raro fora dos Estados Unidos... Na Alemanha, o diagnóstico de transtorno bipolar infantil ainda é extremamente raro.[13]

Recentemente, pesquisadores compararam os diagnósticos de crianças nos Estados Unidos e na Inglaterra, usando bancos de dados nacionais abrangentes dos dois países. Eles descobriram que, em números ajustados para a população geral, para cada criança na Inglaterra que recebe um diagnóstico de transtorno bipolar, setenta e três crianças nos Estados Unidos são diagnosticadas com a condição.[14]

***

Dediquei várias páginas ao transtorno bipolar infantil porque ele ilustra muito bem até que ponto os Estados Unidos se tornaram uma exceção entre as nações desenvolvidas no diagnóstico de transtornos psiquiátricos. Mas há outras condições psiquiátricas que também estão sendo diagnosticadas neste país em taxas muito mais altas do que em qualquer outro lugar. A mais comum dessas condições é o transtorno de déficit de atenção e hiperatividade (TDAH). Deixe-me contar algo sobre outro paciente que atendi.

Dylan tinha sido um bom aluno durante todo o ensino fundamental, com muitos amigos. Mas algo mudou quando ele começou o ensino médio. Ele perdeu o interesse pela escola, pela maioria dos amigos e pelos esportes. Seu círculo de amigos diminuiu. Ele agora passava a maior parte do tempo livre com alguns outros

---

13 Holtmann e colegas, op. cit., pp. 156 e 159.
14 Anthony James e colegas, "A comparison of American and English hospital discharge rates for pediatric bipolar disorder, 2000 to 2010" [Uma comparação entre as taxas de alta hospitalar americana e inglesa para transtorno bipolar pediátrico, 2000 a 2010], em *Journal of the American Academy of Child and Adolescent Psychiatry*, 2014, vol. LIII, pp. 614-624.

meninos que compartilhavam seu interesse por jogos eletrônicos. Tornou-se afrontoso e desrespeitoso com os adultos, inclusive com seus pais. Começou a se recusar a jantar com a família. Em vez disso, ficava em seu quarto jogando *videogame*.

Seus pais marcaram uma consulta com um psiquiatra infantil. O psiquiatra conversou com Dylan e seus pais e analisou os testes de TDAH que vários professores da escola haviam preenchido para Dylan.

"Inicialmente, achei que Dylan poderia estar deprimido, mas mudei de ideia. Agora acho que Dylan preenche os critérios de dois outros transtornos", disse o psiquiatra aos pais. "Transtorno desafiador opositivo e TDAH. Acho que há uma boa chance de vocês verem uma melhora substancial com um medicamento estimulante voltado para o TDAH, como Adderall, Venvanse ou Concerta. Sugiro que experimentemos um desses medicamentos e vejamos se ajuda".

"A medicação realmente ajudou", disse-me a mãe de Dylan, Sofie, mais tarde. "Em algumas coisas. Ele começou a prestar atenção na escola novamente. Em casa, parece ser mais capaz de nos ouvir. E começou a jantar conosco novamente, ou pelo menos a sentar-se conosco na hora do jantar. Na verdade, ele não come muito. Seu apetite ficou péssimo desde que começou a tomar a medicação. E outra coisa mudou: antes, havia um brilho em seus olhos, uma centelha, uma centelha de esperteza. Não vejo mais esse brilho".

Sofie trouxe Dylan até mim porque estava preocupada com o fato de ele estar perdendo aquela centelha. Conversando com Sofie e Dylan, fiquei sabendo que Dylan tinha um console de *videogame* em seu quarto. Sofie não tinha ideia de quanto tempo Dylan passava jogando *videogame* porque sua porta ficava fechada na hora de dormir.

Depois de conversar com Dylan, concluí que ele estava com privação de sono. Ele admitiu que passava várias horas até tarde da noite, quase todas as noites, jogando *videogame* em vez de dormir. Aconselhei que o quarto dele ficasse livre de aparelhos: nada de TV, telefones celulares ou *videogames*. Ele podia jogar jogos eletrônicos até quarenta minutos por noite nas noites de aula e uma hora por dia nos outros dias, mas o console tinha de estar em um espaço público, como a sala de estar, e não no quarto.[15]

Também recomendei que diminuíssemos e descontinuássemos sua medicação estimulante. Expliquei a eles que a medicação estimulante "funcionou" porque é um estimulante poderoso e compensou a privação de sono de Dylan. A criança e adolescente que dorme pouco terá dificuldade para prestar atenção, não porque tenha TDAH, mas pelo fato de dormir pouco. A privação de sono imita o TDAH quase perfeitamente. Medicamentos como Adderall e Venvanse são anfetaminas: é o mesmo que tomar "rebite". A terapia adequada para quem sofre de privação de sono, expliquei a Sofie, não é a prescrição de medicamentos estimulantes. A terapia adequada para tratar a privação do sono é os pais desligarem o console de videogame e apagarem as luzes para que seu filho possa dormir.

Uma das obrigações básicas de um pai é garantir que a criança tenha uma boa noite de sono, em vez de ficar acordada até tarde jogando. Essa não é uma ideia nova. Mas, há trinta anos, não tínhamos dispositivos conectados à *internet* que permitem que as crianças joguem *online* com colegas às duas da manhã. Isso significa que os pais precisam ser mais assertivos em sua autoridade do que nas décadas anteriores. Mas, em vez disso, muitos pais americanos abdicaram de sua autoridade. O resultado são meninos jogando *videogame* às duas da manhã e meninas que ficam acordadas até depois da meia-noite, enviando mensagens de texto para os amigos pelo celular ou publicando *selfies* no Instagram.

Baseado em minha experiência no consultório, acredito que a falta de sono é uma das razões pelas quais as crianças americanas de hoje têm maior probabilidade de serem diagnosticadas com TDAH, em comparação com as crianças americanas de três décadas atrás.

---

15 Essas diretrizes são baseadas na pesquisa dos professores Craig Anderson e Doug Gentile. Apresento a pesquisa deles e explico as diretrizes mais detalhadamente no capítulo 3 de *Boys Adrift: The Five Factors Driving the Growing Epidemic of Unmotivated Boys and Underachieving Young Men*. Nova York: Basic Books, 2007. A Basic Books publicará uma edição atualizada em 2016.

E o fato de os pais não conseguirem fazer valer sua autoridade é uma grande parte do motivo pelo qual as crianças americanas estão dormindo menos do que nas décadas anteriores.

Dylan recuperou sua centelha logo depois de parar de tomar a medicação. Mas seus outros problemas não foram tão fáceis de resolver. Ele vinha dedicando a maior parte de seu tempo social a conviver com outros *gamers*: crianças e adolescentes que passam a maior parte do tempo livre jogando *videogame*. Seus pais calculavam que Dylan passasse vinte horas ou mais por semana jogando *videogame*, uma média de quase três horas por dia. Quando seus pais restringiram seu tempo de jogo, ele praticamente parou de jogar. "Quarenta minutos por noite? Isso mal dá para ficar *online* e ver o que está acontecendo", reclamou. "Não vejo sentido nisso". Ele parou de conviver com seus amigos jogadores. Mas seus velhos amigos, da vida que levava antes de se ligar aos jogos eletrônicos, não o aceitaram de volta imediatamente. Eles tinham seguido adiante. Dylan tornou-se uma espécie de solitário, embora fosse um solitário estudioso. Suas notas aumentaram e seu relacionamento com os professores melhorou.

Lamentei quando soube que Dylan não conseguira restabelecer suas amizades anteriores. As crianças e adolescentes precisam de amigos da mesma idade. Quando falo com os pais sobre a importância de priorizar a família em relação aos amigos da mesma idade, alguns pais respondem: "Mas as crianças não precisam de amigos da mesma idade?". É claro que sim. Mas aqui devemos seguir uma dica comum dos consultores de investimentos: *diversificar*. Se você perceber que todos os amigos de seu filho têm um interesse específico, isso não é saudável. Se sua filha for uma estrela do futebol e todos os amigos dela jogarem futebol, o que acontecerá quando ela sofrer uma lesão grave no joelho e ficar impossibilitada de jogar por três meses, um ano ou nunca mais? Já vi uma garota ser essencialmente abandonada por quase todos os seus amigos num caso assim. Ela sofreu para encontrar uma nova identidade que não estivesse ligada ao jogo de futebol. Se seus pais a tivessem incentivado a diversificar suas atividades, se tivessem tentado conectá-la a outros ambientes de socialização — talvez na igreja, sinagoga ou mesquita, talvez no haras (essa menina costumava andar a cavalo), ou mesmo apenas junto com as vizinhas —, sua vida não teria piorado tanto quando ela não pôde mais jogar futebol.

O mesmo aconteceu com Dylan. Seus pais podiam ter visto o que estava acontecendo. Eles viram como suas outras amizades começaram a murchar à medida que sua obsessão por jogos eletrônicos se tornava mais grave. Mas eles se sentiram impotentes para intervir. Hoje em dia, os pais americanos muitas vezes pensam que estão agindo como intrometidos quando tentam influenciar as amizades de seus filhos. E concordo que não adianta nada dizer: "O Jacob é um garoto muito legal. Por que você não o convida para vir aqui em casa?". Mas acho que teria sido perfeitamente razoável que os pais de Dylan restringissem o *videogame* muito antes, antes que suas outras amizades tivessem acabado. Essa restrição teria ajudado Dylan a escolher por si mesmo quais amizades — que não envolvessem o hábito de jogar — valia a pena cultivar e manter.

* * *

Em 2013, os Centros de Controle e Prevenção de Doenças (CDC) divulgaram seus números sobre a proporção de crianças americanas diagnosticadas com TDAH. Através dos Estados Unidos, quase 20% dos meninos e 10% das meninas de quatorze a dezessete anos haviam sido diagnosticados com TDAH. Isso significa que, entre os alunos do ensino médio nos Estados Unidos, 15% já foram diagnosticados com TDAH.[16] O CDC estima que 69% das crianças americanas *diagnosticadas* com TDAH também tomam

---

16 Alan Schwarz e Sarah Cohen, "ADHD seen in 11% of US children as diagnoses rise" [TDAH observado em 11% das crianças dos EUA, em meio a aumento de diagnósticos], em *New York Times*, 31 de março de 2013. Disponível em: www.nytimes.com/2013/04/01/health/more--diagnoses-of-hyperactivity-causing-concern.html.

medicamentos para esse transtorno.¹⁷ Se multiplicarmos 15% por 69%, obteremos 10,3%. Isso significa que cerca de 103 a cada mil adolescentes americanos estão tomando, ou já tomaram, medicamentos para TDAH.

Recentemente, um grupo de pesquisadores britânicos divulgou dados comparáveis de uma pesquisa nacional com 3.529.615 pessoas em todo o Reino Unido. Eles descobriram que 7,4 a cada mil adolescentes do Reino Unido estão tomando ou já tomaram medicamentos para TDAH.¹⁸

Comparemos os números. Nos Estados Unidos, cerca de 103 adolescentes em cada mil estão tomando, ou já tomaram, medicamentos para TDAH. No Reino Unido, o número é de 7,4 adolescentes a cada mil. Comparando a frequência de medicação nos Estados Unidos com a observada no Reino Unido, a razão é

$$103 \div 7,4 = 13,9$$

Em outras palavras, os adolescentes nos Estados Unidos têm uma probabilidade de serem tratados com medicação para TDAH quase catorze vezes maior que os adolescentes no Reino Unido.

Para crianças menores, a relação de probabilidades é menos dramática. Nos Estados Unidos, cerca de 69 a cada mil crianças de quatro a treze anos tomam medicamentos para TDAH.¹⁹ No

---

17 Pela minha experiência direta como médico em Maryland e na Pensilvânia, a proporção é superior a 69%. Na maioria dos casos em que estive envolvido, quando um médico diagnostica o TDAH, ele também prescreve um medicamento. Mas vamos aceitar a estimativa do CDC de 69%. Aqui está a fonte para esse número: CDC, "Attention-Deficit / Hyperactivity Disorder (ADHD): Data and Statistics" [Transtorno de déficit de atenção/hiperatividade (TDAH): dados e estatísticas], 13 de november de 2013. Disponível em: www.cdc.gov/ncbddd /adhd/data.html.

18 Suzanne McCarthy e colegas, "The epidemiology of pharmacologically treated attention deficit hyperactivity disorder (ADHD) in children, adolescents and adults in UK primary care" [A epidemiologia do transtorno de déficit de atenção e hiperatividade (TDAH) tratado farmacologicamente em crianças, adolescentes e adultos na atenção primária do Reino Unido], em BMC *Pediatrics*, 2012, vol. XII. Disponível em: www.biomedcentral.com/1471-2431/12/78.

19 De acordo com os dados do CDC de março de 2013, 10% das crianças americanas entre quatro e treze anos de idade — ou seja, 100 em cada mil — já foram diagnosticadas com TDAH. O CDC estima, separadamente, que 69% das crianças americanas diagnosticadas com TDAH receberam prescrição de medicamentos para o transtorno. Essas estatísticas juntas indicam que medicamentos para TDAH foram prescritos para 69 crianças em cada mil.

Reino Unido, entre as crianças de seis a doze anos de idade, a cifra equivalente é de 9,2 crianças em cada mil. Portanto, comparando os Estados Unidos com o Reino Unido, a proporção é

$$69 \div 9,2 = 7,5$$

A probabilidade de ser tratado com medicação para TDAH é cerca de 7,5 maior para alunos do ensino fundamental nos Estados Unidos em comparação com alunos no ensino fundamental no Reino Unido.[20]

Conclusão: nesse parâmetro, se você é uma criança, morar nos Estados Unidos é um importante fator de risco para a possibilidade de ser medicado. E o risco aumenta à medida que você avança da infância para a adolescência. O risco seria muito menor se você se mudasse para a Inglaterra, embora as taxas de diagnóstico de TDAH também estejam aumentando lá.[21]

Conheço uma família americana que passou vários anos morando na Inglaterra. Eles tinham um filho, que era um aluno mediano: não era excelente, mas não era péssimo. Quando a família voltou para casa, na Estados Unidos, os pais o matricularam em uma escola pública local. A mãe ficou assustada com a insistência dos professores e de outros pais: "Talvez seu filho tenha TDAH. Você já pensou em experimentar um medicamento?". Ela me disse: "Foi estranho, como se todos estivessem envolvidos numa conspiração para medicar meu filho. Na Inglaterra, nenhuma das crianças toma remédio. Ou, se tomam, é segredo. Mas eu realmente não acho que as que tomam sejam muitas. Aqui parece que quase *todas as* crianças estão tomando remédios. Principalmente os meninos".

---

[20] A faixa etária não é exatamente a mesma: quatro a treze anos nos Estados Unidos em comparação com seis a doze anos no Reino Unido. Mas isso é suficiente para nos dar uma comparação de ordem de magnitude.

[21] Peter Conrad e Meredith Bergey, "The impending globalization of ADHD: Notes on the expansion and growth of a medicalized disorder" [A iminente globalização do TDAH: notas sobre a expansão e o crescimento de um transtorno medicalizado], em *Social Science and Medicine*, 2014, vol. CXXII, pp. 31–43.

Como eram os Estados Unidos em relação a esse parâmetro há trinta ou quarenta anos? Até 1979, a melhor estimativa era de que apenas cerca de 1,2% das crianças americanas — 12 em cada mil — tinham a condição que hoje chamamos de TDAH (então conhecida como "reação hipercinética infantil").[22] Mas, de acordo com os dados dos CDC de 2013, analisando todas as faixas etárias de quatro a dezessete anos, 110 crianças em cada mil foram diagnosticadas com TDAH. Isso representa um aumento quase igual a uma multiplicação por dez: de 12 a cada mil em 1979 para 110 a cada mil em 2013.

Por que esse aumento? Por que o TDAH é tão mais comum nos Estados Unidos hoje do que era há trinta ou quarenta anos? E por que é tão mais comum hoje nos Estados Unidos do que em outros lugares?

Minha resposta é: "A medicalização do mau comportamento".[23] Em vez de corrigir o mau comportamento de nossos filhos, nós, pais americanos, estamos mais propensos a medicar nossos filhos, esperando que uma pílula resolva o problema de comportamento.

Nós, pais e mães americanos, estamos falhando em nosso trabalho de enculturação, conforme expliquei no capítulo 1. Nem nós, os pais, nem as escolas, nem os programas de TV, nem a *internet* temos ensinado adequadamente as regras de Fulghum, como: "Jogue limpo. Não agrida ninguém. Coloque as coisas de volta no lugar onde você as encontrou". Como resultado: as crianças e adolescentes nascidas e criadas nos Estados Unidos têm agora, se comparadas às crianças de outros lugares, uma probabilidade muito maior de receberem um diagnóstico de transtorno psiquiátrico e de serem tratadas com medicamentos fortes. Na maioria dos países europeus, a proporção de indivíduos com dezoito anos ou menos que tomam qualquer tipo de medicação psicotrópica é normalmente de 2% ou menos, e a maioria desses indivíduos são jovens de dezesseis,

---

22 Gabrielle Weiss e Lily Hechtman, "The hyperactive child syndrome" [A síndrome da criança hiperativa], em *Science*, 1979, vol. CCV, pp. 1348–1354.

23 Usei pela primeira vez a frase "the medicalization of misbehavior" em meu livro *Why Gender Matters*. Nova York: Doubleday, 2005, p. 199.

dezessete e dezoito anos medicados para depressão ou ansiedade.[24] Nos Estados Unidos, a proporção de crianças e adolescentes que tomam medicamentos psicotrópicos está agora acima de 10%, com algumas pesquisas relatando taxas acima de 20%. Muitas delas são crianças de doze anos ou menos tomando estimulantes como Adderall, Venvanse e Concerta, "estabilizadores de humor" como Lamictal ou Intuniv ou medicamentos antipsicóticos como Risperdal e Seroquel, os favoritos do Doutor Biederman.[25] Entre

---

24 Aqui estão os relatórios de: Dinamarca — H. C. Steinhausen e C. Bisgaard, "Nationwide time trends in dispensed prescriptions of psychotropic medication for children and adolescents in Denmark" [Tendências temporais em todo o país nas prescrições dispensadas de medicamentos psicotrópicos para crianças e adolescentes na Dinamarca], em *Acta Psychiatrica Scandinavica*, 2014, vol. CXXIX, pp. 221–231. França — Eric Acquaviva e colegas, "Psychotropic medication in the French child and adolescent population: Prevalence estimation from health insurance data and national self-report survey data" [Medicação psicotrópica na população infantil e adolescente francesa: estimativa de prevalência a partir de dados de seguros de saúde e dados de pesquisas nacionais de autorrelato], em BMC *Psychiatry*, 2009, vol. IX. Disponível em: www.biomedcentral.com /1471-244X/9/87. Alemanha — M. Koelch e colegas, "Psychotropic medication in children and adolescents in Germany: Prevalence, indications, and psychopathological patterns" [Medicação psicotrópica em crianças e adolescentes na Alemanha: prevalência, indicações e padrões psicopatológicos], em *Journal of Child and Adolescent Psychopharmacology*, 2009, vol. XIX, pp. 765–770. Itália — Antonio Clavenna e colegas, "Antidepressant and antipsychotic use in an Italian pediatric population" [Uso de antidepressivos e antipsicóticos em uma população pediátrica italiana], em BMC *Pediatrics*, 2011, vol. XI, n° 40. Disponível em: www.biomedcentral.com/1471-2431/11/40. (Esses autores observam que esse estudo não incluiu medicamentos estimulantes, como Ritalina, Concerta, Metadate, Focalin e similares, porque o metilfenidato — o ingrediente ativo desses medicamentos — não foi sequer licenciado para venda na Itália até 2007). Reino Unido — Vingfen Hsia e Karyn Maclennan, "Rise in psychotropic drug prescribing in children and adolescents during 1992–2001: A population-based study in the UK" [Aumento da prescrição de medicamentos psicotrópicos em crianças e adolescentes durante 1992–2001: um estudo de base populacional no Reino Unido], em *European Journal of Epidemiology*, 2009, vol. XXIV, pp. 211–216.

25 Ver, por exemplo, Laurel Leslie e colegas, "Rates of psychotropic medication use over time among youth in child welfare/child protective services" [Taxas de uso de medicamentos psicotrópicos ao longo do tempo entre jovens em programas sociais voltados para o público infantil], em *Journal of Child and Adolescent Psychopharmacology*, 2010, vol. XX, pp. 135–143. Esses pesquisadores descobriram que, nos três anos anteriores, medicamentos psicotrópicos haviam sido receitados a mais de 22% dos jovens acolhidos por programas sociais voltados para o público infantil. Poderíamos conjecturar que o uso de medicamentos psicotrópicos seria maior entre crianças assistidas por programas sociais; no entanto, essa conjectura foi testada e demonstrada como falsa por Jessica Wolff, Russel Carleton e Susan Drilea, "Are rates of psychotropic medication use really higher among children in child welfare? [As taxas de uso de medicamentos psicotrópicos são realmente mais altas entre as crianças em programas sociais infantis?], apresentação na 26th Annual Children's Mental Health Research and Policy Initiative, em 4 de março de 2013). Disponível em: http://cmhconference.com/files/2013/cmh-2013-16b.pdf. No entanto, Kathleen Merikangas e seus colegas argumentaram que os medicamentos psicotrópicos são, na verdade, subutilizados em crianças e adolescentes americanos; ver Kathleen Merikangas e colegas, "Medication use in US youth with mental disorders" [Uso de medicamentos em jovens com transtornos mentais nos EUA], em JAMA *Pediatrics*, 2013, vol.

1993 e 2009, a prescrição de medicamentos antipsicóticos (como Risperdal e Seroquel) para crianças americanas com doze anos ou menos aumentou em mais de sete vezes.[26]

Atualmente, o que interessa aos pais americanos é receber explicações baseadas no funcionamento cerebral. Em vez de retirar o celular e o *laptop* do quarto de seus filhos para que eles possam ter uma boa noite de sono, muitos pais e mães medicam seus filhos com estimulantes poderosos, como Adderall, Concerta, Venvanse ou Metadate, para compensar a privação de sono, geralmente sem qualquer consciência de que a privação de sono, e não o TDAH, é o problema subjacente responsável pela falta de atenção de seus filhos. Da mesma forma, em vez de reconhecer que seus filhos se comportam mal e/ou são desrespeitosos, muitos pais americanos preferem que o médico diagnostique um desequilíbrio na química do cérebro e prescreva Risperdal, Seroquel, Adderall ou Concerta.

Voltemos a falar de Dylan, o garoto que descrevi algumas páginas atrás. Um psiquiatra infantil concluiu que Dylan tinha TDAH e transtorno desafiador opositivo. Mas o psiquiatra estava enganado. Dylan não tinha TDAH nem transtorno desafiador opositivo. A causa imediata da falta de atenção de Dylan não era o TDAH, mas a privação de sono. E Dylan dormia pouco porque seus pais não estavam cientes do tempo que ele desperdiçava jogando *videogame* em seu quarto. Quando esse problema foi resolvido, a situação de Dylan melhorou sem necessidade de remédios. A história de Dylan ilustra um caso em que a renúncia paterna ao exercício da autoridade levou à prescrição de medicamentos por parte de um psiquiatra. Vejo esse tipo de situação quase todos os dias em que estou no consultório.

CLXVII, pp. 141–148. Em um comentário, David Rubin questionou algumas das suposições feitas por Merikangas e colegas; ver David Rubin, "Conflicting data on psychotropic use by children: Two pieces to the same puzzle" [Dados conflitantes sobre o uso de psicotrópicos por crianças: duas peças do mesmo quebra-cabeça], em JAMA *Pediatrics*, 2013, vol. CLXXVII, pp. 189–190.

26 Mark Olfson e colegas, "National trends in the office-based treatment of children, adolescents, and adults with antipsychotics" [Tendências nacionais no tratamento ambulatorial de crianças, adolescentes e adultos com antipsicóticos], em JAMA *Psychiatry*, 2012, vol. LXIX, pp. 1247–1256. Disponível em: http:// archpsyc.jamanetwork.com/article.aspx?articleid=1263977.

***

Eu vi, na Austrália, na Nova Zelândia e no Reino Unido, crianças que não conseguem ficar quietas e caladas, assim como nos Estados Unidos. Atualmente, nos Estados Unidos, é provável que o professor escreva um bilhete para os pais ou faça uma ligação telefônica, dizendo algo como: "Estou preocupado com o Justin. Ele tem muita dificuldade para ficar quieto e calado. Creio que vocês deveriam levá-lo para fazer uma avaliação". Os pais, obedientemente, levam o filho ao médico, que diz: "Vamos experimentar Adderall e ver se ajuda". Com certeza, a medicação "ajuda": depois de medicado, Justin fica quieto e calado. Todos ficam felizes.

No capítulo anterior, quando analisamos a incidência cada vez maior de sobrepeso entre crianças, mencionei que este problema e o do declínio da aptidão física atualmente parece se manifestar em todos os países desenvolvidos. Mas neste capítulo estamos falando de saúde mental, de transtornos psiquiátricos diagnosticados e da taxa de prescrição de medicamentos psiquiátricos potentes. A sequência de eventos que acabamos de descrever — "vamos experimentar Adderall (ou Venvanse, ou Risperdal, ou Seroquel) e ver se ajuda" — é algo simplesmente desconhecido fora da América do Norte. Não estou dizendo que as crianças são sempre mais bem comportadas em outros lugares. Na Austrália, na Nova Zelândia e no Reino Unido eu vi muitas crianças que pulavam e faziam barulhos quando deveriam estar sentadas e quietas. Mas nesses lugares, o(a) professor(a) não encaminha a criança para avaliação psiquiátrica. Em vez disso, o professor — normalmente muito mais confiante em sua autoridade do que costumam ser os professores americanos — diz à criança, com voz firme, que "já chega de mau comportamento, obrigado, pode sentar e ficar quieto".

Imagine um garoto de oito ou dez anos que se comporta mal. Ele responde os professores com maus modos. Ele é deliberadamente rancoroso e vingativo. Ele não escuta. Parece ter pouco ou nenhum autocontrole. Trinta anos atrás, talvez até mesmo vinte anos atrás, o orientador pedagógico ou diretor da escola diria aos pais: "Seu filho é desrespeitoso. Ele é mal educado. Ele não demonstra autocontrole. Você precisa ensinar a ele algumas regras básicas sobre comportamento civilizado, se quiser que ele continue nesta escola". Atualmente, é muito menos comum que um orientador ou diretor escolar americano fale de forma tão direta com um responsável. Em vez disso, o orientador ou diretor sugerirá uma consulta com um médico ou psicólogo. E o médico ou psicólogo examinará os relatórios da escola e falará sobre transtorno desafiador opositivo, o transtorno de déficit de atenção/hiperatividade ou transtorno bipolar infantil.

Qual é a diferença entre dizer algo como: "Seu filho é mal educado" e dizer: "Talvez seu filho se enquadre na definição de um transtorno psiquiátrico"? Há uma grande diferença. Quando digo: "Seu filho é mal educado", o ônus da responsabilidade recai sobre os responsáveis, pai e/ou mãe, e sobre a criança ou adolescente. Essa responsabilidade traz a autoridade para agir em relação ao problema. Mas quando eu digo: "Talvez seu filho se enquadre na definição de um transtorno psiquiátrico", o ônus da responsabilidade se transfere dos pais e da criança para o médico com poder de prescrever medicamentos e, de fato, para todo o complexo médico/psiquiátrico/terapêutico, que só cresce. E a próxima e razoável pergunta dos pais não será: "O que devemos fazer para mudar o comportamento dele?", mas sim: "Ele precisa começar a tomar remédio?".

Os medicamentos funcionam. Eles de fato mudam o comportamento da criança. É isso que eu acho tão assustador. Esses medicamentos vêm sendo instrumentalizados para a alteração de comportamento em um grau que, fora da América do Norte, é quase inimaginável.

Esses são medicamentos potentes. Os medicamentos mais populares para o TDAH são estimulantes controlados, como Adderall, Ritalina, Concerta, Metadate, Focalin, Daytrana e Venvanse. Todos esses medicamentos funcionam da mesma maneira: eles aumentam a ação da dopamina nas sinapses cerebrais.[27] A dopamina é um neurotransmissor essencial no núcleo accumbens, o centro motivacional do cérebro. Pesquisadores descobriram que esses medicamentos, administrados a cobaias, prejudicaram o núcleo accumbens; e recentemente foram relatadas descobertas semelhantes em seres humanos.[28] O uso prolongado de medicamentos

---

27 Quando falo da lista de medicamentos farmacêuticos estimulantes — Adderall, Ritalina, Concerta, Focalin, Metadate, Daytrana e Venvanse — parece que estou mencionando sete medicamentos diferentes. Na verdade, esses sete medicamentos são apenas dois. Adderall e Vevvanse são duas anfetaminas patenteadas. Ritalina, Concerta, Focalin, Metadate e Daytrana são versões diferentes de metilfenidato. Há um consenso de que o metilfenidato funciona aumentando a ação da dopamina na sinapse; ver, por exemplo, Nora Volkow e colegas, "Imaging the effects of methylphenidate on brain dopamine: New model on its therapeutic actions for attention-deficit/hyperactivity disorder" [Obtenção de imagens dos efeitos do metilfenidato sobre a dopamina cerebral: novo modelo sobre suas ações terapêuticas para transtorno de déficit de atenção/hiperatividade], em *Biological Psychiatry*, 2005, vol. LVII, pp. 1410-1415. E há muito se reconhece que a anfetamina imita a ação da dopamina no cérebro e que o sistema de dopamina é fundamental para o TDAH; ver, por exemplo, James Swanson e colegas, "Dopamine and glutamate in attention deficit disorder" [Dopamina e glutamato no transtorno de déficit de atenção], em *Dopamine and Glutamate in Psychiatric Disorders* [Dopamina e glutamato em transtornos psiquiátricos], editado por Werner Schmidt e Maarten Reith. Nova York: Humana Press, 2005, pp. 293-315.

28 Para obter informações básicas sobre Adderall, Ritalina, Concerta, Focalin, Metadate, Daytrana e Venvanse, leia a nota anterior. Muitos estudos acadêmicos já demonstraram que o metilfenidato e a anfetamina, os ingredientes ativos desses medicamentos, podem causar alterações duradouras nas áreas do cérebro em desenvolvimento onde se encontram os receptores de dopamina. Os efeitos perturbadores parecem estar centrados no núcleo accumbens. Isso não é surpreendente, pois o núcleo accumbens tem uma alta densidade de receptores de dopamina. Veja três artigos que William Carlezon, de Harvard, um dos primeiros pesquisadores da área, foi coautor sobre esse tópico: "Enduring behavioral effects of early exposure to methylphenidate in rats" [Efeitos comportamentais duradouros da exposição precoce ao metilfenidato em ratos], em *Biological Psychiatry*, 2003, vol. LIV, pp. 1330-1337; "Understanding the neurobiological consequences of early exposure to psychotropic drugs" [Compreendendo as consequências neurobiológicas da exposição precoce a drogas psicotrópicas], em *Neuropharmacology*, 2004, vol. XLVII, s. 1, pp. 47-60; "Early developmental exposure to methylphenidate reduces cocaine-induced potentiation of brain stimulation reward in rats" [A exposição precoce ao metilfenidato no desenvolvimento reduz a potencialização da recompensa da estimulação cerebral induzida pela cocaína em ratos], em *Biological Psychiatry*, 2005, vol. LVII, pp. 120-125. Para obter mais informações sobre a função central do núcleo accumbens na motivação, ver o artigo do Doutor Carlezon "Biological substrates of reward and aversion: A nucleus accumbens activity hypothesis" [Substratos biológicos de recompensa e aversão: uma hipótese de atividade do núcleo accumbens], em *Neuropharmacology*, 2009, vol. LVI, s. 1, pp. 122-132. Terry Robinson e Bryan Kolb, da Universidade de Michigan, foram os primeiros a demonstrar que a anfetamina em baixas doses causa danos aos dendritos no núcleo accumbens. Eles documentaram essa descoberta pela primeira vez em "Persistent structural modifications in nucleus accumbens and prefrontal cortex neurons produced by previous experiences with amphetamine" [Modificações estruturais persistentes no núcleo accumbens e nos neurônios do córtex pré-frontal produzidas por experiências anteriores com anfetaminas], em *Journal of Neuroscience*, 1997, vol. XVII, pp. 8491-8497. Eles revisaram esse campo emergente em "Structural plasticity associated with exposure to drugs of abuse" [Plasticidade estrutu-

ral associada à exposição a drogas de abuso], em *Neuropharmacology*, 2004, vol. xliv, pp. 33–46. Ver também Claire Advokat, "Literature review: Update on amphetamine neurotoxicity and its relevance to the treatment of adhd" [Revisão de literatura: atualização sobre a neurotoxicidade das anfetaminas e sua relevância para o tratamento do tdah], em *Journal of Attention Disorders*, 2007, vol. xi, pp. 8–16. Outros artigos relevantes incluem (em ordem alfabética): Esther Gramage e colegas, "Periadolescent amphetamine treatment causes transient cognitive disruptions and long-term changes in hippocampal ltp" [O tratamento com anfetaminas na adolescência causa perturbações cognitivas transitórias e alterações a longo prazo na ltp do hipocampo], em *Addiction Biology*, 2013, vol. xviii, pp. 19–29; Rochellys D. Heijtz, Bryan Kolb e Hans Forssberg, "Can a therapeutic dose of amphetamine during pre-adolescence modify the pattern of synaptic organization in the brain?" [Uma dose terapêutica de anfetamina durante a pré-adolescência pode modificar o padrão de organização sináptica do cérebro?], em *European Journal of Neuroscience*, 2003, vol. xviii, pp. 3394–3399; Yong Li e Julie Kauer, "Repeated exposure to amphetamine disrupts dopaminergic modulation of excitatory synaptic plasticity and neurotransmission in nucleus accumbens" [A exposição repetida à anfetamina interrompe a modulação dopaminérgica da plasticidade sináptica excitatória e da neurotransmissão no núcleo accumbens], em *Synapse*, 2004, vol. li, pp. 1–10; Manuel Mameli e Christian Lüscher, "Synaptic plasticity and addiction: Learning mechanisms gone awry" [Plasticidade sináptica e vício: mecanismos de aprendizagem que deram errado], em *Neuropharmacology*, 2011, vol. lxi, pp. 1052–1059; Shao-Pii Onn e Anthony Grace, "Amphetamine withdrawal alters bistable states and cellular coupling in rat prefrontal cortex and nucleus accumbens neurons recorded in vivo" [A abstinência de anfetaminas altera estados biestáveis e acoplamento celular no córtex pré-frontal de ratos e neurônios do núcleo accumbens registrados *in vivo*], em *Journal of Neuroscience*, 2000, vol. xx, pp. 2332–2345; Margery Pardey e colegas, "Long-term effects of chronic oral Ritalin administration on cognitive and neural development in adolescent Wistar Kyoto Rats" [Efeitos a longo prazo da administração oral crônica de Ritalina no desenvolvimento cognitivo e neural em ratos Wistar Kyoto adolescentes], em *Brain Sciences*, 2012, vol. ii, pp. 375–404; Scott Russo e colegas, "The addicted synapse: Mechanisms of synaptic and structural plasticity in the nucleus accumbens" [A sinapse viciada: mecanismos de plasticidade sináptica e estrutural no núcleo accumbens], em *Trends in Neuroscience*, 2010, vol. xxxiii, pp. 267–276; e Louk J. Vanderschuren e colegas, "A single exposure to amphetamine is sufficient to induce long-term behavioral, neuroendocrine, and neurochemical sensitization in rats" [Uma única exposição à anfetamina é suficiente para induzir sensibilização comportamental, neuroendócrina e neuroquímica de longo prazo em ratos], em *Journal of Neuroscience*, 1999, vol. xix, pp. 9579–9586. A maioria dos estudos acima se baseia em pesquisas com animais de laboratório, não seres humanos, como cobaias. Mas os pesquisadores documentaram recentemente que os medicamentos estimulantes prescritos para o tdah realmente encolhem o núcleo accumbens e estruturas relacionadas no cérebro humano, embora essas alterações possam ser transitórias; ver Elseline Hoekzema e colegas, "Stimulant drugs trigger transient volumetric changes in the human ventral striatum" [Drogas estimulantes desencadeiam alterações volumétricas transitórias no corpo estriado ventral humano], em *Brain Structure and Function*, 2013, vol. ccxix, pp. 23–34. Outros pesquisadores descobriram que mesmo o uso ocasional desses medicamentos por estudantes universitários resulta em alterações na estrutura do cérebro; ver Scott Mackey e colegas, "A voxel-based morphometry study of young occasional users of amphetamine-type stimulants and cocaine" [Um estudo de morfometria baseado em voxel de jovens usuários ocasionais de estimulantes anfetamínicos e cocaína], em *Drug and Alcohol Dependence*, 2014, vol. cxxxv, pp. 104–111. Para uma análise cuidadosa da neuroquímica subjacente, das semelhanças entre os medicamentos estimulantes prescritos e a cocaína, e uma avaliação dos riscos de longo prazo para as pessoas que tomam esses medicamentos, ver a análise de Heinz Steiner e Vincent Van Waes, "Addiction-related gene regulation: Risks of exposure to cognitive enhancers vs. other psychostimulants" [Regulação genética relacionada ao vício: riscos de exposição a intensificadores cognitivos *versus* outros psicoestimulantes], em *Progress in Neurobiology*, 2013, vol. c, pp. 60–80. Estudos como esses sugerem fortemente que mesmo a exposição de curto prazo à

como Adderall, Ritalina, Concerta, Metadate, Focalin, Daytrana e Venvanse pode trazer como resultado uma maior probabilidade de que o paciente desenvolva apatia e se mostre menos motivado para realizar coisas no mundo real.[29]

Não temos certeza. Ainda não sabemos. Como acabei de observar, a maioria das pesquisas relevantes, embora não todas, foi realizada em animais de laboratório e não em seres humanos. É preciso muito tempo para alcançar provas conclusivas na medicina. Como responsável, diante da incerteza, você precisa tomar uma decisão. Diante dessa incerteza, se um medicamento se mostrar necessário, eu recomendo que evite esses estimulantes potencialmente perigosos e, em vez disso, usar medicamentos não estimulantes mais seguros para o TDAH, como Strattera, Intuniv ou Bupropiona (eu não mantenho qualquer relação com as empresas farmacêuticas que fabricam esses ou quaisquer outros medicamentos, e não aceito nenhum pagamento delas).

* * *

Os medicamentos mais populares usados atualmente para controlar birras e outros comportamentos inadequados das crianças americanas são os antipsicóticos atípicos, especialmente

---

anfetamina ou ao metilfenidato, principalmente no cérebro juvenil, pode induzir alterações duradouras tanto estruturais (principalmente no núcleo accumbens e nas estruturas límbicas relacionadas) quanto comportamentais. Iva Mathews e seus colegas encontraram efeitos dramáticos no animal adolescente, mas ausentes no adulto; ver Iva Mathews e seus colegas, "Low doses of amphetamine lead to immediate and lasting locomotor sensitization in adolescent, not adult, male rats" [Baixas doses de anfetamina levam à sensibilização locomotora imediata e duradoura em ratos machos adolescentes, não adultos], em *Pharmacology, Biochemistry and Behavior*, 2011, vol. XCVII, pp. 640–646. Conforme mencionado no capítulo 1, o cérebro pré-púbere ou púbere é plástico de modos que o cérebro adulto não é. Pelo menos em animais de laboratório, essas mudanças podem ter consequências profundas — por exemplo, um dano duradouro à sociabilidade; ver Yan Liu e colegas, "Nucleus accumbens dopamine mediates amphetamine-induced impairment of social bonding in a monogamous rodent species" [A dopamina do nucleus accumbens media a socialização induzida por anfetaminas em uma espécie de roedor monogâmico], em *Proceedings of the National Academy of Sciences*, 2010, vol. CVII, pp. 1217–1222.

29 Fiz essa mesma observação anteriormente em meu comentário para o recurso "Room for Debate" do *New York Times*; veja meu artigo intitulado "ADHD drugs have long-term risks" [Medicamentos para TDAH têm riscos a longo prazo], em *New York Times*, 9 de junho de 2012. Disponível em: http://nyti.ms/1dr390L.

Risperdal, Seroquel e Zyprexa. Trata-se dos mesmos remédios que os psiquiatras usam para tratar a esquizofrenia (eles são chamados de antipsicóticos "atípicos" para diferenciá-los dos antipsicóticos mais antigos e "típicos", como Clorpromazina e Tiorizadina). Em meio aos países desenvolvidos, os Estados Unidos são um caso singular quanto ao uso de antipsicóticos por crianças: nossas as crianças têm uma probabilidade de tomar esses medicamentos cerca de 8,7 vezes maior que as crianças alemãs, 56 vezes maior que as crianças norueguesas e cerca de 93 vezes maior que as italianas.[30]

Os mais dramáticos e visíveis efeitos colaterais dos medicamentos antipsicóticos atípicos são metabólicos: as crianças que tomam esses medicamentos têm muito mais probabilidade de se tornarem obesas e desenvolverem diabetes.[31] Esse risco é maior para as crianças do que para os adultos e, quanto mais jovem a

---

30 Esses números derivam da tabela 4 em Christian Bachmann e colegas, "Antipsychotic prescription in children and adolescents" [Prescrição de antipsicóticos em crianças e adolescentes], em *Deutsches* Ärzteblatt *International*, 2014, vol. CXI, pp. 25–34. Os dados alemães mostraram uma prevalência de 3,2 crianças a cada mil por ano, a maioria adolescentes. Além disso, faço referência a três outros estudos citados por Bachmann e colegas na tabela 4: Estados Unidos — Olfson e colegas, "National trends in the office-based treatment of children" [Tendências nacionais no tratamento de crianças em consultório] (2012), relataram uma prevalência de 37,6 adolescentes por mil e 18,3 crianças por mil que tomam antipsicóticos atípicos, com uma média de 27,9 indivíduos de zero a dezenove anos por mil [(37,6 + 18,3)/2 = 27,9], em 2009. O número americano de 27,9 dividido pelo número alemão de 3,2 resulta em 8,7. Na Noruega (veja abaixo), o número é 0,5 por mil, portanto, o número americano é 56 vezes maior (27,9/0,5); na Itália (veja abaixo), o último número foi 0,3, portanto, o número americano é 93 vezes maior (27,9/0,3). Noruega — Svein Kjosavik, Sabine Ruths e Steinar Hunskaar, "Psychotropic drug use in the Norwegian general population in 2005: Data from the Norwegian Prescription Database" [Uso de drogas psicotrópicas na população geral norueguesa em 2005: dados do banco de dados de prescrição norueguês], em *Pharmacoepidemiology and Drug Safety*, 2009, vol. XVIII, pp. 572–578. Itália — Clavenna e colegas, "Antidepressant and antipsychotic use in an Italian pediatric population" [Uso de antidepressivos e antipsicóticos em uma população pediátrica italiana].

31 Para uma análise da relação entre esses medicamentos antipsicóticos e o ganho de peso, ver o Doutor James Roerig e colegas, "Atypical antipsychotic-induced weight gain" [Ganho de peso induzido por antipsicóticos atípicos], em CNS *Drugs*, 2011, vol. XXV, pp. 1035–1059. Ver também José María Martínez-Ortega e colegas, "Weight gain and increase of body mass index among children and adolescents treated with antipsychotics: A critical review" [Ganho de peso e aumento do índice de massa corporal entre crianças e adolescentes tratados com antipsicóticos: uma revisão crítica], em *European Child & Adolescent Psychiatry*, 2013, vol. XXII, pp. 457–479. Para uma análise da relação entre esses medicamentos e o diabetes, especificamente em crianças, ver William Bobo e colegas, "Antipsychotics and the risk of type 2 diabetes mellitus in children and youth" [Antipsicóticos e o risco de diabetes mellitus tipo 2 em crianças e jovens], em JAMA *Psychiatry*, 2013, vol. LXX, pp. 1067–1075.

criança, maior o risco.³² A interrupção da medicação antipsicótica não garante a reversão das consequências metabólicas.³³ E, no entanto, quando me encontro com pais cujos filhos tomam esses medicamentos, percebo que poucos foram seriamente orientados sobre esses riscos.

Eu identifico um problema mais profundo, além dos graves efeitos colaterais que esses medicamentos podem causar: a transferência da autoridade e da responsabilidade dos pais para o médico que os prescreve. Quando a criança se comporta mal, muitos pais dizem: "Ele não tem culpa; ele tem TDAH/transtorno bipolar/está no espectro do autismo" (marque um x na sua opção).

Eu vi isso em primeira mão em uma escola em St. Louis, em uma sala de aula de segundo ano. Um menino estava desafiando a professora. Ele corria pela sala, fazendo ruídos desconexos, enquanto a professora pedia a todos os alunos que ficassem sentados.

— Preciso que você se sente e fique quieto para que os outros alunos possam prestar atenção — disse ela ao garoto ruidoso. Ele a ignorou. — Você ficar andando pela sala desse jeito não é justo com seus colegas. Como você se sentiria se estivesse tentando se concentrar e outra pessoa ficasse correndo pela sala e fazendo barulho?

O barulhentinho continuou sem ligar.

— Eu preciso mesmo pedir que você fique sentado e calado. Senão...

— Senão *o quê*? — disse Buzz em um tom de zombaria, parando por um momento.

— Senão eu vou *fazer* você ficar quieto — disse ela.

E lá foi o ventoinha outra vez correndo pela sala, fazendo ruídos ainda mais barulhentos. Quando a professora tentou segurá-lo, ele

---

32 Martínez-Ortega e colegas, op. cit.
33 No estudo de William Bobo e colegas, op. cit., o risco permaneceu elevado por um ano após a interrupção do tratamento com antipsicótico; ainda não há um acompanhamento mais longo disponível. Um ano após a interrupção, não foi observada diferença estatisticamente significativa no risco de diabetes entre os que descontinuaram a medicação antipsicótica e os que permaneceram com ela.

mordeu o pulso dela e saiu correndo da sala, rindo. A mordida foi profunda e tirou sangue.

A professora chamou a mãe do menino, e quando contou a ela o que havia acontecido — que o menino havia mordido seu pulso, tirando sangue — a mãe não se desculpou. Ela nem mesmo expressou surpresa. "Bem, você sabe que ele é diagnosticado", disse a mãe. "Ele deve estar precisando de um ajuste em sua medicação. Você deveria ter ligado direto para o psiquiatra. Você não tem o número dele?".

Ensinar autocontrole é uma das primeiras tarefas dos pais e professores. Como veremos no capítulo 6, o autocontrole de uma criança aos onze ou catorze anos de idade é um bom indicador de sua saúde e felicidade vinte anos depois, quando ela estiver na casa dos trinta anos. Mas se essa criança tiver sido diagnosticada com um distúrbio psiquiátrico e for submetida a uma medicação poderosa para controlar o comportamento, o autocontrole da criança poderá ser prejudicado. Como um garoto me disse: "Não posso fazer nada, eu tenho Asperger". Na verdade, um laudo psiquiátrico deveria ser um motivo para os pais se envolverem mais, se empenharem mais, se dedicarem mais a ensinar o autocontrole e as regras de Fulghum. Mas eu sou testemunha ocular de como muitas vezes a prescrição de medicamentos psiquiátricos transfere a responsabilidade da criança e da família para o médico que os prescreve.

Quando o professor e os pais têm confiança em sua autoridade, as formas de mau comportamento — seja birra, fazer barulhos ou ignorar o professor — podem ser identificadas como o que são: *mau comportamento*, que indica ausência de autocontrole por parte do aluno. O professor e os pais podem exigir do aluno que demonstre um melhor autocontrole. Quando o professor e os pais exercem sua autoridade, a maioria dos alunos desenvolve hábitos melhores e demonstra maior autocontrole, porque o professor e os pais o exigem, o esperam e porque o aluno realmente se importa com o que eles pensam.

O que acontece quando o professor e os pais deixam de exercer essa autoridade? Em todos os países, há crianças que se comportam mal. Mas quando crianças deixam de respeitar mais a autoridade do professor, o professor que tenta exercer autoridade pode enfrentar a mesma situação que a professora que observei em St. Louis. Pode acontecer de ela levar uma mordida. Então, como manter a ordem na sala de aula? Nos Estados Unidos, cada vez mais, a resposta é medicar a criança.

Muitas crianças e adolescentes americanos que atualmente tomam medicamentos psiquiátricos não os estariam tomando se morassem no Reino Unido, na Noruega ou na Austrália. Isso vale especialmente para diagnósticos como TDAH e transtorno bipolar. Você e eu não queremos que nossos filhos estejam entre aqueles que tomam medicamentos sem que isso seja absolutamente necessário.

O que você pode fazer, em termos concretos, para minimizar o risco de que seu filho receba uma prescrição de medicamentos de que ele não precisa, para uma condição psiquiátrica de que ele não sofre?

Recomendação nº 1: ordene. Não pergunte. Não negocie. Os pais americanos modernos estão sempre racionalizando suas decisões para seus filhos. Há muitos problemas com essa abordagem. O simples fato de os pais se sentirem inclinados a barganhar já enfraquece a autoridade deles. Quando você estabelece uma regra e seus filhos perguntam por que, responda: "Porque a mamãe (ou o papai) mandou". Os pais americanos de duas gerações atrás se sentiam à vontade e faziam isso o tempo. A maioria dos pais britânicos e australianos ainda o faz. Mas os pais americanos de hoje raramente agem assim.

Uma mãe e um pai trouxeram sua filha de seis anos para uma consulta comigo. A criança estava com febre e dor de garganta. Examinei os ouvidos, que estavam bem. Eu disse: "Agora, vou dar uma olhada na sua garganta". Mas antes que eu pudesse examinar a garganta, a mãe perguntou: "Você se importa se o médico examinar sua garganta por um segundo, querida? Depois, podemos ir tomar um sorvete".

A criança fez uma pausa, depois começou a chorar e disse: "Eu não quero! Eu não quero!". O que deveria ter sido um simples exame de dois segundos tornou-se uma grande provação que durou vários minutos. Em mais de duas décadas de prática clínica, aprendi que a chave para a eficácia ao examinar uma criança doente é simplesmente *fazer o exame*. Não barganhe com uma criança de seis anos. Em duas frases, a mãe 1) transformou minha declaração em um pedido negociável e 2) transformou a negociação em um suborno. A autoridade dos adultos foi sabotada. Quando você pergunta a uma criança de seis anos: "Você se importa se o médico olhar sua garganta?", a criança ouve uma pergunta legítima, e a resposta pode ser: "Eu me importo *sim*", ou: "Eu não vou deixar".

À medida que seu filho fica mais velho, explicar se torna uma atitude mais apropriada. Quando sua criança de seis anos estiver no consultório médico, *ordene* a ela que atenda às solicitações do médico. "Porque eu sou sua mãe, é por isso". Mas quando seu filho tem quinze anos, é mais razoável oferecer uma explicação sobre seu processo de tomada de decisão. Quando você disser ao seu filho ou filha de quinze anos que a família vai sair de férias para esquiar na próxima semana e ele disser que prefere passar o fim de semana com um amigo, explique que as atividades familiares são prioridades superiores às atividades com colegas da idade dele. Talvez você não consiga persuadi-lo, mas esse não é o objetivo. Você não está barganhando, mas explicando. O objetivo é ajudar seu filho ou filha a formular sua discordância e expressar sua posição sem perder a calma. E o único jeito de ele fazer isso é praticando. É razoável oferecer uma explicação a um adolescente. Só lembre de não deixar que a explicação se transforme em uma negociação.

A regra geral para pais dotados de autoridade no ponto deve ser: "Nunca pedir, apenas ordenar". Alguns pais americanos ficam horrorizados quando digo a eles que devem dar "ordens" a seus filhos. Observei que os pais a quem essa sugestão mais horroriza também são os mais propensos a medicar seus filhos com Adderall, Concerta, Venvanse, Seroquel ou Risperdal.

As crianças precisam da autoridade dos pais em seu mundo. Lares sem uma forte autoridade paterna têm maior probabilidade de serem lares em que há medicamentos poderosos sendo usados para suprimir comportamentos indesejados.

Recomendação nº 2: jante com seus filhos. E não permita o uso de celulares, nem de TV ao fundo durante o jantar.

Cada refeição conta. Em uma pesquisa recente com 26.078 adolescentes canadenses de diversas origens — urbanas e rurais, ricas e de baixa renda —, os pesquisadores perguntaram a cada criança: "Na última semana, em quantos dias você fez uma refeição com pelo menos um dos pais?". As crianças e adolescentes que faziam mais refeições com os pais tinham menor probabilidade de apresentar "sintomas internalizantes", como tristeza, ansiedade ou solidão. Elas tinham menor probabilidade de apresentar "sintomas externalizantes", como brigar, faltar à escola, roubar etc. Tinham maior propensão a ajudar os outros e de relatar que se sentiam satisfeitos com suas próprias vidas.

A diferença notada não foi apenas entre as crianças que faziam sete refeições noturnas por semana com um dos pais em comparação com as crianças que não faziam nenhuma. Ao longo de quase todos os passos do gradiente de zero a sete refeições por semana, cada ocorrência de jantar com um dos pais diminuía o risco de sintomas tanto internalizantes quanto externalizantes e aumentava o comportamento pró-social e a satisfação geral com a vida da criança.[34] A variação descoberta era estatisticamente significativa em quase todas as etapas. Por exemplo, quando você compara crianças que jantam seis vezes por semana com um dos pais com crianças que jantam cinco vezes por semana com um dos pais, você descobre que as crianças do primeiro grupo desfrutam de um bem-estar significativamente melhor, demonstram um comportamento significativamente mais pró-social e têm significativamente menos sintomas internalizantes (ansiedade, depressão) e externalizantes (comportamento agressivo, brigas) em comparação com crianças que jantam seis vezes por semana com um dos pais. Essa refeição

---

34 Frank Elgar, Wendy Craig e Stephen Trites, "Family dinners, communication, and mental health in Canadian adolescents" [Jantares em família, comunicação e saúde mental em adolescentes canadenses], em *Journal of Adolescent Health*, 2013, vol. LII, pp. 433–438.

extra com um dos pais em que consiste a diferença entre cinco e seis jantares em família por semana faz diferença (e a propósito, em um outro estudo, os pesquisadores descobriram que filhos que fazem refeições regularmente com seus pais correm menos risco de se tornarem obesas anos mais tarde).[35]

Atualmente, as famílias americanas têm uma probabilidade significativamente menor de que seus membros façam as refeições juntos do que as famílias da maioria dos outros países desenvolvidos.[36] E a hora do jantar nos Estados Unidos é diferente da hora do jantar em outros países desenvolvidos. Nos Estados Unidos, é comum que a TV ou o rádio, às vezes ambos, sejam deixados ligados durante a refeição. Nos EUA, também é comum que os membros da família olhem seus celulares à mesa. Pelo que aprendi, isso é muito menos comum na Escócia, na Suíça e na Nova Zelândia.

Nem todo mundo está convencido dos benefícios das refeições em família. Pesquisadores da Universidade de Boston controlaram outras variáveis, como o envolvimento dos pais com os filhos, a quantidade de tempo que as crianças passavam assistindo à televisão, o nível de escolaridade dos pais e assim por diante. Quando levaram em conta todas essas outras variáveis, descobriram que as refeições em família não mais previam os resultados em sua amostra. "Encontramos poucas evidências de efeitos benéficos das refeições familiares frequentes", concluíram esses pesquisadores.[37] Mas acho que essa é uma conclusão um pouco precipitada. Acho que a pesquisa da Universidade de Boston sugere que os pais que fazem refeições com os filhos têm maior propensão a gastar tempo com eles, menor propensão a permitir que os filhos passem trinta horas por semana assistindo à TV e assim por diante. Em outras

---

35 Jerica Berge e colegas, "The protective role of family meals for youth obesity: 10-year longitudinal associations" [O papel protetor das refeições familiares para a obesidade juvenil: associações longitudinais de dez anos], em *Journal of Pediatrics*, 2015, vol. CLXVI, pp. 296–301.

36 Rebecca Davidson e Anne Gauthier, "A cross-national multi-level study of family meals" [Um estudo multinível transnacional sobre refeições em família], em *International Journal of Comparative Sociology*, 2010, vol. LI, pp. 349–365.

37 Daniel Miller, Jane Waldfogel e Wen-Jui Han, "Family meals and child academic and behavioral outcomes" [Refeições em família e resultados acadêmicos e comportamentais das crianças], em *Child Development*, 2012, vol. LXXXIII, pp. 2104–2120.

palavras, a frequência de refeições em família pode ser um índice de uma constelação de comportamentos que, coletivamente, preveem bons resultados: comportamentos como limitar a quantidade de tempo de TV ou na *internet* etc.

O resumo, quando se fala em refeições em família, é que:

- Uma família em que os filhos costumam fazer refeições com os pais provavelmente é uma família em que os pais ainda têm autoridade; uma família onde os pais e a interação familiar ainda *são importantes*.
- Mas apenas insistir para que todos comam juntos, enquanto a TV está ligada e as crianças estão mandando mensagens de texto na mesa de jantar, provavelmente não vai adiantar muito.[38]

* * *

Hoje, em toda a América do Norte, tanto nos Estados Unidos quanto no Canadá, encontro muitos pais que acreditam que a participação de seus filhos em esportes, dança ou alguma outra atividade extracurricular é mais importante do que o tempo passado com a família, sentados à mesa de jantar. Eu acredito que esses pais estão enganados. A família deve ser a maior prioridade.

Quando o tempo em família é uma prioridade máxima, os pais provavelmente terão uma noção melhor do que está acontecendo na vida de seus filhos. Se você receber um relatório da escola informando que seu filho se comportou mal ou que sua filha foi uma valentona, não corra para o psicopediatra. Pergunte ao seu filho ou filha o que aconteceu. Converse com os professores e

---

[38] A propósito, o principal pesquisador do estudo da Universidade de Boston, que pretendia mostrar a desimportância dos jantares em família em si, transmitiu uma mensagem um pouco diferente em sua entrevista ao *Wall Street Journal*. O Professor Daniel Miller disse ao colunista Carl Bialik: "Tenho uma família, tenho filhos. Ainda tentamos fazer as refeições juntos e eu incentivaria outras famílias a fazer o mesmo". Veja Carl Bialik, "What family dinners can and can't do for teens" [O que os jantares em família podem e não podem fazer pelos adolescentes], em *Wall Street Journal*, 29 de novembro de 2013. Disponível em: http://blogs.wsj.com/numbersguy/what-family-dinners-can-and-cant-do-for-teens-1302.

coordenadores da escola. Faça tudo o que puder para ensinar as regras de bom comportamento a seus filhos. E imponha essas regras. Lembre-se de que você — não o professor, nem o técnico — deve ser a principal autoridade responsável por incutir em seu filho as regras de bom comportamento.

Tente adotar a mentalidade europeia com relação à medicação para crianças. Isso significa considerar a medicação como o último recurso absoluto, depois que todas as outras intervenções possíveis tiverem sido tentadas. Nos Estados Unidos, a medicação se tornou o primeiro recurso: "Vamos experimentar e ver se ajuda". O resultado da mentalidade americana é uma geração de crianças submetidas a potentes medicamentos psiquiátricos, cujas consequências a longo prazo são desconhecidas.

Atualmente, as crianças americanas têm uma probabilidade substancialmente maior de receber medicação psiquiátrica do que as crianças de outros países. Muitas vezes, essa medicação é prescrita na esperança de aumentar o desempenho acadêmico. Porém, nas mesmas duas décadas em que aumentou a prescrição de medicamentos para crianças e adolescentes nos Estados Unidos, o desempenho acadêmico dos alunos americanos caiu drasticamente em relação às crianças de outros países. Esse é o nosso próximo tópico.

4
Por que os alunos americanos estão ficando para trás?

As crianças e adolescentes americanos costumavam estar entre os melhores alunos do mundo. Agora, elas ficam atrás de crianças da Polônia, Portugal, Espanha e muitos outros países. Como é possível?

***

Eu tive uma grande decepção quando descobri a verdade: a Austrália não é tão diferente dos Estados Unidos.

Como muitos americanos, minhas noções sobre a Austrália antes de minha primeira visita eram uma mistura bagunçada de cangurus, coalas e cenas misturadas de *Crocodilo Dundee*. Atualmente, já visitei mais de quarenta escolas em toda a Austrália em seis passagens diferentes por todos os seis estados e também pela capital, Canberra. Lembro-me de chegar a Melbourne para minha primeira visita em 2006 e me sentir desapontado quando olhei a livraria do aeroporto e vi capas de revistas com Brad Pitt, Angelina Jolie e Jennifer Aniston. Nada diferente dos aeroportos nos Estados Unidos. Não sei bem o que eu esperava encontrar: talvez revistas para caçadores de crocodilos do *outback*? Mas as prateleiras de revistas em Melbourne (e Sydney, Perth, Hobart, Brisbane, Adelaide e Canberra) são praticamente as mesmas que você encontraria em uma cidade americana, exceto pelo fato de que as livrarias australianas tendem a ter mais revistas dedicadas à família real britânica.

Já me encontrei com estudantes na Austrália em várias ocasiões. Sempre peço a eles que digam quais são seus programas de TV favoritos. Normalmente, eles citam os mesmos programas citados pelos alunos americanos: *The Big Bang Theory*, *Grey's Anatomy*, *Two and a Half Men*. Raramente algum programa produzido na Austrália aparece entre os cinco primeiros.

A cultura de massa australiana não é muito diferente da cultura de massa americana. Esse é um dos motivos pelos quais me senti à vontade para aceitar convites para ministrar *workshops* para professores na Austrália. Como as culturas são muito semelhantes, presumi que as questões importantes para os professores americanos seriam semelhantes às questões importantes para os professores australianos.

Quebrei a cara.

Em maio de 2012, conduzi uma oficina para professores na Shore, uma escola particular em um subúrbio de Sydney. Da biblioteca da escola, que é magnífica, tem-se uma vista deslumbrante do porto e da Ponte da Baía de Sydney.

Comecei o *workshop* prometendo aos professores que compartilharia o que aprendi em minhas visitas a centenas de escolas — a maioria nos Estados Unidos e no Canadá — sobre como criar uma cultura de respeito na sala de aula. "Mesmo que a maioria de seus alunos sejam respeitosos", eu disse, "sempre há alguns que tentarão minar sua autoridade e sabotá-lo. Isso acontece até mesmo nas escolas de elite nos bairros mais ricos".

Depois de alguns minutos, um dos professores, Cameron Paterson, não aguentou mais. Ele levantou a mão. Eu pedi que ele falasse. "Desculpe-me, Doutor Sax", disse ele, "mas não tenho ideia do que está falando. E acho que o que está dizendo também não faz sentido para meus colegas. Não temos alunos que estão tentando minar nossa autoridade e 'nos sabotar'. Simplesmente não temos esse problema".

Por que os alunos americanos estão ficando para trás?

Fiz um rápido levantamento com os outros professores presentes. Eles concordavam? Ou eles frequentemente se deparavam com alunos desrespeitosos?

Todos os professores concordaram com o Senhor Paterson. Uma cultura de respeito prevalecia naquela escola. Por exemplo, os alunos da Shore têm o costume de agradecer aos professores no final de cada aula. Ao sair da sala de aula, cada aluno diz: "Obrigado, senhor", ou: "Obrigado, senhora", conforme o caso. Muitas vezes, um aluno diz: "Ótima aula!". Isso seria incomum hoje em dia, mesmo nas escolas de elite dos Estados Unidos.[1] Se um aluno americano hoje elogiar um professor ao final de uma aula, os outros alunos poderiam zombar dele ou suspeitar que está bajulando. Mas na Austrália, não.

Eu me senti bobo. Mas também aprendi algo. *Não presuma que o que acontece nos Estados Unidos acontece do mesmo modo na Austrália, na Escócia ou nos Países Baixos.*

***

A cultura popular, refletida nas prateleiras de revistas, pode não ser muito diferente entre os Estados Unidos e a Austrália. Mas a cultura do desrespeito que se difundiu entre as crianças e adolescentes dos EUA é menos predominante na Austrália. Nos Estados Unidos, em quase todas as salas de aula você encontrará crianças que desrespeitam o professor ou que ativamente tentam sabotar a sua autoridade. Isso é verdade, como eu disse aos professores na oficina, mesmo nas escolas de elite nos bairros mais ricos. As meninas mandam mensagens de texto durante a aula. Os meninos fazem barulhos de arrotos.

Fora da América do Norte, esse comportamento será encontrado mais frequentemente em escolas situadas em bairros de baixa renda. Essa também era a situação em nosso país, há quarenta ou cinquenta

---

[1] Quando eu conto essa história, alguns americanos descreverão uma experiência semelhante — um aluno respeitoso agradecendo a um professor por uma ótima aula — de seus próprios dias de escola em 1975 ou 1985. Mas ninguém menciona 2015.

anos. As escolas públicas em bairros de baixa renda nos EUA sempre tiveram de lidar com uma cultura de desrespeito, pelo menos desde o final da Segunda Guerra Mundial. Filmes como *Sementes da violência* (1955) e *Ao mestre com carinho* (1967) retratam a cultura do desrespeito nas escolas dos bairros pobres nos Estados Unidos e na Inglaterra. A razão pela qual esses filmes fizeram sucesso pode ser, em parte, o fato de que a cultura de desrespeito que retratavam parecia muito estranha aos espectadores de classe média.

Hoje em dia, filmes como *Ao mestre com carinho* parecem pitorescos. As pegadinhas que aqueles alunos pregavam no personagem de Sydney Poitier parecem divertidas, se comparadas ao caos que os professores costumam suportar de seus alunos americanos.

Quando mencionei isso recentemente a uma amiga americana que já morou na Inglaterra e nos Estados Unidos, ela respondeu que sim, talvez as crianças americanas sejam menos comportadas e mais desrespeitosas em comparação com as crianças da Inglaterra ou da Austrália. Mas ela argumentou que o mau comportamento das crianças americanas é o preço que pagamos pela maior criatividade dos jovens americanos.

Ela está presumindo que os jovens americanos são mais criativos do que os jovens de outros países. Mas será que essa suposição está correta? Os jovens americanos são, de fato, mais criativos do que os jovens de outros países?

Vamos considerar essa noção de criatividade americana. O autor irlandês Eamonn Fingleton observa que a supremacia global americana em criatividade e inovação é um fenômeno relativamente recente. Ralph Gomory, ex-diretor de pesquisa da IBM, disse a Fingleton que, até a década de 30, os Estados Unidos eram vistos como adaptadores de tecnologias originárias de outras nações.[2] Em outras palavras, antes da Segunda Guerra Mundial, os Estados Unidos desempenhavam o papel que, nas últimas décadas, tem sido desempenhado pelos países do Leste Asiático.

---

2 Eamonn Fingleton, "America the Innovative?" [América, a inovadora?], em *New York Times*, 30 de março de 2013. Disponível em: www.nytimes.com/2013/03/31/sunday-review/america-the-innovative.html.

Por que os alunos americanos estão ficando para trás?

O meio século entre 1945 e 1995 foi a grande era americana da criatividade e inovação. Na primeira metade desse período, de 1945 até aproximadamente 1970, os americanos realmente lideraram o mundo no desenvolvimento de soluções para o transporte, manufatura, ciências agrícolas, produção de alimentos e comunicações. Na segunda metade desse período, de 1970 até meados da década de 90, os pesquisadores das universidades americanas e dos departamentos de pesquisa e desenvolvimento (P&D) das empresas privadas continuaram a liderar o mundo em cada um desses campos, bem como em campos novos como biotecnologia, computação e tecnologia da informação.

Mas o mundo mudou desde 1995. Peter Thiel, investidor do Vale do Silício, disse a Fingleton que a inovação americana nas últimas duas décadas foi notavelmente limitada, "praticamente confinada à tecnologia da informação e aos serviços financeiros". Com relação à inovação nos campos de transporte, manufatura e até mesmo biotecnologia, os líderes agora estão na Europa Ocidental e na Ásia. Fingleton relata que "as evidências obtidas ao examinar os registros internacionais de patentes são cada vez mais ameaçadoras" para os Estados Unidos. De acordo com dados compilados pela Organização Mundial de Propriedade Intelectual, apenas quatro empresas americanas estão atualmente entre as vinte empresas que mais registram patentes internacionais, com base no número de patentes registradas.[3]

Até mesmo as pesquisas das empresas americanas são cada vez mais realizadas fora dos Estados Unidos. Fingleton descobriu que as empresas americanas estão transferindo suas operações de P&D para o exterior. Em 2009, 27% de todos os funcionários dos departamentos de pesquisa das multinacionais americanas estavam baseados no exterior, em comparação com 16% em

---

3 As quatro empresas americanas que ficaram entre as vinte primeiras foram a Qualcomm, a Intel, a Microsoft e a United Technologies Corporation. Caso você esteja se perguntando, o Google ficou em 22º lugar e a Apple em 38º. Para obter a lista completa, acesse a lista da WIPO em www.wipo.int/export/sites/www/pressroom/en/documents/pr_2015_774_annexes.pdf#page=1.

2004. Fingleton entrevistou Paul Michel, um ex-juiz federal de apelação que é uma autoridade em direito intelectual e de patentes. A Intel está lançando uma nova e enorme operação de P&D na China, maior do que qualquer outra que a empresa tenha atualmente nos Estados Unidos. As patentes desenvolvidas nas novas instalações serão registradas em nome da Intel, que é uma empresa americana. Mas, observou Michel, "a maior parte da equipe desses laboratórios será chinesa e, sem dúvida, muitos dos empregos resultantes na fabricação ficarão na China".[4] Os Estados Unidos ocupam atualmente o 11º lugar no mundo em termos de registro de patentes internacionais *per capita*, atrás da Dinamarca, Finlândia, Alemanha, Israel, Japão, Luxemburgo, Holanda, Coreia do Sul, Suécia e Suíça.[5]

* * *

Minha conhecida americana defendeu a insubordinação dos alunos americanos como um suposto pré-requisito para a criatividade. Contesto essa suposição. A era de ouro da criatividade para os jovens americanos foi de 1945 a 1970, quando os estudantes dos EUA eram muito mais propensos a serem respeitosos e obedientes aos professores (os protestos e manifestações nos *campi* universitários da década de 60 tinham, em sua maioria, motivações políticas, sendo muitas vezes organizados em torno da oposição à Guerra do Vietnã. E mesmo as maiores manifestações receberam apenas uma pequena fração da população. Na década de 60, a silenciosa maioria[6] dos

---

[4] A evidência nesses dois parágrafos vem de Fingleton, "America the Innovative?".

[5] Para obter classificações de registros de patentes internacionais per capita, primeiro obtive os números mais recentes de registros de patentes internacionais por país, da Organização Mundial da Propriedade Intelectual (OMPI), disponíveis em: www.wipo.int/export/sites/www/pressroom/en/documents/pr_2015_774_annexes.pdf#page=2. Em seguida, dividi o número de patentes por país pela população total do país.

[6] Aqui estou me referindo ao discurso do presidente Richard Nixon no qual ele apelou para "a grande maioria silenciosa dos meus compatriotas americanos". O texto completo do discurso de Nixon, proferido em 3 de novembro de 1969, está *online* em "Address to the Nation on the War in Vietnam", Biblioteca e Museu Presidencial de Richard Nixon. Disponível em:

americanos ficava em casa, assistindo *The Andy Griffith Show* ou *Gidget*). A era de prata da criatividade se estendeu de 1970 a 1995, quando a atitude dos alunos americanos em relação aos professores ainda era muito mais respeitosa do que é hoje. O aumento acentuado da cultura do desrespeito nas últimas duas décadas foi, na verdade, associado a um declínio na criatividade americana.

Kyung-Hee Kim é um psicólogo educacional do College of William and Mary que analisou resultados de Testes de Pensamento Criativo de Torrance.[7] Kim descobriu que as pontuações de criatividade das crianças americanas diminuíram constantemente nas últimas duas décadas. De acordo com a Doutora Kim, isso significa que as crianças americanas se tornaram

> menos emocionalmente expressivas, menos enérgicas, menos falantes e verbalmente expressivas, menos bem-humoradas, menos imaginativas, mais convencionais, menos animadas e apaixonadas, menos perceptivas, menos aptas a conectar coisas aparentemente irrelevantes, menos capazes de síntese e menos propensas a ver as coisas sob ângulos diferentes.[8]

A cultura do desrespeito não é essencial para a criatividade. As evidências sugerem que a cultura do desrespeito, na verdade, prejudica a verdadeira criatividade e fortalece o conformismo diante dos contemporâneos.

---

www.nixonlibrary.gov/forkids/speechesforkids/silentmajority/silentmajority_transcript.pdf. Tabela: Classificação de registros de patentes internacionais *per capita*.

7   Os Testes de Pensamento Criativo de Torrance estão entre os poucos testes de criatividade bem validados. Os testes foram padronizados para diferentes faixas etárias, desde a primeira série até a idade adulta, e também foram validados em várias culturas. Mais informações estão disponíveis em Scholastic Testing Service, "Gifted Education". Disponível em: www.ststesting.com/ngifted.html.

8   Conheci o trabalho de Kyung-Hee Kim no artigo de Hanna Rosin, "The Overprotected Kid" [A criança superprotegida], em *The Atlantic*, 19 de março de 2014. Disponível em: www.theatlantic.com/features/archive/2014/03/hey-parents-leave-those-kids-alone/358631. A citação foi extraída desse artigo. Você pode ler a apresentação da Professora Kim sobre seu próprio trabalho, com *links* para o texto completo de seus artigos acadêmicos, em K. H. Kim, "Yes, There IS a Creativity Crisis!" [Sim, *há* uma crise de criatividade!], em *The Creativity Post*, 10 de julho de 2012. Disponível em: www.creativitypost.com/education/yes_there_is_a_creativity_crisis.

Recentemente, visitei uma escola americana em um bairro rico. A professora estava tentando criar uma atmosfera mais cortês e ordeira na sala de aula. Ela explicou que não toleraria mais que os alunos interrompessem uns aos outros ou que a interrompessem (a professora). Enquanto ela falava, um dos meninos do fundo da classe arrotou alto e disse:

— Ah, cala a boca.

— Veja, é exatamente disso que estou falando — respondeu a professora. — Essa foi uma interrupção desnecessária. Isso é falta de educação.

— Oh, me desculpe — disse o garoto. — *Por favor*, cale a boca.

Outros alunos, tanto meninas quanto meninos, riram.

Não confunda insubordinação com originalidade. Não há nada de original ou criativo na atitude de uma criança ou adolescente americano ao dizer "cala a boca" para um adulto. Pelo contrário, esse comportamento hoje significa apenas conformidade com a cultura de desrespeito que predomina nos EUA.

* * *

Em defesa da minha conhecida americana que elogiou a insubordinação dos alunos americanos como um suposto pré-requisito para a criatividade: ela cresceu na era entre 1970 e 1995, quando os alunos americanos realmente lideravam o mundo em muitas medidas de desempenho acadêmico. Esses dias já passaram. E passaram *há pouco*.

A métrica mais amplamente aceita para comparar o desempenho dos alunos em diferentes países do mundo é o Programa Internacional de Avaliação de Alunos (PISA). Aplicado pela primeira vez em todo o mundo em 2000, o teste PISA acontece a cada três anos. Os alunos fazem o PISA aos quinze anos de idade.[9] Em cada país participante, as escolas são escolhidas aleatoriamente. O programa foi amplamente elogiado por sua minuciosidade e sua capacidade

---

9 Para ser mais preciso, o exame PISA é aplicado a alunos com idade entre quinze anos e três meses e dezesseis anos e dois meses no momento do teste; ver "PISA FAQ", Organização para Cooperação e Desenvolvimento Econômico. Disponível em: www.oecd.org/pisa/aboutpisa/pisafaq.htm.

Por que os alunos americanos estão ficando para trás?

de testar a verdadeira compreensão e a criatividade, e não apenas memorização de fatos. O PISA também tem mantido uma constância quanto aos métodos empregados desde sua primeira edição em 2000, de modo que o teste funciona como um parâmetro consistente ao longo do tempo.

Recentemente, em 2000, quando o PISA foi aplicado pela primeira vez, os Estados Unidos ainda mantinham uma respeitável posição intermediária na lista mundial. Esta é a nossa posição no teste de matemática em 2000 (a pontuação bruta real do PISA na escala de matemática também é mostrada):[10]

CLASSIFICAÇÕES EM 2000

1. Nova Zelândia: 537
2. Finlândia: 536
3. Austrália: 533
4. Suíça: 529
5. Reino Unido: 529
6. Bélgica: 520
7. França: 517
8. Áustria: 515
9. Dinamarca: 514
10. Suécia: 510
11. Noruega: 499
12. **Estados Unidos: 493**
13. Alemanha: 490
14. Hungria: 488
15. Espanha: 476
16. Polônia: 470
17. Itália: 457
18. Portugal: 454
19. Grécia: 447
20. Luxemburgo: 446

---

10 Optei por não incluir nenhuma nação asiática nessa classificação. Em minhas apresentações para pais, administradores de escolas e professores, descobri que a inclusão de pontuações de países asiáticos geralmente leva a discussões tangenciais e desagradáveis. Depois que compartilhei os *rankings* do PISA que mostravam a Coreia do Sul perto do topo, um pai disse: "Talvez a Coreia do Sul se saia melhor do que nós nos *rankings*, mas não gosto do conformismo e da pressão do sistema sul-coreano. Nem mesmo os coreanos gostam de seu sistema". Talvez isso seja verdade, mas não é relevante para nossa reflexão sobre o motivo do declínio dos Estados Unidos em relação à maioria das nações europeias. Descobri que é mais útil focar em nosso *status* em relação à Polônia e à Alemanha. Há mais americanos que são descendentes de poloneses e alemães que de coreanos. Em 2000, os alunos americanos superaram a Polônia e a Alemanha no PISA. Em 2012, os alunos poloneses e alemães superaram os alunos americanos. Os números que apresento da administração de 2000 do PISA foram extraídos da figura 10, "Mathematics and science literacy average scores of 15-year-olds, by country" [Pontuações médias de alfabetização em matemática e ciências de jovens de quinze anos, por país], em *Outcomes of Learning: Results from the 2000 Program for International Student Assessment of 15YearOlds in Reading, Mathematics, and Science Literacy* [Resultados da aprendizagem: resultados do Programa para Avaliação Internacional de Alunos de quinze anos em leitura, matemática e alfabetização científica no ano 2000]. Washington, D.C.: National Center for Education Statistics, dezembro de 2001.

Em 2012, tivemos uma queda significativa entre o mesmo grupo de nações listadas acima, caindo da 12ª para a 17ª posição:[11]

CLASSIFICAÇÕES EM 2012

1. Suíça: 531
2. Finlândia: 519
3. Polônia: 518
4. Bélgica: 515
5. Alemanha: 514
6. Áustria: 506
7. Austrália: 505
8. Dinamarca: 500
9. Nova Zelândia: 500
10. França: 495
11. Reino Unido: 494
12. Luxemburgo: 490
13. Noruega: 489
14. Portugal: 487
15. Itália: 485
16. Espanha: 484
17. Estados Unidos: 481
18. Suécia: 478
19. Hungria: 477
20. Grécia: 453

Esses resultados não podem ser explicados por fatores econômicos. Entre 2000 e 2012, a Espanha passou por uma grande crise econômica, pior que a dos Estados Unidos. No entanto, durante esse período, os Estados Unidos ficaram abaixo da Espanha em termos de desempenho segundo esse parâmetro. A Polônia, que estava muito atrás dos Estados Unidos em 2000, nos ultrapassou em várias posições em 2012; e isso apesar de nosso gasto *per capita* com a educação ser mais do que o dobro do gasto da Polônia.[12]

Muitas teorias foram apresentadas para explicar a recente queda no desempenho acadêmico dos alunos americanos em relação

---

[11] Esses dados foram extraídos da figura 1.2.13, "Comparing countries' and economies' performance in mathematics" [Comparação do desempenho em matemática segundo o país e economia], em OECD, PISA *2012 Results: What Students Know and Can Do: Student Performance in Mathematics, Reading and Science* [Resultados do PISA 2012: o que os alunos sabem e podem fazer: desempenho dos alunos em matemática, leitura e ciências], edição revisada. Paris: OCDE, 2014, vol. I. Disponível em: http://dx.doi.org/10.1787/9789264208780-en.

[12] Amanda Ripley, *The Smartest Kids in the World: And How They Got That Way* [As crianças mais inteligentes do mundo e como elas ficaram assim]. Nova York: Simon and Schuster, 2013, p. 136. Analisando os dados do PISA, Ripley calcula que, em 2007, a Polônia gastava cerca de US$ 39.964 para educar um aluno dos seis aos quinze anos, idade em que os alunos fazem o exame do PISA. Os Estados Unidos gastam cerca de US$ 105.752 para educar um aluno dos seis aos quinze anos de idade. Os valores estão em dólares americanos, "convertidos usando a paridade do poder de compra". Veja a nota em Ripley, op. cit., p. 281.

aos alunos de outros países. Em seu livro *The Smartest Kids in the World: And How They Got That Way*, a jornalista Amanda Ripley fez uma cuidadosa comparação dos Estados Unidos com países que superam os Estados Unidos no exame PISA por amplas margens. Ripley identifica três âmbitos nos quais, em sua visão, os Estados Unidos têm se equivocado:

- *Investimento excessivo em tecnologia*: Ripley observa que as escolas americanas, especialmente as situadas em bairros ricos, hoje em dia estão repletas de *tablets*, *smartboards* de alta tecnologia e outros aparelhos sem fio. Os professores dessas escolas de alto nível costumam distribuir *clickers* sem fio aos alunos para realizar pesquisas instantâneas. Nos países mais bem-sucedidos, as salas de aula costumam ser "utilitárias e simples", sem aparelhos digitais.[13] Ripley observa que, nos países com desempenho superior ao dos Estados Unidos, o quadro na frente da sala de aula "não está conectado a nada além da parede... Por outro lado, dar às crianças *clickers* sem fio, individuais e caros, para que elas possam votar em sala de aula seria impensável na maioria dos países do mundo. Na maior parte do mundo, as crianças simplesmente levantam as mãos, e isso já basta". Ela conclui: "Os americanos desperdiçam uma quantidade extraordinária da receita nacional em brinquedos de alta tecnologia para professores e alunos, e a maioria desses itens não tem qualquer utilidade comprovada para o aprendizado". Na maioria dos países que pontuam mais do que nós no PISA, "a tecnologia está notavelmente ausente das salas de aula".[14]

---

13 A citação "utilitárias e simples" é de Ripley, op. cit., p. 52.
14 Ibid., p. 214. Ripley cita Andreas Schleicher, a principal pessoa por trás do exame PISA desde seu início até os dias atuais, que observa: "Na maioria dos sistemas de melhor desempenho, a tecnologia está notavelmente ausente das salas de aula... Parece que esses sistemas se importam principalmente com a prática pedagógica e não com os dispositivos digitais" (p. 214).

- Ênfase excessiva nos esportes: Ripley descreve escolas americanas com vários campos e quadras esportivas, muitos recursos para a prática de esportes e um quadro de honra de seus atletas, mas com menos ênfase nos estudos. Na maior parte do resto do mundo, a primeira missão da escola é acadêmica. Nos Estados Unidos, em muitas escolas de ensino médio, os esportes rotineiramente se sobrepõem aos estudos. Mesmo nas principais escolas de ensino médio dos EUA, os atletas do time do colégio são frequentemente dispensados das aulas para disputar jogos. Isso raramente acontece fora dos Estados Unidos. "Nas escolas americanas, os esportes estão incorporados de uma forma que não se vê em quase nenhum outro lugar", observa Ripley. "No entanto, essa diferença quase nunca é citada nos nossos debates sobre a mediocridade educacional dos Estados Unidos em âmbito internacional".[15]
- *Baixa seletividade no treinamento de professores*: na Finlândia, as faculdades que instruem os futuros professores são altamente seletivas. Na Finlândia, ser admitido em um curso de âmbito pedagógico traz tanto prestígio quanto entrar em uma faculdade de medicina nos Estados Unidos.[16] Nos Estados Unidos, praticamente qualquer pessoa que tenha concluído o ensino médio pode se qualificar para se tornar professor. Ripley escreve: "Incrivelmente, em algumas faculdades dos EUA, os alunos que pretendem jogar futebol precisam satisfazer padrões acadêmicos superiores aos daqueles cobrados dos candidatos ao magistério".[17]

---

15 Ripley argumenta contra os esportes americanos em todo o seu livro. Essa citação, na verdade, vem de seu artigo "The case against high school sports" [O problema dos esportes no ensino médio], em *The Atlantic*, outubro de 2013. Disponível em: www.theatlantic.com/magazine/archive/2013/10/the-case-against-high-school-sports/309447.

16 Ripley, op. cit., p. 85.

17 Ibid., p. 93. Ela está citando um relatório do National Council on Teacher Quality intitulado "It's easier to get into an education school than to become a college football player" [É mais fácil entrar em uma faculdade de pedagogia do que se tornar um jogador de futebol universitário], em ISSUU. Disponível em: http://issuu.com/nctq/docs/teachers_and_football_players. O relatório é uma apresentação de PowerPoint modificada.

Cada um desses fatores é importante. Gostaria de acrescentar mais um: a cultura do desrespeito. Nos países com melhor desempenho, é mais provável que o aluno médio valorize o que seus pais valorizam, em comparação com o aluno americano médio. Ripley acompanhou uma estudante americana de intercâmbio no ensino médio, Kim, que passou um ano na Finlândia. Em um determinado momento, Kim fez aos alunos finlandeses uma pergunta que não saía de sua cabeça: "Por que vocês se preocupam tanto [com sua educação]?". Os alunos finlandeses ficaram perplexos com a pergunta, "como se Kim tivesse acabado de lhes perguntar por que eles insistiam em respirar tanto... Talvez o verdadeiro mistério não fosse o fato de os alunos finlandeses se importarem tanto, mas o fato de que tantos de seus colegas [americanos] não se importavam".[18]

Acho que é isso mesmo. Acho que a chave para entender o declínio dos resultados acadêmicos americanos em relação aos de outras nações tem a ver, pelo menos, tanto com a mudança dos Estados Unidos quanto com a mudança de outras nações. Os professores e diretores escolares americanos costumam se esforçar muito para tornar a educação legal e divertida aos olhos dos alunos. É daí que vêm tantas telas e aparelhos. *Se as crianças não considerarem a educação como algo legal e divertido, elas não se sentirão motivadas a aprender*. Já ouvi comentários desse tipo de muitos diretores de escolas nos Estados Unidos. E se os alunos não estiverem motivados para aprender, a gestão da sala de aula — fazer com que as crianças se comportem — consome uma parcela desproporcional do tempo e da energia do professor.

A solução não é comprar cada vez mais aparelhos eletrônicos e telas para que a escola se assemelhe a um fliperama. A solução é mudar e reorientar a cultura para que os alunos se preocupem mais em agradar aos adultos do que em parecer descolados aos olhos de seus colegas.

＊＊＊

---

18 Ripley, op. cit., p. 59.

Mesmo que consertássemos cada um dos três fatores destacados por Ripley, ainda teríamos um longo caminho a percorrer. Antigamente, os jovens americanos detinham o primeiro lugar mundial em termos de porcentagem da população com ensino superior. Ainda hoje, entre os adultos de cinquenta e cinco a sessenta e quatro anos, os norte-americanos são líderes mundiais na proporção de pessoas que obtiveram diplomas universitários. Mas hoje, entre os adultos de vinte e cinco a trinta e quatro anos de idade, os americanos caíram para o 15º lugar no mundo em relação à proporção de jovens que obtiveram diplomas universitários. Nesse parâmetro — a proporção de jovens de vinte e cinco a trinta e quatro anos que obtiveram um diploma de quatro anos — os Estados Unidos agora estão atrás da Austrália, Bélgica, Canadá, Dinamarca, França, Irlanda, Israel, Japão, Luxemburgo, Nova Zelândia, Noruega, Coreia do Sul, Suécia e Reino Unido. Em outras palavras: em apenas trinta anos, caímos da 1ª para a 15ª posição neste *ranking*.[19] Os estudantes americanos que *se matriculam* na faculdade têm agora menos probabilidade de *se formar* do que a média dos estudantes de outros países desenvolvidos.[20]

Como resultado: mesmo no caso improvável de conseguirmos consertar todos os problemas do ensino fundamental e médio destacados por Ripley, não estou convencido de que essa correção se traduziria em uma taxa de graduação universitária substancialmente melhor. A taxa relativamente alta de evasão universitária observada atualmente entre os jovens americanos reflete algo mais fundamental do que apenas uma obsessão cultural por, digamos, aparelhos tecnológicos. Poderíamos, se quiséssemos, eliminar todos os iPads e *smartboards* de alta tecnologia das escolas amanhã. Mas

---

19 Os números deste parágrafo foram extraídos do ensaio de John Cookson, "How US graduation rates compare with the rest of the world", em *Global Public Square* (blog). CNN, 3 de novembro de 2011. Disponível em: http://globalpublicsquare.blogs.cnn.com/2011/11/03/how-u-s-graduation-rates-compare-with-the-rest-of-the-world.

20 Os seguintes países da OCDE agora têm taxas de conclusão universitária mais altas que as dos Estados Unidos: Islândia, Polônia, Reino Unido, Dinamarca, Austrália, Eslováquia, Finlândia, Nova Zelândia, Irlanda, Países Baixos, Noruega, Japão e Portugal; ver a tabela A3.2 no relatório da OCDE, *Education at a Glance 2012: Highlights*. Disponível em: www.oecd.org/edu/highlights.pdf. Acessado em 7 de maio de 2015.

não estou convencido de que essa mudança, por si só, melhoraria consideravelmente as taxas de conclusão das faculdades.

E há novas evidências de que os jovens americanos estão estudando menos na faculdade e aprendendo menos na faculdade do que há uma geração atrás. Os pesquisadores Richard Arum e Josipa Roksa pesquisaram uma ampla amostra de alunos testados durante o primeiro ano de faculdade e no último ano de faculdade. Eles descobriram que o típico estudante universitário americano se desenvolve muito pouco em termos de capacidade de pensamento crítico entre o início do primeiro ano e o final do último ano. Aproximadamente um terço dos alunos não melhora mais do que 1 ponto em uma escala de 100 pontos.[21]

Os próprios alunos estão vagamente cientes desse fato, mas a maioria não está especialmente preocupada. Muitos disseram aos pesquisadores alguma variação de "o que importa não é o que você sabe, mas quem você conhece". Muitos dos alunos entrevistados por Arum e Roksa concluíram que o principal valor da faculdade não é fornecer aprendizado acadêmico, mas viabilizar as conexões sociais certas.[22] Não é de se admirar, portanto, que tantos demonstrem poucos ganhos em medidas de habilidade cognitiva e raciocínio.

Combinando dados de várias fontes, os economistas Philip Babcock e Mindy Marks descobriram que os estudantes universitários americanos na década de 60 dedicavam uma média de vinte e cinco horas por semana aos estudos. No início dos anos 2000, o tempo que os estudantes universitários americanos passavam estudando por semana havia diminuído para cerca de doze horas, aproximadamente a metade do valor da década de 60.[23] Atualmente, os estudantes universitários americanos passam menos tempo

---

21 Richard Arum e Josipa Roksa, *Aspiring Adults Adrift: Tentative Transitions of College Graduates* [Aspirantes a adultos à deriva: transições provisórias de graduados universitários]. Chicago: University of Chicago Press, 2014, p. 38.

22 Ver Arum e Roksa, *Aspiring Adults Adrift*, sob o título "The Necessity of the Social", pp. 29–32.

23 Aqui, sigo o resumo de Arum e Roksa do trabalho de Philip Babcock e Mindy Marks em op. cit., p. 35.

estudando do que os estudantes de qualquer país europeu, com a única exceção da Eslováquia.[24]

Já mencionei o PISA, que avalia o desempenho acadêmico de jovens de quinze anos. Agora há um teste comparável para adultos, o Programa de Avaliação Internacional de Competências de Adultos (PIAAC) (pronuncia-se "pee-ack"). O PIAAC foi aplicado apenas uma vez, entre 2011 e 2012, portanto, não podemos calcular diretamente as tendências de desempenho do PIAAC ao longo do tempo. No entanto, Kevin Carey, diretor do programa de política educacional da New America Foundation, comparou o desempenho dos jovens americanos de quinze anos no PISA em 2000 com o desempenho dos jovens americanos de vinte e sete anos no PIAAC em 2012. Em 2000, como mencionei acima, os jovens americanos de quinze anos tiveram um desempenho respeitável no PISA. Porém, doze anos depois, os americanos de vinte e sete anos tiveram uma pontuação bem abaixo da média internacional. Os graduados universitários americanos agora "parecem medíocres ou piores em comparação com seus colegas com formação universitária em outras nações", conclui Carey.[25]

Há pelo menos duas explicações possíveis para o declínio no desempenho entre 2000 e 2012 entre a mesma amostra de americanos, nascidos por volta de 1985. Um fator explicativo é o fato de que as faculdades americanas hoje têm um desempenho abaixo da média, se comparadas com as faculdades das outras nações, em sua missão principal: educar alunos de graduação. Carey observa que a alardeada reputação das principais universidades dos EUA decorre, em grande parte, das realizações de seus principais pesquisadores, e não de seu sucesso no ensino de cursos introdutórios. "Uma universidade poderia parar de matricular alunos de graduação sem que isso afetasse sua pontuação" na maioria

---

24 Ibid.
25 Kevin Carey, "Americans think we have the world's best colleges. We don't" [Os americanos acham que temos as melhores faculdades do mundo. Não temos], em *New York Times*, 28 de junho de 2014. Disponível em: www.nytimes.com/2014/06/29/upshot/americans-think-we-have-the-worlds-best-colleges-we-dont.html.

dos *rankings* internacionais, porque esses *rankings* se baseiam em métricas como o número de ganhadores do Prêmio Nobel, sem levar em conta em qualquer medida o rendimento do ensino de graduação. Carey afirma que o declínio nas pontuações entre os americanos de quinze anos de idade em 2000 e os americanos de vinte e sete anos com formação universitária em 2012 reflete a qualidade medíocre da maior parte do ensino superior americano.[26]

Essa explicação é plausível. Mas há outra explicação: o simples fato de que as pessoas foram expostas à cultura americana no intervalo entre 2000 e 2012 — a era de Lady Gaga, Akon, Eminem, Justin Bieber e Miley Cyrus — pode ter causado algum efeito corrosivo sobre o pensamento racional. Pode ser que a cultura americana contemporânea prejudique o estudo, e talvez mais especialmente para os americanos nascidos e criados na cultura americana do que para os estudantes estrangeiros que vêm estudar aqui. Um leitor do artigo de Carey que trabalhou fora dos Estados Unidos fez uma observação semelhante. Se você comparar os formandos das faculdades americanas com os de fora dos Estados Unidos,

> você pode ficar chocado, como eu, com a qualidade deles [os formandos estrangeiros] na área escolhida e com o grau de instrução e cultura de um trabalhador da área de tecnologia. Os britânicos escrevem documentos de *design* técnico como se fossem graduados em literatura inglesa na universidade. O engenheiro de *software* europeu médio tem conhecimento escrito e falado de vários idiomas e aborda a engenharia de *software* como o que ela é: ciência da computação, em vez de simplesmente escrever códigos. Não se vê mais isso nos graduados dos EUA, a menos que tenham mestrado ou doutorado. Você pode ver enxergar a razão disso quando passa um tempo com as famílias dos alunos. Em outros países, receber instrução é um empreendimento mais sério do que nos EUA. Os alunos estrangeiros passam [...] mais tempo fazendo lição de casa e menos tempo reclamando sobre como a escola é uma droga, se comparados aos alunos americanos.[27]

---

26 Ibid.
27 Um leitor do artigo de Carey postou este comentário. Para ler o comentário completo, acesse o artigo de Carey (o *link* está na nota 25 acima), clique em *Comments* [Comentários] e,

Essas duas explicações não são mutuamente exclusivas. Pode ser que os resultados médios da educação universitária americana tenha caído a um nível inferior aos da educação universitária no exterior, e também pode ser que a exposição à cultura americana contemporânea prejudique tanto o desempenho cognitivo quanto a consciência.

Atualmente, os jovens americanos têm uma probabilidade de abandonar a faculdade maior que a de seus pais.[28] Em relação aos jovens com formação universitária de outros lugares, hoje parece que, entre quinze e vinte e sete anos de idade, eles perdem terreno academicamente. Os pais americanos costumavam presumir que seus filhos estavam recebendo uma boa educação se a família morasse em um bom bairro, com boas escolas, e se o filho frequentasse uma universidade seletiva. Essa suposição não se verifica mais. Por isso, você precisa se envolver mais na educação de seu filho para garantir que ele receba uma educação à altura não das normas americanas, que hoje se mostram medíocres entre as nações desenvolvidas, mas das normas internacionais. No jardim de infância, no ensino médio e além.

---

em seguida, clique em *Reader Picks* [Seleções do leitor]. Esse comentário, de "oss Architect", estava em segundo lugar entre as *Reader Picks* quando verifiquei em fevereiro de 2015.

28 Ver, por exemplo, o relatório de John Bound, Michael Lovenheim e Sarah Turner, "Understanding the decrease in college completion rates and the increased time to the baccalaureate degree" [Compreendendo a diminuição nas taxas de conclusão da faculdade e o aumento do tempo para a obtenção do grau de bacharel]. Universidade de Michigan, Institute for Social Research, 2007. Disponível em: www.psc.isr.umich.edu/pubs/pdf/rr07-626.pdf.

5
Por que tantas crianças são tão frágeis?

> *Muitos professores e funcionários de faculdades relatam uma perceptível fragilidade entre os alunos de hoje. Alguns os descrevem como "xícaras de chá" — bonitos, mas correndo perigo de quebrar com a menor queda.*
>
> — Jean Twenge, San Diego State University[1]

— Então, o que o levou a sugerir que Aaron tentasse jogar futebol? — perguntei ao pai de Aaron, Steve.

— Na verdade, foi a enfermeira do consultório do pediatra quem primeiro falou sobre isso. Ela nos mostrou que ele estava avançando nos percentis de peso, sem o avanço correspondente nos percentis de altura. Lembro-me de ter perguntado a ela: "O que você está tentando nos dizer?", e ela disse: "O Aaron está ficando acima do peso". Ela não mencionou exatamente o futebol. Disse apenas que Aaron precisava ser mais ativo e sugeriu que ele praticasse esportes depois da escola. A ideia do futebol foi minha. Joguei futebol durante todo o ensino fundamental e médio, o que me ajudou a ficar em forma e forte. Então, foi daí que eu tive essa ideia.

— Você mencionou que Aaron sempre teve talento para jogos eletrônicos. Quantos anos Aaron tinha quando você percebeu isso pela primeira vez? — perguntei.

---

[1] Jean Twenge, "Generational differences in mental health: Are children and adolescents suffering more, or less?" [Diferenças intergeracionais na saúde mental: crianças e adolescentes estão sofrendo mais ou menos?], em *American Journal of Orthopsychiatry*, 2011, vol. LXXXI, pp. 469–472.

— Ele era bem novinho — disse Steve. — Eu me lembro. Aaron tinha seis anos de idade. Estávamos jogando Madden NFL Football. Você conhece esse jogo?

Assenti com a cabeça. Ele continuou:

— Aaron me venceu. Por um placar absurdo. Acho que o placar final foi 62 a 7.

— Ele fez 62 pontos e você fez 7? — perguntei.

— Sim, eu era horroroso. Depois disso, não joguei mais *videogame* com ele — disse Steve. — Eu simplesmente não era páreo para ele. Além disso, eu nunca curti os jogos. Eu preferia ir para fora e jogar com uma bola de verdade.

— Então, o que aconteceu no último outono? — perguntei.

— Há anos eu vinha insistindo com Aaron para que jogasse futebol, mas ele sempre me ignorava. Então, alguns de seus amigos, caras com quem ele jogava *videogame*, anunciaram que iriam fazer um teste para o time JV[2] da escola. Essa foi a primeira vez que Aaron demonstrou interesse em jogar. Então, ele e eu fomos ao campo, jogamos a bola e treinamos alguns bloqueios. Eu disse que ele tinha potencial, e não estava mentindo. Ele tem alguns quilos a mais, mas isso não faz mal se você estiver jogando na linha. Eu lhe disse que a posição de *left tackle* é uma das posições mais bem pagas da NFL. Ele ficou muito interessado.

— O que aconteceu no outono passado? — repeti.

— Aaron estava bastante arrogante ao ir fazer os testes. Ele achava que o fato de dominar o Madden NFL Football lhe daria uma vantagem. Mas o técnico disse que queria ter uma ideia de quem estava em forma e quem não estava. Por isso, pediu que eles fizessem alguns *sprints*. Depois, fez com que todos corressem uma milha, e cada garoto foi cronometrado. Os tempos de Aaron nos *sprints* foram terríveis, e ele levou quase doze minutos para correr uma milha. Uma milha! O técnico disse: "Rapaz, não tenho ideia se você vai conseguir jogar esse jogo ou não. Você está fora de forma. Espero vê-lo aqui de volta amanhã de manhã, às sete

---

2 Junior Varsity, uma espécie de categoria de base — NT.

da manhã, com os outros garotos que estão fora de forma. Você correrá mais uma milha na pista e depois iremos para a sala de musculação".

— O que aconteceu? O Aaron voltou na manhã seguinte? — perguntei.

— Não. Ele nunca mais voltou. Essa foi sua primeira e última incursão em qualquer tipo de atividade esportiva. Ele disse: "Não sou um atleta, nunca serei um atleta, não *quero* ser um atleta. Sou um *gamer*". Eu disse que ele podia ser tanto um atleta quanto um *gamer*. Mencionei que muitos dos homens que jogam na NFL também se destacam como *gamers*. Mas ele não estava interessado. Simplesmente foi para o quarto, fechou a porta e continuou jogando.

— Então, o que está acontecendo agora? — perguntei.

— Ele está jogando cada vez mais. Quando pergunto o que ele quer fazer da vida, ele diz que quer ser um *gamer* profissional. Ele me mostra artigos *online* sobre esses caras que estão ganhando US$ 100 mil dólares por ano ou mais jogando jogos eletrônicos.

— E o que diz disso?

— O que posso dizer? — disse Steve. — Talvez essa seja a paixão dele. É o que ele diz que realmente quer. Quem sou eu para lhe dizer que ele não deve ir atrás de seu sonho? Eu só quero que ele seja feliz.

***

Julia sempre teve uma veia competitiva. Ela sempre quis ser a melhor aluna de sua classe. Ela pode ter herdado parte dessa motivação de seus pais: sua mãe é corretora de investimentos e seu pai é cirurgião. Por esse ou outro motivo, seus pais se orgulhavam do destaque acadêmico que ela conquistou no início do ensino fundamental. Ela estava frequentando a melhor escola particular da cidade, cujos formandos frequentemente conquistam vagas nas faculdades mais seletivas. E ela era a número um de sua turma, com tudo indicando que seria a oradora na formatura.

Ela já estava fazendo cursos de AP (estudos avançados) no nono ano e obtendo notas máximas em todos eles. Quando começou a cursar o décimo primeiro ano, decidiu se inscrever em estudos avançados de física, aulas geralmente feitas por alunos do décimo segundo ano. Mas Julia já estava pensando em um programa de estudo independente para o décimo segundo ano, para se candidatar a um projeto de engenharia na universidade. Ela havia decidido, por conta própria, que fazer as aulas de física no décimo primeiro ano seria o meio ideal de impressionar as várias pessoas que teriam de aprovar seu programa. Para fazer o curso como aluna júnior, ela precisava de uma permissão especial, que lhe foi dada.

— Ela sempre esteve no topo, ou muito perto do topo, do ponto de vista acadêmico — disse-me a mãe de Julia, Jennifer. — Mas era uma superioridade *marginal* e nada mais. Ela tirava 99 enquanto as outras crianças tiravam 98 ou 97. Ela queria fazer algo que a catapultasse para outro patamar. Ela queria algo que a diferenciasse dos demais, não apenas aos olhos dos responsáveis pela admissão na faculdade, mas aos seus próprios olhos. Foi daí que surgiu a ideia.

— E o que aconteceu?

— As aulas de física foram muito mais difíceis do que ela esperava. Ela nunca tinha tido nenhuma dificuldade séria na escola antes. Tudo sempre foi fácil para ela. Física foi a primeira matéria em que ela simplesmente não entendeu os conceitos de primeira.

— Quando foi que ela percebeu que poderia haver um problema? — perguntei.

— Na primeira prova — respondeu Jennifer. — Antes disso, acho que Julia tinha alguma noção de que talvez tudo fosse ficar bem, que ela seria a melhor da turma, como sempre. Ela estava estudando muito. A primeira prova destruiu essa noção. Ela tirou 74, uma das notas mais baixas da turma. O professor se reuniu com ela depois e lhe disse que ainda não era tarde demais para desistir da matéria.

— O que aconteceu? — perguntei.

— Era a primeira semana de outubro. Cheguei em casa depois do trabalho. Ela estava no quarto com a porta fechada, o que é incomum. Ela costuma deixar a porta aberta. Fui até a porta do quarto e estava prestes a bater quando ouvi algo que nunca tinha ouvido antes: soluços, soluços convulsivos e ofegantes. Eu não a ouvia chorar daquele jeito desde que era uma criança pequena.

— O que você fez?

— Entrei no quarto de uma vez, sem bater na porta. Ela estava na cama, de bruços, chorando no travesseiro. Você pode imaginar o que passou pela minha cabeça? Eu não sabia sobre a prova de física. Meu primeiro pensamento, para ser sincero, foi que ela havia sido violentada sexualmente, que alguém a havia vitimado. Eu pensei: "O que mais poderia fazer com que ela ficasse tão incrivelmente chateada?". Então perguntei a ela: "Você está bem? O que aconteceu?".

— O que ela lhe disse?

— Até mesmo falar foi difícil para ela, mas ela conseguiu explicar que tinha tirado uma nota baixa na prova. Para ser sincera, tive que colocar a mão sobre a boca para não rir. Fiquei muito aliviada. Antes eu estava pensando que ela tinha sido vítima de algum crime terrível, mas o problema era apenas uma nota baixa em uma prova. Mas, finalmente, eu disse: "Oh, querida, isso é terrível. Você deve estar se sentindo muito mal. Eu entendo".

— O que aconteceu depois?

— Tentei tranquilizá-la. Disse que poderíamos contratar um professor particular para ajudá-la. Ela disse que não queria um tutor. Levei alguns dias para entender por que isso era tão importante. Se ela não conseguisse ser aprovada em física sozinha, então ela não era a menina prodígio, a grande gênia que imaginava ser. Portanto, isso foi muito doloroso para ela.

— Quando ela começou a tomar a medicação?

— As coisas simplesmente viraram uma bola de neve. Achei que ela iria cair em si e enxergar as coisas em perspectiva. Conseguimos um professor particular para ela e acho que o professor particular ajudou. Sua pontuação na prova seguinte foi de 79. Ainda não era excelente, mas estava melhor. Ela ainda poderia ser aprovada na matéria. "Mas eu vou tirar um C!", lamentou ela. "Há coisas piores na vida do que tirar um C em física", eu disse. "Você simplesmente não entende", disse ela. E as crises de choro continuaram, só que agora ela me passou a me dizer para sair do quarto dela. Ela não queria que eu tentasse consolá-la. Foi então que a levei ao pediatra. Ele receitou Lexapro, dez miligramas. Ele disse que deveríamos experimentar; talvez ajudasse.

— Ajudou?

— Um pouco. Por fim, ela conseguia falar sobre como estava se sentindo sem explodir em lágrimas. Conseguia explicar como era humilhante para ela estar entre os últimos da classe. Mas, no Dia de Ação de Graças, ela parecia estar piorando, mais retraída e mal-humorada o tempo todo. Então, decidimos levá-la ao psiquiatra. Na verdade, o pediatra sugeriu isso.

— O que o psiquiatra disse?

— O psiquiatra passou apenas alguns minutos conosco. Eu esperava uma avaliação mais completa, mas ele não pareceu achar necessário. Ele recomendou adicionar Risperdal. Ele disse que quando um ISRS[3] como o Lexapro não funciona, ele gosta de acrescentar Risperdal. Pesquisei na *internet* e fiquei apavorada quando li os efeitos colaterais do Risperdal. Ganho de peso, diabetes... Foi por isso que decidi vir vê-lo, para ter uma segunda opinião. Li o artigo que o senhor escreveu para o *New York Times* sobre uma atitude cética em relação a medicamentos.

***

Posso contar muitas histórias semelhantes à história de Aaron e à história de Julia, histórias que me foram relatadas pelos pais ou que observei em primeira mão em minha atuação como médico. O ponto em comum que liga Aaron (o jogador fora de forma) a Julia (a aspirante a engenheira) é a *fragilidade*. Quando Aaron

---

[3] Inibidor seletivo de recaptação de serotonina — NT.

voltou para casa após o teste, por que ele não aceitou o desafio do treinador de voltar, de se esforçar mais? Quando Julia descobriu que não era tão inteligente quanto pensava, por que entrou em colapso? A resposta em ambos os casos é que essas crianças são *frágeis*. Não é preciso muito para que desistam e fujam, como Aaron, ou para que desmoronem, como Julia.

A fragilidade tornou-se uma característica das crianças e dos adolescentes americanos em um grau que há vinte e cinco anos nos era desconhecido. Trata-se de algo que hoje eu vejo no consultório e que eu não via anos atrás. Mas, além de minhas observações e experiência como médico no último quarto de século, várias linhas de evidência apoiam minha afirmação de que os jovens americanos estão mais frágeis em comparação com os jovens americanos de duas ou três décadas atrás. A primeira e mais óbvia evidência é o extraordinário aumento na proporção de jovens americanos atualmente diagnosticados com ansiedade e depressão e recebendo tratamento.[4] No capítulo 3, vimos que atualmente os jovens deste país têm uma probabilidade muito maior de serem diagnosticados com um transtorno psiquiátrico, em comparação com os jovens de outros países hoje em dia e com os jovens *deste* país há trinta anos.

Essa linha de evidência é relevante no caso de Julia, já que dois médicos — um pediatra e um psiquiatra — a trataram com medicamentos para depressão. Mas essa linha de evidência não se aplica ao caso de Aaron. Ninguém diagnosticou nada nele. Na verdade, Aaron é um cara muito feliz, desde que você não o interrompa enquanto ele estiver jogando *videogame*.

Mas Aaron e Julia têm sim algo em comum. Em cada um dos casos, parece estar faltando algo em seu interior: alguma força interior que considerávamos natural nos jovens há algumas décadas, mas que simplesmente não se desenvolveu nesses dois. Como podemos quantificar isso? É algo que possa ser medido estatisticamente?

---

4 Twenge, op. cit.

Talvez seja. Na história de Aaron, o resultado final é um jovem que se afastou do mundo real e foi para seu quarto jogar *videogame*. Já vi o mesmo processo em jovens adultos — mais frequentemente rapazes do que moças — que voltam para casa depois da faculdade, ou abandonam a faculdade, e fogem para o quarto com uma tela de computador ou um *videogame*. Esse costuma ser o último caminho comum que observei em jovens de vinte e poucos anos: jovens cujos sonhos não se realizam, que desistem, saem de cena e voltam para casa para morar com os pais ou (se os pais tiverem recursos) moram separados dos pais, mas continuam sendo sustentados por eles.[5]

O fenômeno de jovens adultos fisicamente aptos que não trabalham nem procuram emprego está se tornando muito mais comum nos Estados Unidos. Até o ano 2000, esse fenômeno era raro no país em comparação com outros países. Em 2000, os EUA eram líderes mundiais (à frente de países como Suécia, Canadá, Reino Unido, Alemanha, França, Austrália e Polônia) na proporção de jovens que estavam criando novos negócios, trabalhando ou procurando emprego. Porém, apenas onze anos depois, em 2011, os Estados Unidos caíram do primeiro para o último lugar entre os países mencionados, enquanto a ordem de classificação desses países em relação uns aos outros, na maioria dos casos, mal se alterou.

Aqui está a listagem de 2000, com cada nação ordenada de acordo com a proporção de jovens que tinham emprego remunerado ou estavam procurando trabalho ativamente, da mais alta para a mais baixa:

1. Estados Unidos
2. Suécia
3. Canadá
4. Reino Unido
5. Alemanha
6. França
7. Austrália
8. Polônia

---

[5] O censo não avalia essa distinção. O censo americano pergunta onde você mora e quem mais mora com você. Se você é um adulto que mora sozinho, o fato de seus pais o sustentarem não fica evidente nos dados publicados pelo censo.

E aqui está a listagem de 2011, com a ordem de classificação de 2000 mostrada entre parênteses:[6]

1. Suécia (era a segunda colocada em 2000)
2. Canadá (nº 3)
3. Austrália (nº 7)
4. Reino Unido (permaneceu em 4º lugar)
5. Alemanha (permaneceu em 5º lugar)
6. França (permaneceu em 6º lugar)
7. Polônia (nº 8)
8. **Estados Unidos** (era o nº 1)

Não se pode culpar a economia por essa queda. A Polônia e a França enfrentaram dificuldades durante a Grande Recessão de 2008–2009, mas esses países mantiveram seu lugar na ordem de classificação, enquanto os Estados Unidos caíram do primeiro para o último lugar. Um professor de economia de Harvard chamou essa queda de "um grande enigma".[7]

Em uma cultura saudável, os jovens adultos impulsionam grande parte do crescimento da economia. Eles criam novos negócios. Eles são os mais propensos a se tornarem empreendedores. Mas, ao contrário de uma impressão comum, os Estados Unidos se tornaram substancialmente *menos* empreendedores nos últimos trinta anos. O US Census Bureau mantém um registro cuidadoso do número de empresas abertas a cada ano. Em 2014, estudiosos analisaram esses dados e determinaram que "a taxa de formação de novas empresas nos Estados Unidos foi reduzida pela metade nos últimos trinta e cinco anos".[8] O declínio é generalizado — pode

---

6 Para obter os dados brutos nos quais essas listas se baseiam, acesse "ALFS summary tables", em OECD, *Stat Extracts*, 25 de junho de 2015. Disponível em: http://stats.oecd.org/Index.aspx?DatasetCode=ALFS_SUMTAB. Para um comentário geral sobre essa descoberta, ver David Leonhardt, "The idled young americans" [Os desocupados jovens americanos], em *New York Times*, 5 de maio de 2013. Disponível em: www.nytimes.com/2013/05/05/sunday-review/the-idled-young-americans.html?hp&_r=0.

7 Leonhardt, op. cit.

8 Para o estudo em si, ver Ian Hathaway e Robert Litan, "Declining business dynamism in the United States: A look at states and metros" [O declínio do dinamismo empresarial nos

ser observado em todos os cinquenta estados e em todos os setores da economia — e tem se tornado mais homogêneo nos Estados Unidos ao longo do tempo. Todas as regiões dos Estados Unidos foram afetadas. Os pesquisadores reconheceram que "as razões que explicam esse declínio ainda são desconhecidas". Como solução, eles sugerem "facilitar a chegada de imigrantes altamente qualificados".[9] Aqui está um dos gráficos de seu relatório ("inscrição" significa criação de novas empresas; "baixa" significa empresas que saem do mercado):

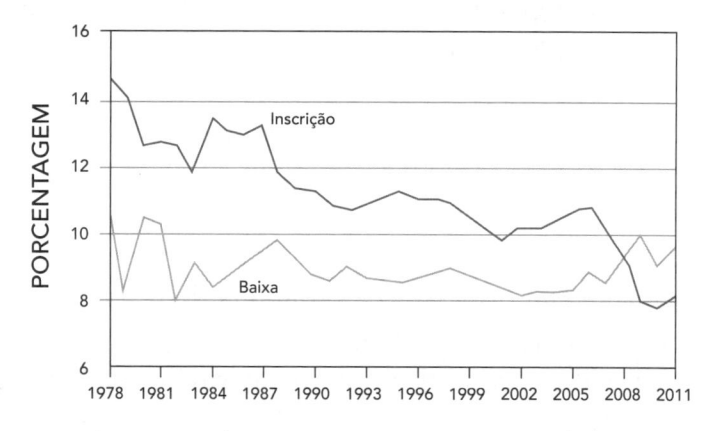

A economia dos EUA tornou-se menos empreendedora: inscrições e baixas de empresas nos Estados Unidos, 1978–2011[10]

É fácil entender por que os economistas estão confusos. Eles estão procurando uma resposta para o enigma no âmbito da economia, e não estão encontrando nenhuma resposta. Esse fenômeno — jovens frágeis, que desistem facilmente, que não têm mais o ímpeto de abrir novos negócios — pode ter enormes consequências econômicas, mas as causas não estão na economia.

Estados Unidos: uma análise dos estados e das regiões metropolitanas], em *Brookings Institution*, 5 de maio de 2014. Disponível em: www.brookings.edu/research/papers/2014/05/declining-business-dynamism-litan. Essa citação vem da coluna de Thomas Edsall comentando o relatório de Hathaway e Litan; ver Thomas Edsall, "America out of whack" [A América amalucada], em *New York Times*, 23 de setembro de 2014. Disponível em: www.nytimes.com/2014/09/24/opinion/america-out-of-whack.html.

9 Hathaway e Litan, op. cit.
10 Fonte: Hathaway e Litan, 2014.

As causas estão na educação dos pais americanos, educação que nos dia de hoje cria crianças frágeis.

Como é possível?

Parte da resposta está na estrutura de referência do jovem e, especificamente, na troca da estrutura de referência dada por adultos por uma estrutura de referência dada pelos colegas da mesma idade. Muitas vezes, o jovem adulto que mora em casa, dependente dos pais, não está muito preocupado com o que os pais pensam dele. Ele está mais interessado no que seus amigos pensam. E há boas chances de que muitos deles também estejam morando na casa dos pais, gastando tempo com redes sociais ou fazendo vídeos sobre si mesmos para publicar no YouTube.

Você pode ver a mesma dinâmica no garoto cuja história abriu este capítulo: Aaron, o candidato a jogador de futebol. Aaron se preocupa com a opinião de seus amigos. Ele quer parecer ser visto por eles como alguém legal. Quando está jogando *videogame*, ele é o cara. Seus amigos ficam impressionados com suas proezas. Se ele voltasse ao campo de futebol, se colocaria no nível inferior de um totem diferente, onde quem está no topo é o atleta, com o gordinho Aaron bufando e suando lá embaixo.

Julia se preocupa com a opinião de seus amigos, mas sua própria autoavaliação a deixa em pânico absoluto. Ela construiu um conceito de si mesma que só se contenta com ser a número um, uma aluna incrível. Suas dificuldades em física furaram essa bolha, levando-a a uma crise existencial. Ela se pergunta: "Se eu não sou a aluna incrível que pensei que fosse, então quem sou eu?". E ela não tem resposta.

Em minha avaliação, uma das causas da fragilidade tanto no caso de Aaron quanto no de Julia é um relacionamento fraco entre pais e filhos. Aaron e Julia seriam os primeiros a lhe dizer que amam seus pais. Mas eles não se se importam de verdade com o que seus pais pensam. Ou, mais precisamente, Aaron está mais preocupado com o que seus colegas pensam do que com o que seus pais pensam. Julia está mais preocupada com seu autoconceito inflado do que com a opinião de seus pais. *As crianças precisam valorizar a opinião dos pais como sua primeira escala de valor*, pelo menos durante a infância e a adolescência. (É claro que essa regra não se aplica se os pais forem patologicamente limitados, incompetentes ou simplesmente ausentes. Meu pressuposto neste livro é que você é um pai ou mãe que se importa e age. Se esse pressuposto não for verdade, este livro não é para você.)

Se os pais não estiverem em primeiro lugar, os filhos se tornam frágeis. O motivo é o seguinte: um bom relacionamento entre pais e filhos é sólido e incondicional. Minha filha pode gritar para mim: "Eu odeio você!". Mas ela saberia que sua explosão não mudará nosso relacionamento. Se ela explodisse desse jeito, minha esposa e eu talvez optássemos por suspender alguns de seus privilégios por uma semana, mas ela saberia que nós dois ainda a amamos. Isso não mudará, e ela sabe disso.

As relações entre colegas, por outro lado, são frágeis por natureza. Emily e Melissa podem ser as melhores amigas, mas ambas sabem que uma palavra errada pode destruir o relacionamento de forma irreparável. Essa é uma das razões pelas quais Emily, tão freneticamente, verifica suas mensagens de texto a cada cinco minutos. Emily teme que, se Melissa enviar uma mensagem de texto e ela não responder na mesma hora, Melissa interprete erroneamente seu silêncio como desinteresse. *Nas relações entre colegas, tudo é condicional e contingente.*

Aaron não quer parecer incompetente aos olhos de seus colegas, nem por uma semana, nem mesmo por um único dia. Portanto, ele não se arriscará na humilhante experiência de ser o jogador menos em forma. Julia não consegue suportar a ideia de ser outra coisa que não uma excelente aluna. Portanto, ela não pode e não quer se arriscar na humilhante experiência de estar abaixo da média em física. Seu autoconceito está *condicionado* ao fato de ser a número um. Quando ela deixa de ser a número um ou de estar competindo por essa posição, seu autoconceito desmorona. Concordo com os dois outros médicos que a avaliaram: ela atende aos critérios formais para o diagnóstico de depressão. Mas esses outros médicos não perguntaram *a razão* para ela estar deprimida.

A resposta é que a realidade estourou a bolha de seu autoconceito. E o remédio adequado para Julia, acredito, não é Risperdal, mas sim a construção de um autoconceito diferente — um autoconceito enraizado não em um desempenho acadêmico extraordinário, mas no amor *incondicional* e na aceitação que seus pais estão prontos para lhe oferecer.

Hoje, não menos do que há trinta ou cinquenta anos, as crianças e os adolescentes precisam de amor e aceitação *incondicionais*. Mas eles não podem obter amor e aceitação incondicionais de seus colegas ou de um boletim escolar. Essa é uma das razões pelas quais houve uma explosão de ansiedade e depressão entre os adolescentes americanos em sua frenética tentativa de garantir seu vínculo com outros adolescentes, procurando obter amor e aceitação incondicionais de fontes que não são capazes de fornecê-los.[11]

Muitos pais americanos aceitam essa situação como uma consequência inevitável da vida no século XXI. Mas eles estão enganados. Esse fenômeno — em que, para as crianças, seus relacionamentos com colegas da mesma idade, ou os esportes, os estudos ou as atividades após a escola importam mais que seus relacionamentos com os pais — é muito mais prevalente na América do Norte do que em outros lugares. A maioria das crianças no Equador, na Argentina e na Escócia ainda anseia por passar o tempo livre com os pais, avós, tias e tios, assim como as crianças americanas há duas gerações. Como um escocês me disse: "Nós nem pensamos muito em 'gerações'. Apenas gostamos de fazer coisas juntos".

O romancista americano Reif Larsen mudou-se recentemente com sua família para a Escócia. Na sociedade escocesa contemporânea, observa Larsen, "a família sempre vem em primeiro lugar". Em comparação, ele se mostra impressionado com a incapacidade da cultura americana contemporânea "em reconhecer que

---

11 O aumento da prevalência de ansiedade e depressão entre os adolescentes americanos tem sido mais acentuado entre as meninas do que entre os meninos. Para uma análise dos vários fatores subjacentes a essa diferença entre meninas e meninos, ver os capítulos 1 a 4 do meu livro *Girls on the Edge: The Four Factors Driving the New Crisis for Girls. Sexual Identity, the Cyberbubble, Obsessions, Environmental Toxins*. Nova York: Basic Books, 2010.

as crianças realmente existem". Essa diferença se manifesta não apenas na forma como as crianças e os adultos passam seu tempo livre, mas também em

> uma infraestrutura comprometida com as crianças notável em ambientes públicos. No aeroporto de Edimburgo, você pode encontrar três grandes áreas de recreação infantil nos terminais, amplas cadeiras altas e filas exclusivas para famílias. Se houver bebês, é possível encomendar com antecedência leite, que será entregue no portão de embarque. Há até mesmo uma sala dedicada exclusivamente às mães que estão amamentando... Compare isso com nossa experiência nos Estados Unidos. No aeroporto de Newark, não há um espaço desse tipo. Depois de muita procura, descobrimos que havia aproximadamente uma cadeira alta para todo o Terminal c. Tivemos que arrastá-la pelo aeroporto como uma família de beduínos em trânsito.[12]

* * *

Todos nós, como pais, precisamos estabelecer a primazia do relacionamento entre pais e filhos sobre os relacionamentos entre colegas, sobre os estudos e sobre outras atividades. Como fazer isso?

Uma estratégia simples é programar férias apenas para a família. Quando sua filha perguntar se pode levar a melhor amiga, a resposta deve ser "não". Se a melhor amiga vier junto, uma parte significativa do tempo das férias será destinada à criação de vínculos entre sua filha e a melhor amiga. O principal objetivo das férias em família deve ser fortalecer os laços entre pais e filhos, e não dar às crianças uma ocasião cara para brincar com os amigos. Ainda mais simples é criar rituais, como uma visita semanal de pais e filhos a uma lanchonete local. Uma caminhada juntos até a cafeteria, se ela estiver a uma curta distância, é uma boa oportunidade para conversar e ouvir o que sua filha ou filho tem a dizer.

---

12 Reif Larsen, "How doing nothing became the ultimate family vacation" [Como não fazer nada se tornou o ideal de férias em família], em *New York Times*, 1º de maio de 2015. Disponível em: www.nytimes.com/2015/05/03/travel/how-doing-nothing-became-the-ultimate-family-vacation.html?src=xps.

O jantar em família, a ida ao cinema e até mesmo um passeio de carro são oportunidades para fortalecer esses laços.

Em todos os preparativos para seu filho, tente fazer com que o contato com os adultos seja uma prioridade maior do que o contato com os colegas da mesma idade, os estudos ou as atividades após a escola. Priorize a presença de seus parentes e seus amigos adultos mais próximos na vida de seu filho. Se você tiver a oportunidade de se mudar para mais perto das tias, tios e avós de seu filho, faça isso (nós fizemos). Quando estiver planejando as férias, procure oportunidades para que seu filho se relacione com as tias, tios e avós. Você quer dar a seu filho uma perspectiva diferente. Você quer conectá-lo à sua cultura. Hoje, essa tarefa é indiscutivelmente mais difícil do que em qualquer outro momento da história americana. Atualmente, o padrão para a maioria das crianças americanas é que seus afetos principais se dediquem aos colegas.

***

Há outro elemento importante na história de Aaron, que é o seu envolvimento com as redes sociais, ligado aos jogos *online*. Lembro-me de garotos em situações semelhantes à de Aaron há quinze ou vinte anos. Eles não conseguiam entrar no time, então se esforçavam mais, entravam em forma, voltavam na semana seguinte ou na temporada seguinte e eram escolhidos. Histórias assim eram comuns há vinte anos. Hoje, elas são raras. Por quê?

Acho que o mundo *online* é parte da resposta. Há vinte anos, a *internet* era uma novidade lenta e desajeitada. Não existia jogos *online*: baixar uma única foto levava uma eternidade. Jogar um jogo rápido contra um adversário *online* em tempo real não era possível em uma conexão discada. Mas o mundo *online* de hoje oferece a Aaron uma cultura alternativa criada principalmente por outros jovens. Seus pais consideram incomum a imersão de Aaron no mundo dos jogos eletrônicos. Eles se perguntam por que Aaron não está mais preocupado com o fato de estar fora de forma fisicamente. Mas o ponto de referência de Aaron não é o mundo real de seus pais, mas o mundo *online* de seus jogos eletrônicos e os *sites* de mídia social associados. Ele está em contato com literalmente centenas de outras pessoas que têm mais ou menos a sua idade e cujas prioridades são semelhantes às dele. Os jogos eletrônicos vêm em primeiro lugar. Em seu mundo *online*, seu estilo despreocupado e descontraído é a norma, não a exceção. Se ele expressasse um desejo sincero de entrar em forma para poder praticar esportes em vez de passar o tempo com um controle de jogo e uma tela de vídeo, provavelmente seria zoado por seus colegas *online*. Ou eles poderiam pensar que ele estava brincando.

***

O pai de Aaron não tem certeza do que fazer. Ele me disse: "Quem sou eu para lhe dizer que ele não deve ir atrás de seu sonho? Eu só quero que ele seja feliz". Essa é uma resposta comum. Os próprios jovens costumam dizer algo no mesmo sentido. Outro jovem em uma situação semelhante me disse: "Estou apenas tentando viver do meu jeito. O que importa é curtir, né?". Essa noção — "o que importa é curtir"; "se algo faz você se sentir bem, faça" — reflete uma perspectiva particularmente americana. Essa falta de preocupação é um dos fatores que contribuem para o rápido aumento da proporção de jovens americanos que não trabalham nem estão procurando emprego. E esse rápido aumento, como vimos, é exclusivamente americano: não ocorreu na Suécia, no Canadá, no Reino Unido, na Alemanha, na França, na Austrália, na Polônia e assim por diante.[13]

---

13   O Canadá é um caso especial. Em cada um dos parâmetros que consideramos, os Estados Unidos representam o pior caso entre as nações ricas; os países da Europa Ocidental, como a Suíça, estão se saindo muito melhor. Na maioria desses parâmetros, o Canadá está em algum lugar intermediário. Nos últimos quarenta anos, o Canadá se afastou do Reino Unido e se aproximou dos Estados Unidos. Os canadenses me disseram que, em 1970, grande parte da cultura canadense — incluindo televisão e rádio — vinha do Reino Unido, especificamente da BBC. Hoje, quando visito o Canadá, de Halifax a Vancouver, a mídia é predominantemente americana (ou seja, a programação é originária dos Estados Unidos). A BBC ainda está lá, mas ocupa um pequeno nicho de mercado. Mencionei anteriormente o Doutor Gordon Neufeld, autor principal com Gabor Maté de *Hold On to Your Kids: Why Parents Need to Matter More Than Peers*, (Toronto: Vintage Canada, 2013, 2ª ed.). O Doutor Neufeld é canadense.

Parte de seu trabalho como pai ou mãe é *educar o desejo*. Ensinar seu filho a se importar com algo além de "curtir". A desfrutar e a querer desfrutar de prazeres mais elevados e profundos do que os jogos eletrônicos e as redes sociais podem proporcionar. Esses prazeres podem ser encontrados talvez em conversas com adultos sábios; ou na meditação, oração ou reflexão; ou na música, dança ou artes.

O vínculo entre pais e filhos deve ser a maior prioridade. A ironia aqui é que a maioria dos pais americanos de renda média e alta já está informada sobre o afeto. Alguns deles até já leram livros sobre "afeto entre filhos e pais". Eles sabem tudo sobre como oferecer amor e aceitação incondicionais ao bebê recém-nascido. Aos seis meses de idade, um bebê nascido de pais americanos de renda média ou abastados provavelmente estará cercado de carinho e amor. Com um ano de idade, os bebês americanos são tão competentes quanto os bebês da Holanda ou da Nova Zelândia. Porém, após o segundo aniversário de seus filhos, os pais americanos começam a se desviar do caminho.

Seu estilo de criação deve mudar à medida que seu filho cresce. Pense em uma líder de torcida do ensino médio. Agora pense em Jürgen Klinsmann, técnico da seleção americana de futebol masculino, que chegou às oitavas de final da Copa do Mundo de 2014; ou em Jill Ellis, técnica da seleção americana de futebol feminino, campeã da Copa do Mundo de futebol feminino de 2015. Quando seu filho é um bebê ou uma criança pequena, você desempenha o papel de líder de torcida. Quando seu filho tropeça e cai, mas depois se levanta novamente, você diz: "Bom

---

O fato de ele ter observado um declínio na autoridade dos pais ao longo de quatro décadas de prática no Canadá é uma evidência de que os canadenses estão lutando com muitos dos mesmos desafios enfrentados pelos pais americanos. Mas como alguém que já conversou com pais em dezenas de locais no Canadá e em centenas de locais nos Estados Unidos, acredito que o problema da renúncia dos pais à autoridade é, em termos gerais, pior nos Estados Unidos do que no Canadá. O Doutor Neufeld teve a gentileza de se encontrar comigo pessoalmente em 2014, quando eu estava escrevendo este livro. Tomamos café da manhã juntos em um restaurante perto de sua casa em Vancouver. Ele acredita que um desafio central para os canadenses é evitar que seu país se torne cada vez mais americano — manter-se mais conectado com o resto do mundo fora da América do Norte em geral e com a Commonwealth especificamente. "Não é fácil", ele reconhece.

trabalho! Muito bem!". Mas à medida que seu filho fica mais velho, seu papel deve mudar. Menos líder de torcida, mais Jürgen Klinsmann e Jill Ellis.[14] Você precisa corrigir. Redirecionar. Apontar as deficiências. Se o seu filho adolescente não consegue pensar em nada para se divertir além de jogar *videogame*, então você precisa desligar os aparelhos e levá-lo para o mundo real. Você precisa educar o desejo dele. Você precisa ensinar a seu filho seus próprios valores, em vez de permitir que ele adote automaticamente os valores promovidos pela cultura americana contemporânea.

Os principais mecanismos pelos quais a cultura americana contemporânea afirma hoje sua primazia no coração das crianças americanas são a *internet* e o telefone celular. Nenhum deles existia na vida das crianças americanas há vinte e cinco anos. Hoje, porém, é comum ver uma criança americana de quatro anos brincando com um iPad, com acesso completo à *internet*. Isso é particularmente verdadeiro em bairros ricos. E está se tornando comum ver uma criança americana de nove anos com seu próprio telefone celular — mais uma vez, especialmente em bairros ricos.

Agora você começa a ver o verdadeiro dano de uma criança de nove anos com um telefone celular, conversando com seus amigos ou enviando mensagens de texto. Quanto mais tempo ela passa se conectando com os amigos, maior é a probabilidade de que ela os procure para obter orientação sobre o que é importante e o que não é.

A tecnologia e os dispositivos dividem ainda mais as gerações e enfraquecem a autoridade dos pais. As crianças tendem a entender a tecnologia melhor do que os adultos. Uma criança de nove anos domina facilmente as sutilezas do Instagram e do Snapchat. Seus pais de quarenta e poucos anos talvez nem saibam o que é Snapchat. Mesmo que saibam, talvez não entendam para o que

---

14   Não sou o primeiro a sugerir a analogia líder de torcida/treinador para diferentes estilos de criação. Ver, por exemplo, Dan Griffin, "Motivating teenagers: How do you do it?" [Motivar adolescentes: como você faz isso?], em *Slate*, 14 de fevereiro de 2014. Disponível em: www.slate.com/articles/life/family/2014/02/motivating_teenagers_how_do_you_do_it.html.

serve. É mais provável que sua filha e as amigas dela saibam como fazer *upload* de uma foto de um celular para uma página do Instagram, com efeitos especiais digitais. Esse é um dos motivos pelos quais sua filha pode vir a valorizar mais a opinião dos amigos do que a sua. Os amigos dela parecem melhor informados sobre coisas importantes do que você. E quanto mais tempo ela passa no Instagram, é mais provável que ela pense que é importante saber sobre o Instagram.

Alguns países têm tradições que ajudam a manter os laços entre pais e filhos. Na Holanda, as escolas fecham ao meio-dia todas as quartas-feiras para que as crianças possam desfrutar de um tempo de qualidade no meio da semana com seus pais. A maioria dos empregadores holandeses dá a seus funcionários a tarde de quarta-feira ou até mesmo o dia inteiro de folga. Tradicionalmente, as crianças francesas do ensino fundamental também têm folga às quartas-feiras, embora o governo esteja repensando essa posição.[15] Em Genebra, na Suíça, as escolas públicas de ensino fundamental fecham por duas horas no almoço, todos os dias, para que as crianças possam ir para casa e almoçar com os pais. Muitos empregadores suíços cooperam com essa tradição dando a seus funcionários duas horas e meia de folga para o almoço, para que os pais possam estar em casa com a criança para essa refeição.[16]

Costumávamos fazer algo semelhante neste país. Quando cresci nos arredores de Cleveland, Ohio, nas décadas de 60 e 70, eu ia para casa a pé para almoçar todos os dias.[17] Para mim, isso parecia inútil, porque minha mãe tinha que trabalhar e eu voltava para

---

15 Nicola Clark, "France rethinks its no-school-on-Wednesdays week" [França repensa sua semana sem aulas na quarta-feira], em *International Herald Tribune*, 12 de fevereiro de 2013. Disponível em: http://rendezvous.blogs.nytimes.com/2013/02/12/france-rethinks-its-no-school-on-wednesdays-week.

16 Comunicações pessoais em janeiro de 2014 da Doutora Eva Shimaoka, minha colega de faculdade de medicina que agora mora na Suíça.

17 Estudei na Lomond Elementary School em Shaker Heights, Ohio, do jardim de infância até a sexta série. Eu almoçava em casa todos os dias, com raras exceções, como piqueniques escolares. A escola onde fiz o ginásio, a Byron Junior High School, foi a primeira escola em que estudei que tinha um restaurante.

uma casa vazia (meus pais eram divorciados; meu pai morava em Los Angeles). O empregador de minha mãe não lhe concedia uma pausa de duas horas para o almoço para que ela pudesse ficar em casa com os filhos.

Então, o que devemos fazer? Os empregadores americanos não vão dar a nós, funcionários, duas horas de folga para o almoço. Eles não vão nos dar folga toda quarta-feira à tarde. Portanto, temos que lutar para jantar com nossas famílias. Lute para ter tempo com seu filho. Cancele ou deixe-o faltar às atividades pós-escolares, se necessário, para poderem fazer mais refeições à noite juntos. Seus filhos não conseguirão se apegar a você se quase não o virem. E desligue os aparelhos.

No capítulo 1, analisamos as observações do Doutor Gordon Neufeld sobre a desintegração do vínculo entre pais e filhos nos últimos vinte anos. Sua ideia principal é que muitos dos problemas que vemos nas crianças norte-americanas de hoje — a rebeldia, o desrespeito, a desconexão com o mundo real — podem ser atribuídos à falta de um forte vínculo entre pais e filhos. Ou, mais precisamente, ao fato de que hoje o principal relacionamento das crianças é com seus colegas e não com os pais. Como escreve Neufeld, "o enfraquecimento da autoridade dos adultos está diretamente relacionado ao enfraquecimento dos relacionamentos com os adultos e sua substituição pelo apego aos colegas".[18]

Considere uma noz. Sua casca forte a impede de crescer até o momento certo. Se você abrir a casca muito cedo, não estimulará o crescimento de uma nova árvore. Você terá apenas uma noz morta. Assim como no caso da bolota, a chave para o desenvolvimento saudável da criança é fazer a coisa certa *na hora certa*. Neufeld defende com veemência que a manutenção de apegos errados na infância e na adolescência resulta na ocorrência de apegos errados no início da vida adulta. Durante a infância e a adolescência, o principal relacionamento de uma criança deve

---

18 Neufeld e Maté, op. cit., p. 140.

ser com os pais. Se uma criança tiver um forte vínculo primário com um dos pais desde a infância até a adolescência, esse vínculo se romperá naturalmente quando ela se tornar adulta, como uma noz que se abre naturalmente no momento certo para que uma nova árvore possa crescer. Crianças assim, quando se tornam adultas, estão prontas e confiantes para enfrentar o mundo como um jovem adulto independente. Mas Neufeld e outros descobriram que os jovens de toda a América do Norte cada vez mais simplesmente não estão prontos para entrar no mundo adulto. A mesma garota que se recusava a conversar com a mãe aos treze anos de idade agora está enviando mensagens de texto para a mãe cinco vezes por dia aos vinte e dois anos, pedindo orientação básica sobre as preocupações da adolescência. A noz, por ter se aberto cedo demais, não tem força para se tornar uma árvore.

Os pais precisam recuperar o lugar central na vida de seus filhos, substituindo os colegas. Ter amigos da mesma idade é ótimo para seu filho. Mas a primeira lealdade de seu filho deve ser a você, não ao melhor amigo dele. A cultura contemporânea de mensagens de texto, Instagram, YouTube, Twitter, Facebook e jogos *online* ocultou essa realidade fundamental, promovendo e acelerando a transferência prematura da fidelidade para os colegas.

***

Por que as crianças americanas de hoje são tão frágeis? O motivo fundamental é o rompimento dos vínculos entre as gerações, de modo que as crianças agora valorizam mais as opiniões dos colegas da mesma idade ou seu próprio autoconceito construído do que a boa consideração dos pais e de outros adultos. O resultado é um culto ao sucesso, pois o sucesso é a maneira mais fácil de impressionar seus colegas e a si mesmo. Mas o culto ao sucesso simplesmente prepara a criança para uma catástrofe na hora em que o fracasso chega, como vimos no caso de Julia. E o fracasso chega, mais cedo ou mais tarde.

Todos experimentamos o fracasso. *Aceitar o fracasso* e depois seguir em frente sem perder o entusiasmo é um indicador de caráter.[19] O oposto da fragilidade, conforme discutimos neste capítulo, é a aceitação do fracasso. Quando as crianças estão seguras de que seus pais a aceitam incondicionalmente, elas podem encontrar coragem para se aventurar e fracassar. Quando as crianças valorizam mais a aprovação dos colegas ou seu próprio autoconceito que a consideração dos pais, elas se tornam incapazes de aceitar o fracasso, isto é, frágeis.

---

19 Aqui estou parafraseando o aforismo: "Sucesso significa passar de um fracasso para o outro sem perder o entusiasmo". Não há consenso sobre a origem dessa máxima. Embora ela seja frequentemente atribuída a Winston Churchill, os estudiosos da vida de Churchill insistem que ele nunca a disse. Ela pode ter se originado com Abraham Lincoln.

PARTE II
As soluções

6
O que importa?

Qual dos itens a seguir, medido quando uma criança tem onze anos de idade, melhor prevê felicidade e satisfação geral com a vida cerca de vinte anos mais tarde, quando essa criança já for um adulto de trinta e um ou trinta e dois anos?

      a) QI
      b) Média de notas
      c) Autocontrole
      d) Abertura para novas ideias
      e) Simpatia

A resposta correta é "c": autocontrole.

Até recentemente, a resposta a essa pergunta era uma questão de opinião ou de adivinhação. Durante a maior parte do século XX, o estudo científico a longo prazo destes fatores esteve atolado em confusão. Um dos motivos desta confusão é a grande variedade de traços presentes na personalidade humana. As pessoas podem ser alegres ou tristonhas, generosas ou mesquinhas, prudentes ou descuidadas, sinceras ou desonestas, rudes ou educadas, curiosas ou indiferentes, intensamente motivadas ou vagarosas, sensatas ou tolas. Os psicólogos levaram a maior parte do século XX para descobrir que a personalidade humana pode ser mapeada em um gráfico de cinco dimensões. Essas cinco dimensões são separadas da inteligência, que é melhor entendida como um fator que influencia a personalidade, mas não é parte intrínseca dela.[1] Em outras palavras, os psicólogos atuais nos dizem que sua personalidade é independente de sua inteligência, assim como é independente de sua altura ou de sua força física.

As cinco dimensões da personalidade são: conscienciosidade, abertura, extroversão, docilidade e estabilidade emocional.[2] Cada uma dessas dimensões tem vários traços subordinados. Por exemplo, alguns dos traços associados à conscienciosidade incluem autocontrole, honestidade e perseverança. A associação não é absoluta. É possível encontrar pessoas que demonstram autocontrole e honestidade, mas não conseguem perseverar, para dar um exemplo. No entanto, esse modelo da personalidade humana composto por cinco fatores abriu uma nova era na pesquisa psicológica quantitativa. Desde então, tornou-se bastante fácil para um pesquisador moderno procurar correlações entre traços de personalidade e resultados e separar esses resultados de outros fatores, como QI, renda familiar, raça e etnia.

Quando essas correlações são estudadas longitudinalmente, ao longo de anos e décadas — quando consideramos como uma característica possuída por uma criança aos dez anos de idade em 1980 prevê a saúde e a prosperidade desse indivíduo aos trinta e oito anos de idade em 2008 —, então podemos começar a avançar

---

[1] Uma ilustração especialmente pungente desse princípio — de que a inteligência é distinta da personalidade — vem dos relatos de pessoas que estão lutando contra o mal de Alzheimer. À medida que a inteligência diminui e a função cognitiva se esvai, o núcleo da personalidade pode permanecer intacto quase até o fim. A jornalista Robin Marantz Henig descreve essa interação entre a falecida professora Sandy Bem e seu marido, Daryl, quando a Doutora Bem estava em declínio devido ao Alzheimer. "Ainda me sinto como se fosse eu", disse a ele em um passeio. "Você concorda?". Ele concordou, mais ou menos. Na verdade, ele ficou surpreso com o quanto Sandy ainda conseguia ser a mesma, mesmo quando ela se tornava cada vez menos a formidável pensadora que ele sempre conhecera. Ele também ficou surpreso ao descobrir que isso não importava para ele. "Percebi que o fato de ela ser uma intelectual tinha pouca importância para os meus sentimentos por ela", disse ele. "Eram sentimentos por *ela*, não por sua inteligência. E eles ainda estavam todos lá" (Robin Marantz Henig, "The Last Day of Her Life" [O último dia da vida dela], em *New York Times*, 14 de maio de 2015. Disponível em: www.nytimes.com/2015/05/17/magazine/the-last-day-of-her-life.html).

[2] Para mim, a mais útil exposição da teoria dos cinco grandes fatores da personalidade começa com a história da teoria, mostrando como ela evoluiu da década de 60 até a década de 90 como resultado do trabalho independente e colaborativo de muitos pesquisadores. Essa história é contada por Oliver John e seus colegas Laura Naumann e Christopher Soto, "Paradigm shift to the integrative Big Five trait taxonomy: History, measurement, and conceptual issues" [Mudança de paradigma para a taxonomia integrativa dos cinco grandes traços: história, medição e questões conceituais], em *Handbook of Personality: Theory and Research*, editado por Oliver John e colegas. Nova York: Guilford Press, 2008, 3ª ed.

da correlação estatística para a inferência causal. Podemos começar a dizer, com alguma confiança, *o que importa*. Podemos começar a responder à pergunta: "O que deveríamos fazer como pais para aumentar a probabilidade de que nossos filhos se saiam bem?".

Em um estudo, os pesquisadores analisaram americanos de uma ampla variedade de origens em todo o país: ricos e de baixa renda, urbanos e rurais, brancos e negros, asiáticos e hispânicos. Eles registraram quanto dinheiro cada pessoa havia ganhado no ano anterior, o quanto estavam felizes, seu patrimônio em geral e o quanto estavam satisfeitos com suas vidas. Os pesquisadores correlacionaram esses resultados com os cinco grandes fatores listados acima e separadamente com a inteligência. Não surpreende que eles tenham confirmado o fato de que a inteligência prevê tanto o patrimônio quanto a prosperidade: as pessoas mais inteligentes ganham mais dinheiro e têm um patrimônio líquido maior, em média, em comparação com pessoas de inteligência abaixo da média. Mas a inteligência não prevê felicidade ou infelicidade. Pessoas inteligentes não são mais felizes ou infelizes, em média, em comparação com pessoas menos inteligentes. A inteligência também não prevê a satisfação com a vida. Pessoas mais inteligentes podem ter mais dinheiro em comparação com pessoas menos inteligentes, em média, mas não estão mais satisfeitas com suas vidas em geral.

Você pode se perguntar se *algum* dos cinco grandes traços é capaz de indicar previamente felicidade, prosperidade *e* satisfação com a vida. Apenas um deles faz isso: a conscienciosidade. As pessoas mais conscienciosas ganham e economizam mais dinheiro, e esse resultado se mantém mesmo depois que os pesquisadores levam em conta a inteligência, a raça, a etnia e o grau de instrução. Os indivíduos mais conscienciosos também são significativamente mais felizes do que os menos conscienciosos, e estão substancialmente mais satisfeitos com suas vidas.[3] Outros estudos demonstraram

---

3 Angela Duckworth e colegas, "Who does well in life? Conscientious adults excel in both objective and subjective success" [Quem se dá bem na vida? Adultos conscienciosos se destacam tanto no sucesso objetivo quanto no subjetivo], em *Frontiers in Psychology*, setembro de 2012, vol. III, art. 356. Disponível em: http://journal.frontiersin.org/Journal/10.3389/fpsyg.2012.00356/full

que a conscienciosidade prevê uma saúde melhor e uma vida mais longa.[4] As pessoas mais conscienciosas têm menor probabilidade de se tornarem obesas.[5] Têm menor probabilidade de desenvolver o mal de Alzheimer.[6] É mais provável que tenham uma vida mais longa e mais feliz[7] e, conforme observado acima, é mais prová-

---

4 Ver, por exemplo, Margaret Kern e Howard Friedman, "Do Conscientious individuals live longer? A quantitative review" [Os indivíduos conscienciosos vivem mais? Uma revisão quantitativa], em *Health Psychology*, 2008, vol. XXVII, pp. 505–512. Veja também Tim Bogg e Brent Roberts, "The case for Conscientiousness: Evidence and implications for a personality trait marker of health and longevity" [Defesa da conscienciosidade: evidências e implicações para um traços de personalidade que indica saúde e longevidade], em *Annals of Behavioral Medicine*, 2013, vol. XLV, pp. 278–288. Especificamente com relação à descoberta de que a conscienciosidade na infância, medida aos dez anos de idade, prevê um risco menor de obesidade aos cinquenta e um anos, ver Sarah Hampson e colegas, "Childhood Conscientiousness relates to objectively measured adult physical health four decades later" [A conscienciosidade infantil está relacionada à saúde física adulta medida objetivamente quatro décadas depois], em *Health Psychology*, 2013, vol. XXXII, pp. 925–928.

5 Ver Helen Cheng e Adrian Furnham, "Personality traits, education, physical exercise, and childhood neurological function as independent predictors of adult obesity" [Traços de personalidade, educação, exercício físico e função neurológica infantil como preditores independentes de obesidade na vida adulta], em PLOS *One*, 8 de novembro de 2013. Disponível em: http://journals.plos.org/plosone/article?id=10.1371/journal.pone.0079586. O resumo desse artigo é confuso: ele diz que a conscienciosidade foi "significativamente associada à obesidade na vida adulta". Isso é verdade, mas a correlação foi *negativa*: quanto mais consciensciosa era a criança, menor era a probabilidade de ela se tornar obesa quando adulta. Ver também Hampson e colegas, op. cit.

6 Ver Robert Wilson e colegas, "Conscientiousness and the incidence of Alzheimer disease and mild cognitive impairment" [Conscienciosidade e incidência da doença de Alzheimer e comprometimento cognitivo leve], em *Archives of General Psychiatry*, 2007, vol. LXIV, pp. 1204–1212, 2007. Ver também Paul Duberstein, "Personality and risk for Alzheimer's disease in adults 72 years of age and older" [Personalidade e risco para doença de Alzheimer em adultos com setenta e dois anos ou mais], em *Psychology and Aging*, 2011, vol. XXVI, pp. 351–362.

7 Bogg e Roberts, "The case for Conscientiousness". Ver também Terrie Moffitt, Richie Poulton e Avshalom Caspi, "Lifelong impact of early self-control: Childhood self-discipline predicts adult quality of life" [Impacto ao longo da vida do autocontrole precoce: a autodisciplina infantil prediz a qualidade de vida dos adultos], em *American Scientist*, 2013, vol. CI, pp. 352–359. Ver também Jose Causadias, Jessica Salvatore e Alan Sroufe, "Early patterns of self-regulation as risk and promotive factors in development: A longitudinal study from childhood to adulthood in a highrisk sample" [Padrões iniciais de autorregulação como fatores de risco e promotores do desenvolvimento: um estudo longitudinal da infância à idade adulta em uma amostra de alto risco], em *International Journal of Behavioral Development*, 2012, vol. XXXVI, pp. 293–302. Disponível em: www.ncbi.nlm.nih.gov/pmc/articles/PMC3496279. Em um estudo cuidadoso de dados de sete estudos de amostra diferentes — do Reino Unido, Alemanha, Austrália e Estados Unidos —, os pesquisadores descobriram que, após o ajuste para cuidados com a saúde, estado civil, idade, sexo e etnia, *somente* a conscienciosidade, e nenhum outro traço de personalidade dos cinco grandes, previa uma vida mais longa. Ver Markus Jokela e colegas, "Personality and all-cause mortality: Individual-participant meta-analysis of 3,947 deaths in 76,150 adults" [Personalidade e mortalidade por todas as causas: meta-análise individual-participante de 3.947 mortes em 76.150 adultos], em *American Journal of Epidemiology*, 2013, vol. CLXXVIII, pp. 667–675.

vel que estejam satisfeitas com suas vidas.⁸ Os adolescentes mais conscienciosos têm menor probabilidade de usar drogas ou álcool ou de se envolver em comportamentos sexuais de risco.⁹ Embora seja verdade que os indivíduos mais conscienciosos tenham, em média, um nível socioeconômico mais alto em comparação com os menos conscienciosos, o benefício da conscienciosidade em relação à saúde não pode ser atribuído ao *status* socioeconômico por dois motivos: primeiro, os pesquisadores de todos esses estudos levaram em conta o nível socioeconômico como fator de controle; segundo, a magnitude do benefício da conscienciosidade para a saúde equivale a mais de três vezes a do benefício associado ao *status* socioeconômico.¹⁰ Nenhuma outra característica humana consegue esse feito. Nenhuma outra característica humana indica prosperidade, saúde *e* felicidade futuras tão significativamente maiores entre aqueles que a possuem se comparados àqueles que não a possuem.

De certa forma, essa percepção não é nova. Há quase trezentos anos, em 1735, Benjamin Franklin escreveu: "Deitar cedo e levantar cedo [são hábitos que] tornam o homem saudável, abastado e sábio". Ir para a cama cedo, abstendo-se deliberadamente das tentações da noite, e levantar-se cedo, resistindo à tentação de dormir até tarde, são boas medidas de *autocontrole*, e o autocontrole é a característica mais emblemática da conscienciosidade. Podemos

---

8   Em "Who does well in life?" [Quem se sai bem na vida?], Duckworth e colegas descobriram que, embora a conscienciosidade esteja positivamente associada à satisfação com a vida, a estabilidade emocional e a extroversão estão mais fortemente associadas à satisfação com a vida. No entanto, a estabilidade emocional não tem associação, positiva ou negativa, com a prosperidade, enquanto a conscienciosidade está positivamente associada à prosperidade. A extroversão demonstra uma associação pequena a média com o patrimônio, mas nenhuma associação com a renda e nenhuma associação positiva com a saúde. A conscienciosidade está positivamente associada ao patrimônio, à renda e à saúde, bem como à satisfação com a vida.

9   Silvia Mendolia e Ian Walker, "The effect of non-cognitive traits on health behaviours in adolescence" [O efeito dos traços não cognitivos nos cuidados com a saúde na adolescência], em *Health Economics*, 2014, vol. XXIII, pp. 1146–1158.

10 Brent Roberts e colegas, "The power of personality: The comparative validity of personality traits, socioeconomic status, and cognitive ability for predicting important life outcomes" [O poder da personalidade: a validade comparativa dos traços de personalidade, *status* socioeconômico e capacidade cognitiva para prever resultados importantes na vida], em *Perspectives on Psychological Science*, 2007, vol. II, pp. 313–345.

atualizar a máxima de Franklin para a linguagem do século XXI da seguinte forma: "Exercer o autocontrole sobre quando você vai dormir e quando irá acordar está associado a uma saúde melhor, maior prosperidade e maior desempenho acadêmico." E essa é uma afirmação verdadeira, embora eu conceda que a versão de Franklin soa melhor.[11]

Quando pergunto aos pais se seus filhos estão no caminho certo, muitos respondem mencionando algo sobre notas e/ou resultados de provas. Os pais geralmente presumem que se o filho estiver acima da média, segundo esses indicadores, ele tem uma chance acima da média de alcançar felicidade e sucesso. Por outro lado, se o filho está abaixo da média em termos de desempenho acadêmico, muitos pais procuram freneticamente uma explicação e uma cura; talvez um medicamento para o transtorno de déficit de atenção e hiperatividade ou alguma outra solução.

Em suma, muitos pais passaram a presumir que boas notas e resultados acadêmicos são as melhores medidas de desempenho e a chave mais confiável para a felicidade futura. Mas eles estão enganados. Se você quer que seu filho seja saudável, abastado *e* sábio, então você não deve priorizar as métricas de desempenho cognitivo, como notas altas ou resultados em provas, mas as de conscienciosidade, como honestidade, integridade e autocontrole.

* * *

Examinemos os dados mais de perto, pois essas descobertas são muito impressionantes e importantes. Vamos começar com drogas e álcool. É possível mensurar a dependência de drogas e álcool na idade adulta. Se Ted esteve na reabilitação três vezes, e Ted lhe diz que ainda está lutando contra o vício, e os amigos de Ted concordam que ele está lutando, podemos dizer que Ted tem um problema.

---

11 A versão de Franklin é rimada e metrificada: "Early to bed, early to rise, makes a man healthy, wealthy, and wise" — NT.

As notas e os resultados dos testes aos onze anos de idade não preveem com precisão se um indivíduo se tornará alcoólatra ou viciado em drogas. O melhor indicador de que seu filho de onze anos terá ou não problemas com drogas ou álcool no futuro é a conscienciosidade, e a melhor medida de conscienciosidade é o *autocontrole*. Pesquisadores descobriram que as crianças que obtiveram altas pontuações em medidas de autocontrole aos onze anos de idade tinham muito menos probabilidade de relatar problemas com abuso de substâncias aos trinta e dois de idade — e seus amigos fizeram relatos que confirmaram as mesmas descobertas. Mas as crianças que obtiveram baixa pontuação em medidas de autocontrole aos onze anos de idade tinham muito mais probabilidade de ter problemas com abuso de substâncias duas décadas depois, aos trinta e dois anos.[12]

Mais uma vez, alguns pais rejeitam essa pesquisa quando lhes falo sobre ela. Se um filho é um excelente aluno ou artista, um verdadeiro prodígio, esses pais geralmente presumem que os dons de seu filho o protegerão da dependência de drogas. É nesse momento que percebo que histórias específicas de pessoas reais são úteis. Às vezes menciono Jim Morrison, vocalista da banda The Doors. Morrison foi um aluno excepcional, cuja profundidade e amplitude de sua erudição impressionavam os seus professores do ensino médio. E os dons artísticos de Morrison como compositor e músico são indiscutíveis. Morrison morreu em 1971, viciado em heroína, aos vinte e sete anos de idade.[13]

A mesma relação se aplica à saúde física geral. As crianças e adolescentes que obtiveram a pontuação mais baixa em autocontrole aos onze anos de idade tinham maior probabilidade de ter uma saúde física ruim aos trinta e dois de idade. Da mesma forma,

---

12 Essas descobertas foram extraídas de Terrie Moffitt e colegas, "A gradient of childhood self-control predicts health, wealth, and public safety" [Um gradiente de autocontrole infantil prediz saúde, prosperidade e segurança pública], em *Proceedings of the National Academy of Sciences*, 2011, vol. CVIII, pp. 2693–2698.

13 Infelizmente, ainda não temos uma biografia acadêmica e abrangente de Jim Morrison. A mais próxima é a biografia de James Riordan e Jerry Prochnicky, *Break on Through: The Life and Death of Jim Morrison*. Nova York: William Morrow, 2006.

as crianças que obtiveram as maiores pontuações em autocontrole aos onze anos de idade tinham menor probabilidade de ter uma saúde física ruim aos trinta e dois.[14]

Vamos falar de dinheiro. Quais fatores, observados aos onze anos de idade, preveem quem estará ganhando mais dinheiro aos trinta e dois? E quem estará em dificuldades financeiras? (A propósito, essas são duas perguntas distintas. O dinheiro que você ganha não indica precisamente se você estará ou não em dificuldades financeiras. Quem ganha US$ 300 mil por ano tem uma probabilidade um pouco menor de estar em dificuldades financeiras em comparação aos que ganham US$ 50 mil por ano, mas apenas um pouco menor. Independentemente da renda, muitas pessoas acham difícil viver dentro de suas possibilidades.) Mais uma vez, o traço de autocontrole medido na infância prevê, com uma precisão impressionante, a prosperidade na vida adulta. Da mesma forma, a falta de autocontrole na infância prevê uma probabilidade maior de dificuldades financeiras quando a criança cresce.

Os dados são claros. As crianças com mais autocontrole aos onze anos de idade tinham as maiores rendas e as melhores pontuações de crédito aos trinta e dois, e eram menos propensas a dificuldades financeiras. Por outro lado, as crianças com menos autocontrole aos onze anos de idade, aos trinta e dois tornaram-se as mais propensas a ter dificuldades financeiras e as menos propensas a ter rendas altas.[15] Os pesquisadores concluíram: "O autocontrole na infância prevê significativamente o sucesso na vida adulta em pessoas de alta ou baixa inteligência, ricas ou pobres, e isso acontece em toda a população, com melhorias expressivas em fatores como saúde, prosperidade e sucesso social para cada nível de autocontrole".[16]

---

14 Moffitt e colegas, op. cit.
15 Essas descobertas são de Moffitt, Poulton e Caspi, op. cit. Os números são da p. 355.
16 Ibid., p. 353.

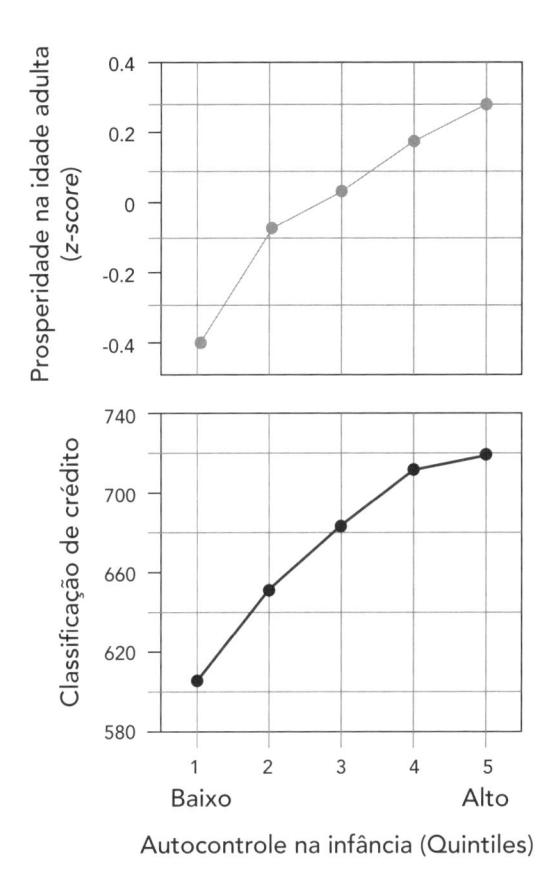

O autocontrole observado na infância prevê a prosperidade e a classificação de crédito da pessoa na idade adulta[17]

Essas informações são extremamente importantes, pois você pode ajudar seu filho a se tornar mais consciencioso: isto é, mais honesto, mais confiável, dotado de mais autocontrole. Há muitas coisas que você não pode mudar. Você não pode mudar a cor dos olhos de seu filho. Você não pode mudar a altura que ele terá. Muitos outros parâmetros que influenciam os resultados de longo prazo nesses estudos, como a renda familiar, também não podem ser facilmente alterados. Da mesma forma, alguns aspectos da personalidade são mais difíceis de mudar do que outros. Mas há

---

17   Fonte: Moffitt e colegas, 2013.

boas evidências de que é possível aumentar a conscienciosidade de seu filho — incluindo a honestidade e o autocontrole dele — em questão de semanas, sem gastar dinheiro.[18]

Como ajudar uma criança de oito anos a desenvolver o autocontrole? Dizendo coisas como: "Nada de sobremesa se você não comer os vegetais".

Como ajudar um adolescente a desenvolver o autocontrole? Dizendo: "Nada de TV, *internet* ou *videogames* até você terminar a lição de casa".

---

18 Para uma pesquisa sobre intervenções para aumentar o autocontrole em crianças pequenas, ver Alex Piquero e colegas, "Self-control interventions for children under age 10 for improving self-control and delinquency and problem behaviors" [Intervenções de autocontrole para crianças menores de dez anos para melhorar o autocontrole, a delinquência e os comportamentos problemáticos], em *Campbell Systematic Reviews*, 2010, n° 2. Piquero e seus colegas aceitam a afirmação de Michael Gottfredson e Travis Hirschi de que as intervenções para aumentar o autocontrole não são eficazes para crianças com mais de dez a doze anos de idade. Eu não aceito essa afirmação. Gottfredson e Hirschi baseiam sua avaliação em sua experiência (anterior a 1990) com delinquentes juvenis adolescentes. Admito que há evidências de que o sistema carcerário não é eficaz para aumentar o autocontrole de adolescentes privados de liberdade; ver, por exemplo, Ojmarrh Mitchell e Doris Mackenzie, "The stability and resiliency of self-control in a sample of incarcerated offenders" [A estabilidade e resiliência do autocontrole em uma amostra de infratores encarcerados], em *Crime and Delinquency*, 2006, vol. LII, pp. 432–449. Mas dados baseados em delinquentes juvenis encarcerados podem não ser válidos para pais como você e eu, supondo que seu filho não tenha sido condenado por um crime. Mais especificamente, vi, em meu trabalho, vários casos em que crianças com mais de dez anos de idade se reformaram e se tornaram mais conscienciosas porque os pais implementaram algumas das estratégias descritas neste livro. Até mesmo intervenções muito simples, como dizer repetidamente a uma criança: "Pare e pense antes de agir!", podem ter consequências benéficas profundas e duradouras, mesmo em crianças que foram diagnosticadas com TDAH; ver, por exemplo, Molly Reid e John Borkowski, "Causal attributions of hyperactive children: Implications for teaching strategies and self-control" [Atributos causais de crianças hiperativas: implicações para estratégias de ensino e autocontrole], em *Journal of Educational Psychology*, 1987, vol. LXXIX, pp. 296–307. As premissas mais gerais aqui são que *a personalidade pode mudar em qualquer idade* e que *o aumento da conscienciosidade é benéfico*. Para as evidências que apoiam essas premissas, ver Christopher Boyce e colegas, "Is personality fixed? Personality changes as much as 'variable' economic factors and more strongly predicts changes to life satisfaction" [A personalidade é fixa? A personalidade muda tanto quanto os fatores econômicos "variáveis" e prevê mais fortemente mudanças na satisfação com a vida], em *Social Indicators Research*, 2013, vol. CXI, pp. 287–305; veja também Brent Roberts e Daniel Mroczek, "Personality trait change in adulthood" [Mudança de traços de personalidade na idade adulta], em *Current Directions in Psychological Science*, 2008, vol. XVII, pp. 31–35; Christopher Magee e colegas, "Personality trait change and life satisfaction in adults: The roles of age and hedonic balance" [Mudança de traços de personalidade e satisfação com a vida em adultos: os papéis da idade e do equilíbrio relativos ao prazer], em *Personality and Individual Differences*, 2013, vol. LV, pp. 694–698. Magee e seus colegas descobriram, sem surpresa, que, quanto mais velho você for, menor a probabilidade de sua personalidade mudar. Não estou afirmando que é fácil para uma pessoa de sessenta e cinco anos se tornar mais conscienciosa. Mas já vi acontecer com jovens de quinze anos.

Em minha própria prática médica, testemunhei pessoalmente crianças evoluírem de impulsivas e descontroladas para crianças com autocontrole — e sem medicação — em questão de semanas. A única exigência é que os pais implementem seriamente um programa simples para desenvolver o autocontrole. Você já sabe como fazer isso. "Guarde seus brinquedos depois de brincar com eles. Não use o celular até fazer as tarefas domésticas".

Vou lhe dar uma dica. Se quiser ser um pai mais respeitado, se for insistir para que seu filho seja sincero e tenha autocontrole, sente-se com ele e diga isso. Toda casa tem regras, a maioria delas implícitas e não ditas. Questões de hábito. Se você for mudar as regras, diga ao seu filho o que está fazendo e por quê. Os pais que anunciam explicitamente: "A partir de hoje, as coisas vão mudar", depois aplicam as novas regras e não se intimidam quando o filho grita: "Você está arruinando a minha vida — eu te odeio!", ficam surpresos com a mudança. Não acontece em um dia, nem em uma semana; mas depois de seis semanas de aplicação firme das regras seu filho se tornará mais dócil e terá mais respeito por você e pelos outros adultos. E a vida de vocês dois será melhor.

A conscienciosidade de seu filho não é genética. Não é determinada no nascimento. É algo que você pode influenciar e mudar.

E a verdade quanto ao autocontrole também se aplica aos outros aspectos principais da conscienciosidade, como honestidade, responsabilidade e diligência. Há uma verdade inescapável: *você deve ensinar pelo exemplo*. Não se pode esperar que seu filho exerça autocontrole se você fica acordado até depois da meia-noite assistindo à TV ou navegando na *internet*. Você não pode esperar que seu filho seja responsável se você não cumpre sua palavra. E você não pode esperar que seu filho seja diligente se você mesmo está sempre buscando a solução mais fácil.

Para se tornar um pai melhor, você precisa se tornar uma pessoa melhor.

***

Vamos dar uma olhada em outro estudo que acompanhou crianças desde o nascimento até a idade adulta. Os pesquisadores registraram todas as crianças nascidas nos hospitais da cidade em abril de 1970 — mais de dezessete mil bebês no total. Em seguida, eles acompanharam esses mais de dezessete mil bebês em intervalos regulares, até 2008, quando atingiram trinta e oito anos de idade.[19] O Doutor James Heckman, ganhador do Prêmio Nobel de Economia da Universidade de Chicago, analisou os dados dessa grande amostra de bebês nascidos em abril de 1970. Ele escreve: "Podemos citar inúmeros casos de pessoas com alto QI que não conseguiram ter sucesso na vida por falta de autodisciplina e pessoas com baixo QI que obtiveram sucesso em virtude da persistência, confiabilidade e autodisciplina".[20] A análise dos dados feita pelo Doutor Heckman o levou a concluir que as notas e os resultados dos testes "são indicadores ineficientes de sucesso na vida, porque medem apenas uma habilidade — a realização *cognitiva* [...]. Dá-se crédito demais às habilidades cognitivas [...]. A força do caráter desempenha um papel fundamental".[21]

* * *

Portanto, um de seus deveres mais essenciais como pai é ensinar a conscienciosidade a seu filho. Vejamos mais de perto como fazer isso. Encontro alguns pais que agem como se seu dever fosse

---

[19] Esse é o estudo de coorte britânico. Para uma visão geral, ver Tyas Prevoo e Bas ter Weel, "The importance of early Conscientiousness for socio-economic outcomes: Evidence from the British Cohort Study" [A importância da consciência precoce para os resultados socioeconômicos: evidências do estudo de coorte britânico], em IZA *Discussion Paper*, 2013, 7537. Institute for the Study of Labor. Disponível em: http://ftp.iza.org/dp7537.pdf.

[20] James J. Heckman e Yona Rubinstein, "The importance of noncognitive skills: Lessons from the GED testing program" [A importância das habilidades não cognitivas: lições do programa de testes GED], em AEA *Papers and Proceedings*, maio de 2001, p. 145. Disponível em: www.econ-pol.unisi.it/bowles/Institutions%20of%20capitalism/heckman%20on%20ged.pdf.

[21] Essas citações foram extraídas do ensaio do Doutor Heckman "Lacking character, American education fails the test" [Por falta de caráter, a educação americana é reprovada]. Disponível em: http://heckmanequation.org/content/resource/lacking-character-american-education-fails-test.

simplesmente ensinar o filho a repetir os clichês de sempre: "Se você não conseguir de primeira, tente outra vez". "Se você se esforçar o suficiente, seu sonho se tornará realidade". Aos seis anos de idade, a maioria das crianças americanas conhece esses *slogans* e consegue dar as respostas certas quando solicitadas. Assim, os pais acham que sua tarefa está concluída.

Mas o trabalho não foi sequer iniciado.

Ensinar a ser consciencioso requer uma abordagem diferente da abordagem para ensinar as crianças a serem inteligentes. Qual é o segredo para criar filhos inteligentes? A professora Carol Dweck, de Stanford, tem um palpite. Eis seu segredo em uma frase: nunca diga a seu filho que ele é inteligente (identidade); em vez disso, elogie-o por trabalhar duro (conduta).[22] Muitos pais que nunca ouviram falar de Carol Dweck, no entanto, já ouviram falar de seu famoso experimento no qual ela distribuiu crianças pequenas aleatoriamente em dois grupos. Cada grupo fez a mesma prova de matemática, que era fácil. A maioria dos alunos obteve uma pontuação perfeita. No primeiro grupo, foi dito às crianças: "Você tirou uma nota perfeita! Você é muito inteligente!" (identidade). No segundo grupo, foi dito aos alunos: "Você tirou uma nota perfeita! Você deve ter *se esforçado muito!*" (comportamento). Em seguida, as crianças de ambos os grupos fizeram uma prova mais difícil. Os alunos do primeiro grupo, que haviam sido elogiados pela inteligência, se saíram mal no teste mais difícil: eles desistiram com muita facilidade. Mas os alunos do segundo grupo, que haviam sido elogiados pelo esforço, se saíram melhor: continuaram trabalhando nos problemas mais difíceis até conseguir resolvê-los.

A Professora Dweck acredita que, se você elogiar as crianças por serem inteligentes, elas desenvolverão uma "mentalidade" de que têm uma certa quantidade de inteligência e que seu QI é fixo. Se, portanto, elas se depararem com um problema que não conseguem

---

22 Carol Dweck, "The secret to raising smart kids" [O segredo para criar filhos inteligentes], em *Scientific American Mind*, 2008, vol. XVIII, pp. 36–43.

resolver, podem pensar: "Não sou inteligente o bastante para fazer isso", e desistir. Em vez disso, a professora recomenda que você elogie as crianças pelo esforço. Ensine a elas que a inteligência não é uma grandeza fixa, mas depende de sua mentalidade. Se você se esforçar mais, poderá ficar mais inteligente.

Em outras palavras, a Professora Dweck diz que você deve apreciar as crianças em razão não de sua identidade (inteligente/não inteligente), mas de seu comportamento (ao esforçar-se/ao desistir). No âmbito da promoção de conquistas cognitivas — motivar as crianças a aprender coisas na escola —, sua opinião é apoiada por boas evidências.[23]

Mas ensinar as virtudes da conscienciosidade pode ser diferente. Certo dia, a escola da minha filha pediu aos alunos que trouxessem um dólar para comprar um lápis especial. A amiga de minha filha se esqueceu de levar seu dólar. Então, minha filha lhe deu o dólar que havia trazido para a escola para comprar o mesmo lápis, pelo que minha filha voltou para casa sem o lápis tão desejado. O que dizer à minha filha: "O que você fez foi muito gentil", ou: "Você é uma pessoa muito gentil"? Isso faz alguma diferença? Se a regra da Professora Dweck se aplica ao campo da virtude, elogiar o comportamento ("o que você fez foi muito gentil") seria uma estratégia melhor do que fazer uma declaração sobre a identidade ("você é uma pessoa muito gentil"). Mas hoje há provas satisfatórias de que, quando se trata de ensinar virtude, a abordagem da Professora Dweck é justamente o caminho errado a seguir.

Quando se trata de ensinar virtude, a identidade parece funcionar melhor do que o comportamento. "Você é uma pessoa muito gentil" funciona melhor do que "o que você fez foi muito gentil". Em um estudo, viu-se que os alunos tinham menos probabilidade de colar quando lhes era dito que os pesquisadores estavam estudando a proporção de *trapaceiros*. A proporção de alunos

---

[23] Você pode ler a descrição da Doutora Dweck sobre seu estudo clássico e muitos outros estudos semelhantes em seu livro *Mindset: The New Psychology of Success* [Mentalidade: a nova psicologia do sucesso]. Nova York: Ballantine, 2007.

que colavam mais que dobrou quando os pesquisadores disseram que estavam estudando a prevalência de *trapaças*.[24] A escolha de palavras importa. Dizer: "Não seja um trapaceiro" (identidade) é uma instrução mais eficaz do que dizer: "Não trapaceie na prova" (comportamento).[25] Aparentemente, as crianças sentem-se mais à vontade para trapacear se não se virem como trapaceiros. Da mesma forma, os pesquisadores descobriram recentemente que as crianças pequenas têm maior probabilidade de ajudar em um projeto se forem incentivadas a "ser prestativas" em vez de simplesmente alguém lhes "pedir ajuda".[26]

Em um estudo recente com estudantes americanos do ensino médio, mais de 60% admitiram ter trapaceado, colando, na lição de casa ou em provas no ano anterior. No mesmo estudo, mais de 80% desses alunos disseram que seu nível pessoal de ética estava "acima da média".[27] Na mente de muitos estudantes americanos, o comportamento ético não exige mais "não trapacear nos testes". Eles não se veem como "trapaceiros", mesmo que, de fato, tenham trapaceado. Veem-se como bons garotos que às vezes trapaceiam. Mas não são trapaceiros.

Na realidade, o comportamento influencia a identidade e, por fim, torna-se a identidade. Se você trapaceia repetidamente você é — ou logo se tornará — um trapaceiro. Suas ações, com o tempo,

---

24 Christopher Bryan, Gabrielle Adams e Benoit Monin, "When cheating would make you a cheater: Implicating the self prevents unethical behavior" [Quando trapacear faria de você um trapaceiro: incriminar a si mesmo evita comportamento antiético], em *Journal of Experimental Psychology*, 2013, vol. CXLII, pp. 1001–1005.

25 Muitos dos pontos desta seção foram apresentados por Adam Grant em seu ensaio "Raising a moral child" [Criando uma criança moral], em *New York Times*, 13 de abril de 2014. Disponível em: www.nytimes.com/2014/04/12/opinion/sunday/raising-a-moral-child.html.

26 Christopher Bryan, estudo não publicado com crianças de três a seis anos, citado em Grant, op. cit.

27 Encontrei essa estatística pela primeira vez no artigo de Richard Pérez-Peña, "Studies find more students cheating, with high achievers no exception" [Estudos revelam que mais estudantes estão colando, e os que tiram melhores notas não são exceção], em *New York Times*, 7 de setembro de 2012. Disponível em: www.nytimes.com/2012/09/08/education/studies-show-more-students-cheat-even-high-achievers.html? O Senhor Pérez-Peña cita uma pesquisa com quarenta mil jovens americanos realizada pelo Josephson Institute, disponível *online* em "The Ethics of American Youth: 2010", em *Character Counts!*, 10 de fevereiro de 2011. Disponível em: http://charactercounts.org/programs/reportcard/2010/installment02_report-card_honesty-integrity.html.

mudarão seu caráter. Os pais costumavam ensinar esses fundamentos morais, mas muitos deixaram de fazer isso.

A trapaça não é algo novo. Mas antes de 1990, aproximadamente, as crianças mais propensas a trapacear nas provas ou nos deveres de casa não eram as que apresentavam alto desempenho acadêmico. Hoje em dia, isso mudou: em comparação com os alunos que estão em posição inferior no totem acadêmico, a nata da cultura acadêmica tem uma probabilidade igual, e possivelmente *maior*, de trapacear.[28] De acordo com Howard Gardner, professor de Harvard que estuda a integridade acadêmica desde o início dos anos 90, nas últimas duas décadas "a musculatura ética se atrofiou". A atitude que ele vê atualmente nas universidades mais seletivas — que não via há vinte anos — é: "Queremos ser famosos e bem-sucedidos, achamos que nossos colegas estão agindo com malandragem e não aceitamos perder para eles".[29]

Em defesa dos adolescentes americanos de hoje: eles estão imersos em uma cultura popular que prega que o autocontrole é o único pecado remanescente em um mundo que, de outra forma, foi lavado da culpa e da responsabilidade. "Just Do It" [Apenas faça] e "Go For It" [Vai que é tua] definem a cultura popular americana do século XXI. Exercitar o autocontrole na cultura adolescente de hoje é totalmente antiamericano.

A Pepsi lançou recentemente uma nova campanha de *marketing*, "Live for now" [Viva para o agora]. Tirei fotos de enormes *outdoors* em várias cidades americanas com imagens enormes de Beyoncé promovendo o *slogan* "viva o agora". Às vezes, compartilho essas fotos quando falo com os pais sobre a cultura americana contemporânea. Acho que a Pepsi captou com precisão o sentido do que as crianças e os adolescentes dos Estados Unidos percebem hoje como positivo.

Não estou culpando a Pepsi. Não vejo a campanha de *marketing* da Pepsi como *a causa* dessa desintegração, mas como um *sintoma*

---

28 Pérez-Peña, op. cit.
29 Citado em ibid.

da desintegração. A *causa* é o colapso da paternidade americana. E a Pepsi não tem culpa disso.

***

Anteriormente, apresentei a vocês Bill Phillips, pai de quatro filhos (lembram-se do bafômetro?). Andrew é o mais velho, e também um dos atletas mais talentosos que já conheci em mais de duas décadas de prática médica. Ele é musculoso, mas também é rápido e ágil. No início do verão após o décimo ano, Andrew participou de um acampamento de futebol de uma semana na Universidade de Maryland. No final do acampamento, o técnico principal do time de futebol americano de Maryland destacou Andrew como o jogador mais notável do acampamento. O técnico Ralph Friedgen anunciou publicamente que ofereceria a Andrew uma bolsa de estudos integral para jogar futebol americano em Maryland assim que ele alcançasse a idade definida pelas regras da NCAA. "Quero que você venha jogar conosco. Quero que seja um Terrapin", disse o técnico a Andrew.

Andrew me disse que estava voando alto naquele momento. Quando você ainda tem dois anos de ensino médio pela frente e o técnico principal de um time de futebol americano da Primeira Divisão da NCAA comenta o quanto você é bom, pode comemorar.

Quando Bill Phillips chegou para buscar seu filho e soube do novo *status* de celebridade de Andrew, fez um anúncio inesperado. "Acho que não mencionei isso a você, mas você irá para o Maine na próxima semana. Seu trabalho pelo resto do verão será em um barco de pesca". Bill não perguntou ao filho: "O que você acha de trabalhar em um barco de pesca neste verão?". Ele simplesmente disse a Andrew que isso aconteceria.

E com certeza, uma semana depois, Andrew estava em Portland, Maine, limpando tripas de peixe do convés de um velho barco de pesca (o pai de Andrew era dono de uma empresa de pesca). O colega de Andrew neste trabalho era um criminoso condenado que acabava de ser libertado da prisão depois de cumprir uma sentença de quinze anos por vender drogas. "Ele era mexicano e havia se batizado como cristão evangélico enquanto estava na penitenciária", contou Andrew. "Então, lá estava eu no convés desse barco em ruínas, ouvindo esse ex-presidiário mexicano me contar sobre como vendia drogas pesadas, como foi preso e como encontrou Jesus. Definitivamente, não era o tipo de pessoa que eu conheceria no ensino médio". Andrew cursou o ensino médio em uma escola particular de elite em Maryland.

Bill Phillips não ficou pregando sobre a conscienciosidade e as virtudes do trabalho árduo. Ele não disse nada. Ele simplesmente pôs o filho num trabalho difícil de verão. Andrew aprendeu bem a lição. Na época, porém, não ficou feliz. "Eu me senti um pouco ressentido. Outros caras estavam tendo todo tipo de aventura divertida ou acampando, e eu estava em um barco idiota limpando tripas de peixe no convés. Mas agora entendo por que meu pai me obrigou a fazer isso: para me dar um gostinho do mundo real e me mostrar como as outras pessoas vivem".

É assim que se ensina a virtude do trabalho árduo. É assim também que se ensina empatia — e não perguntando: "Como você se sentiria se estivesse em tal situação?", mas fazendo com que o adolescente passe um verão ao lado de uma pessoa de origem diferente, ouvindo suas histórias.

Não se ensina a virtude pregando a virtude. Você ensina a virtude exigindo um comportamento virtuoso, de modo que esse comportamento se torne um hábito.

Há uma noção predominante entre os pais americanos de que as crianças precisam ser convencidas ou persuadidas de que uma ação é correta antes de serem solicitadas a realizá-la. Se você quer que os filhos ajam de forma virtuosa, de acordo com essa suposição, você deve primeiro persuadir seu filho da importância do comportamento virtuoso. Isso parece lógico. Pode até fazer sentido, em algumas circunstâncias, se estivermos falando de adultos.

Porém, mesmo para os adultos, há fortes evidências de que a seta da causalidade aponta na outra direção. Comportar-se de forma virtuosa leva as pessoas a se tornarem mais virtuosas, como regra geral. Novamente, essa percepção não é nova. Há mais de um século, o psicólogo americano William James observou:

> O senso comum diz que, se perdemos nossa fortuna, lamentamos e choramos; se encontramos um urso, ficamos com medo e corremos; se somos insultados por um rival, ficamos com raiva e atacamos [...]. [Mas] essa sequência está incorreta [...]. A afirmação mais racional é que sentimos tristeza porque choramos, raiva porque atacamos, medo porque tremermos, e não que choramos, atacamos ou tremermos porque sentimos pena, raiva ou medo, conforme o caso.[30]

Há uma tradição de dois mil anos no mesmo sentido com relação à virtude. Se você *obrigar* as crianças a *agirem* de forma mais virtuosa, elas de fato *se tornarão* mais virtuosas. No livro bíblico de Provérbios, que, segundo os estudiosos, foi escrito há mais de dois mil e quinhentos anos, lemos: "Ensina à criança o caminho que ela deve seguir; mesmo quando envelhecer, dele não há de se afastar".[31] Em outras palavras, se você obrigar uma criança a se comportar de forma virtuosa, quando ela for adulta, continuará a se comportar de forma virtuosa.

O que as pesquisas têm a dizer sobre essa abordagem?

Acho que um resumo justo da pesquisa empírica diria que o Livro de Provérbios é otimista demais. Uma conclusão mais precisa seria: "Ensina à criança o caminho que ela deve seguir; mesmo quando envelhecer, você terá *aumentado as chances* de ela continuar nele". Não há garantias. Mas as pesquisas sugerem fortemente que, se você incutir hábitos de bom comportamento e autocontrole em seu filho ou filha durante a infância e a adolescência, terá aumentado as chances de que ele ou ela continue a agir

---

30 William James, *Principles of Psychology* [Princípios de psicologia]. Notre Dame: University of Notre Dame Press, originalmente publicado em 1892, republicado em 1985, vol. II, pp. 449–450.

31 Pr 22, 6. Nova Versão King James no original e nesta edição citado a partir da Bíblia Ave Maria. Para uma introdução aos estudos acadêmicos sobre a origem do Livro de Provérbios, ver *The Wisdom Books: Job, Proverbs, and Ecclesiastes* [Os Livros Sapienciais: Jó, Provérbios e Eclesiastes]. Nova York: W. W. Norton, 2011, pp. 183–192.

corretamente depois de sair de casa.[32] Por outro lado, se você adere à noção americana do século XXI de que os pais devem deixar os filhos livres para fazer o que quiserem, e seu filho passa horas por noite se masturbando com pornografia (o que se tornou muito comum entre os meninos americanos)[33] e sua filha editando *selfies* para o Instagram e/ou enviando mensagens de texto — então não são boas as chances de que, quando chegarem à faculdade, eles digam: "Vejam, meus colegas estão passando muito tempo em *sites* de redes sociais e jogando, mas, mesmo assim, vou virar uma nova página e me tornar uma pessoa mais virtuosa". As chances são pequenas.

A tradição ocidental na educação dos filhos é inculcar hábitos virtuosos nas crianças. Mais uma vez, isso vem de longa data. Na *Ética a Nicômaco*, Aristóteles escreveu que uma pessoa se torna virtuosa ao praticar atos virtuosos. O comportamento se torna identidade. O historiador Will Durant, comentando sobre Aristóteles, observou: "Nós somos o que fazemos repetidamente. A excelência, portanto, não é um ato, mas um hábito".[34]

A tradição ocidental começa não apenas com os gregos e os romanos, mas também com o judaísmo. Por essa razão, pedirei sua permissão para citar mais uma vez a Bíblia hebraica, desta vez o Livro do Deuteronômio. Deus acabou de dar os mandamentos no Monte Sinai, e o texto diz: "V'shinantam l'vanecha". Essas duas palavras hebraicas geralmente são traduzidas como: "Tu as

---

32 A pesquisa em que estou pensando aqui inclui os estudos de coorte citados anteriormente neste capítulo, mostrando que o aumento do autocontrole na infância prevê melhores resultados na idade adulta. Ver, por exemplo, Moffitt e colegas, "A gradient of childhood self-control predicts health, wealth, and public safety".

33 Ver, por exemplo, Eric Owens e colegas, "The impact of Internet pornography on adolescents: A review of the research" [O impacto da pornografia na Internet em adolescentes: uma revisão da pesquisa], em *Sexual Addiction and Compulsivity*, 2012, vol. XIX, pp. 99-122. Para uma perspectiva sagaz sobre como a normalização da pornografia está mudando as experiências vividas por meninas e meninos adolescentes americanos, ver Nancy Jo Sales, "Friends without benefits" [Amizade em preto e branco], em *Vanity Fair*, setembro de 2013. Disponível em: www.vanityfair.com/culture/2013/09/social-media-internet-porn-teenage-girls.

34 Will Durant, *The Story of Philosophy: The Lives and Opinions of the World's Greatest Philosophers* [História da filosofia: as vidas e opiniões dos maiores filósofos do mundo]. Nova York: Pocket Books, 1991, reimpressão, p. 98.

ensinarás a teus filhos" ou algo parecido. Mas não é isso que o hebraico diz. Diz assim: "Inscreva-as em teus filhos".

O verbo "shanan", que estou traduzindo como "inscrever", também poderia ser traduzido como "inculcar" — significa literalmente talhar com uma faca.[35] "Ensinar" é uma expressão água com açúcar.

Não estou pregando ou fazendo proselitismo aqui. Não sou um missionário. Sou um médico de família tentando entender as coisas que tenho visto no consultório e em todo o país e por que não as via há vinte e cinco anos, quando comecei a clinicar.

Você ensina a virtude exigindo que as crianças tenham um comportamento virtuoso. Em outras palavras, você pede que elas finjam que são virtuosas antes de realmente serem. Como observa o psicólogo Adam Grant, "as pessoas geralmente acreditam que o caráter causa a ação, mas quando se trata de produzir crianças morais, precisamos lembrar que a ação também molda o caráter".[36]

Como já enfatizei, essa não é uma ideia nova. Aristóteles escreveu sobre isso há mais de dois mil anos. Em meados do século XX, o escritor britânico C. S. Lewis expressa mesma ideia da seguinte forma:

> Fingir leva a ser. Quando não estamos nos sentindo particularmente amigáveis, mas sabemos que deveríamos, a melhor coisa que podemos fazer, muitas vezes, é fingir uma atitude amigável e nos comportarmos como se fôssemos uma pessoa mais agradável do que realmente somos. E, em poucos minutos, como todos nós já percebemos, você se sentirá realmente mais amigável do que antes. Muitas vezes, a única maneira de se obter uma qualidade na vida real é começar a se comportar como se já a tivesse.[37]

---

35 Ver, por exemplo, Dov Peretz Elkins, *The Bible's Top Fifty Ideas: The Essential Concepts Everyone Should Know* [As cinquenta melhores ideias da Bíblia: os conceitos essenciais que todos deveriam conhecer]. Nova York: SPI Books, 2006, p. 229.

36 Grant, op. cit.

37 C. S. Lewis, *Mere Christianity* [Mero cristianismo]. São Francisco: Harper San Francisco, 2009, l. IV, cap. VII ("Let's Pretend"), p. 188.

Muitas vezes, a única maneira de se obter uma qualidade na vida real é começar a se comportar como se já a tivesse. Lewis escreveu essas palavras há mais de meio século. Elas expressam uma sabedoria que na época pertencia ao senso comum, mas foi esquecida.

O modo como você age influencia o tipo de pessoa que você é e o tipo de pessoa que está se tornando. Se agirmos de forma virtuosa de maneira consistente e por tempo suficiente, nos tornaremos mais virtuosos. Mas esse processo também funciona no sentido inverso. William Deresiewicz entrevistou graduados de universidades americanas de elite que tinham pouca noção do que queriam fazer de suas vidas. Alguns deles decidiram trabalhar em um banco de investimentos de Wall Street ou em uma consultoria de gestão. Se você não sabe qual é sua paixão ou o que realmente quer fazer, eles disseram, então "é melhor ir para Wall Street e ganhar muito dinheiro, já que não consegue pensar em nada melhor".[38] E já ouvi comentários semelhantes de jovens formados em faculdades e universidades seletivas. Ninguém nunca lhes ensinou que *o que você faz influencia o tipo de pessoa que você se tornará*. Depois de um ou dois anos na cultura de Wall Street, trabalhando duro para empresas que só pensam em ganhar dinheiro, muitos desses jovens absorverão essa cultura, que, afinal, está bem alinhada com a cultura popular americana: "Obtenha tanto quanto puder". Essas atitudes, uma vez formadas, são difíceis de mudar e provavelmente influenciarão as escolhas de um jovem muito depois de ele ter deixado Wall Street.

No capítulo 2, quando estávamos discutindo o programa de merenda escolar, mencionei que não é razoável esperar que o simples fato *de oferecer* às crianças opções mais saudáveis fará com que elas *façam* escolhas mais saudáveis de forma consistente e confiável. Agora você pode ver essa ideia em um contexto mais amplo. A suposição do século XXI — implícita em muitos aspectos de nossa

---

38 William Deresiewicz, *Excellent Sheep: The Miseducation of the American Elite and the Way to a Meaningful Life* [Excelentes ovelhas: a má educação da elite americana e o caminho para uma vida dotada de sentido]. Nova York: Free Press, 2014.

sociedade, como o Programa Nacional de Merenda Escolar — é que, se você der às crianças uma opção entre o certo e o errado e mostrar a elas por que devem fazer a escolha certa, então essa será a escolha que elas farão. Essa suposição não se baseia em evidências. Ela se baseia em uma suposição do século XXI sobre a natureza humana.

As evidências sugerem que é improvável que essa abordagem funcione de forma consistente. Uma abordagem mais confiável e eficaz pode ser *exigir que* as crianças comam os alimentos mais saudáveis durante anos, para inculcar hábitos saudáveis e, ao mesmo tempo, educá-las sobre as virtudes da alimentação saudável. No entanto, apenas esperar que as crianças comam alimentos que não são sua primeira opção provavelmente não será eficaz em uma cultura em que as crianças acreditam que seus próprios desejos devem vir em primeiro lugar.

***

Jennifer Finney Boylan, colaboradora regular do *New York Times*, publicou recentemente uma coluna em que faz uma pergunta: "Para que serve a escola? O que significa, de fato, 'ser educado'? O que isso deveria significar?". Boylan apresenta dois ideais contrastantes, um antigo e outro novo. O antigo ideal, como ela descreve, é "transmitir para a próxima geração os valores compartilhados da comunidade". Ela menospreza esse ideal. Em seu lugar, ela promove um novo ideal, que descreve assim: "Iluminar a mente de nossas crianças com as verdades científicas e artísticas do mundo. Se isso significa tornar nossos próprios filhos e filhas estranhos para nós, que seja".[39]

---

39 Jennifer Finney Boylan, "A Common Core for all of us" [Um núcleo comum para todos nós], em *New York Times*, 23 de março de 2014. Sunday Review, p. 4. A coluna de Boylan ilustra uma profunda confusão. Depois de menosprezar a noção de que os pais devem transmitir "valores comunitários compartilhados para a próxima geração", ela conclui recomendando que "mães e pais, filhos e filhas, [deveriam] todos ler o mesmo livro e sentar-se à mesa para conversar sobre ele". Mas se ela não acredita que os pais devam transmitir os valores compartilhados da comunidade para a próxima geração, com que autoridade os pais podem ordenar que seus filhos leiam um determinado livro, quanto mais discuti-lo à mesa de jantar?

Isso pode parecer corajoso e nobre para alguns. Sem dúvida, é uma atitude típica dos americanos do século XXI. Mas, no momento em que você começa a desvendá-la, surgem perguntas. O que é exatamente a "verdade artística do mundo"? A música de Mozart, Beethoven, Brahms, Stravinsky e Copland está mais próxima da "verdade artística do mundo" do que a música de Katy Perry, Nicki Minaj, Lil Wayne, Justin Bieber e Miley Cyrus? A ética do banco Lehman Brothers por volta de 2007 é melhor ou pior do que a ética de Madre Teresa por volta de 1977? Quem decide? Se simplesmente deixarmos as crianças soltas no caos da cultura do século XXI na esperança de que elas descubram a "verdade artística do mundo", o que essas crianças descobrirão é, muito provavelmente, a cultura popular da *internet*, da mídia social, dos jogos eletrônicos *online* e da pornografia. Elas não terão nenhum padrão para julgar Miley Cyrus ou Nicki Minaj em comparação com Stravinsky ou Copland, nenhum padrão para comparar os artifícios contábeis do Lehman Brothers com o altruísmo de Madre Teresa, porque nenhum professor respeitável as instruirá em uma escala de valores. O autocontrole não é inato. A honestidade não é inata. Essas virtudes precisam ser ensinadas. Se você não as ensinar, quem ensinará? Não se pode esperar que as escolas façam esse trabalho. Não nos Estados Unidos. Não nesta época.

De fato, a abdicação da autoridade que Boylan e outros apresentam como sabedoria esclarecida não é sabedoria alguma. É um abandono do dever. É um afastamento da responsabilidade adulta. Como o crítico social Roger Scruton observou recentemente, o resultado final é que a educação americana, concebida dessa forma,

---

Como muitos dos que condenam a noção de que os pais devem transmitir seus valores aos filhos, Boylan parece não ter considerado cuidadosamente as implicações de sua recomendação. Sua recomendação final, de que os filhos e os pais devem ler e discutir o mesmo livro, baseia-se na suposição de que os filhos devem ler e discutir livros recomendados pelos pais — mas com qual propósito, senão o de aprender os "valores comunitários compartilhados"? Como Boylan aconselharia os pais a responder se os filhos disserem: "Não tenho interesse em ler nenhum livro recomendado por vocês. Descobri minha própria verdade sem censura, na pornografia e nas mídias sociais, e vocês não têm nada a me ensinar"?

nada mais é do que "um rito de passagem para o nada cultural", sem qualquer orientação clara sobre o que é digno e o que não é.[40]

Não estou apontando Boylan como uma inovadora. Pelo contrário, já ouvi os sentimentos que ela expressa serem apresentados nas principais universidades dos Estados Unidos, durante reuniões de conselhos escolares e pelos diretores das principais escolas públicas e privadas.

Em todos os Estados Unidos, mas não em outros lugares. Essa noção peculiar — de que as melhores escolas são aquelas que cortam completamente os laços entre pais e filhos, que minam completamente os valores e as tradições dos pais — é exclusivamente americana.

Rejeite a noção de virtude promovida por Boylan e cia. Pense cuidadosamente sobre as virtudes que deseja para seus filhos e ensine-as diligentemente. Inscreva-as, inculque-as em seus filhos. Isso significa, entre outras coisas, que você mesmo deve demonstrar as virtudes que deseja que seu filho desenvolva. Ensine seu filho a ter autocontrole e moderação, o que não é uma tarefa fácil em uma cultura em que os *outdoors* gritam: "Viva o agora". O que está em jogo é o mais alto que se possa imaginar: a saúde e a felicidade de seu filho. Isso é importante.

---

40 Roger Scruton, "The End of the University" [O fim da universidade]. *First Things*, abril de 2015, pp. 25–30. A citação sobre "um rito de passagem para o nada cultural" está na p. 28.

7
Concepções errôneas

Quando encontro alguns pais, algumas perguntas se repetem. Os pais querem fazer a coisa certa, mas às vezes relutam em tentar porque certas concepções errôneas os impedem. Agora temos a base para abordar cada uma dessas concepções errôneas.

Aqui está a primeira:

> "Temo que ocorra um efeito rebote. Se eu tentar ser o tipo de pai que você descreve e forçar minha filha a se comportar de forma 'virtuosa' — seja lá o que isso signifique —, quando ela for para a faculdade e estiver sozinha, tenho receio de que ela faça todo tipo de loucura que não faria se vivesse de outra forma, porque eu a impedi de fazer as coisas que ela queria fazer. Ela não terá aprendido a fazer boas escolhas por conta própria".

Estudos longitudinais, como os que analisamos no capítulo anterior, são úteis para abordar essa concepção errônea. Esses estudos mostram que, em geral, crianças bem-comportadas têm maior probabilidade de se tornarem adultos bem-comportados. Crianças criadas por pais mais permissivos têm maior probabilidade de se meter em problemas quando adultas: problemas com álcool, problemas com abuso de drogas, problemas com ansiedade e depressão.

No início da década de 90, pesquisadores dos Estados Unidos lançaram um ambicioso estudo com mais de vinte mil crianças americanas de todas as partes dos Estados Unidos: urbanas e rurais, asiáticas, negras, latinas e brancas, ricas e de baixa renda, da costa leste e da costa oeste, do meio-oeste e do sul, e assim por diante. Eles coletaram dados sobre os adolescentes em 1994, quando a maioria desses jovens tinha de doze a catorze anos de idade, e depois periodicamente até 2008.[1] Os pesquisadores que analisaram esses dados descobriram que os filhos de pais firmes se saem melhor na escola, têm menos probabilidade de se embriagar e de se envolver em práticas sexuais inseguras — não apenas no início da adolescência, mas também na faixa dos vinte anos, em comparação com os filhos de pais menos firmes.[2] Eles têm relacionamentos românticos mais saudáveis e felizes na idade adulta.[3] Quando adultas, elas têm bebês mais saudáveis, mesmo após ajuste dos dados segundo variáveis demográficas como raça, etnia e renda familiar.[4]

Diana Baumrind e seus colegas e alunos publicaram estudos nos últimos quarenta anos abordando algumas das mesmas questões. Baumrind e seus colegas avaliaram como os pais interagiam com os filhos quando eles eram pequenos e, depois, estudaram os resultados muitos anos mais tarde. Ela dividiu os estilos de

---

[1] Entre os pesquisadores, esse estudo — o National Longitudinal Study of Adolescent to Adult Health — é conhecido como o estudo "Add Health". "Add" é escrito com um "A" maiúsculo e dois "Ds" minúsculos. Acho esse jargão confuso. Muitos de nós podem presumir que "Add", nesse contexto, tem algo a ver com TDAH, ou transtorno de déficit de atenção/hiperatividade, anteriormente conhecido como DDA. No entanto, o estudo Add Health não tem nada a ver diretamente com o TDAH e não foi desenvolvido com o TDAH em mente.

[2] Duas análises separadas do mesmo banco de dados chegaram à mesma conclusão a esse respeito. Ver Matthew Johnson, "Parent-child relationship quality directly and indirectly influences hooking up behavior reported in young adulthood through alcohol use in adolescence" [A qualidade do relacionamento entre pais e filhos influencia direta e indiretamente o comportamento de namoro relatado na idade adulta jovem por meio do uso de álcool na adolescência], em *Archives of Sexual Behavior*, 2013, vol. XLII, pp. 1463–1472; ver também Kathleen Roche e colegas, "Enduring consequences of parenting for risk behaviors from adolescence into early adulthood" [Consequências duradouras da criação para comportamentos de risco desde a adolescência até ao início da idade adulta], em *Social Science and Medicine*, 2008, vol. LXVI, pp. 2023–2034.

[3] Matthew Johnson e Nancy Galambos, "Paths to intimate relationship quality from parent-adolescent relations and mental health" [Caminhos para a qualidade do relacionamento íntimo a partir das relações entre pais e adolescentes e a saúde mental], em *Journal of Marriage and Family*, 2014, vol. LXXVI, pp. 145–160.

[4] Emily Harville e colegas, "Parent-child relationships, parental attitudes toward sex, and birth outcomes among adolescents" [Relações pais-filhos, atitudes dos pais em relação ao sexo e parto entre adolescentes], em *Journal of Pediatric and Adolescent Gynecology*, 2014, vol. XXVII, pp. 287–293.

paternidade em três categorias que podemos chamar de "firme demais", "brando demais" e "no ponto certo".[5]

Os pais "firmes demais" raramente demonstram ternura ou amor pelos filhos. Geralmente fazem exigências irrealistas. Os filhos desses pais têm mais probabilidade do que os outros de se tornarem pais abusivos vinte anos depois. Os filhos de pais "firmes demais" também têm maior probabilidade, quando adultos, de ter dificuldade em manter relacionamentos românticos.

Os pais "brandos demais" geralmente são bons em expressar amor e afeto pelos filhos, mas não são tão bons em impor regras.[6] Os filhos de pais "brandos demais" têm maior probabilidade, quando adultos, de ter problemas com abuso de drogas e álcool; de enfrentar dificuldades financeiras, independentemente de sua renda real, porque acham difícil viver com seus recursos; e maior probabilidade de serem condenados criminalmente.

Os pais "no ponto" expressam seu amor pelos filhos, mas também aplicam regras de forma justa e consistente. As regras podem ser flexibilizadas ocasionalmente, quando necessário, mas não

---

[5] A própria Baumrind usava os termos "autoritário", "permissivo" e "autoritativo", enquanto eu uso os termos "firme demais", "suave demais" e "no ponto". Como observei em meu livro *Girls on the Edge* [Meninas no limite], sempre achei confuso o fato de Baumrind usar duas palavras que soam semelhantes — "autoritário" e "autoritativo" — para descrever dois estilos de criação muito diferentes. Meu uso dos termos "firme demais", "brando demais" e "no ponto" no lugar de "authoritarian", "permissive" e "authoritative" não é original. Como reconheci em *Girls on the Edge*, peguei essa terminologia emprestada de Judith Rich Harris, *The Nurture Assumption: Why Children Turn Out the Way They Do* [A suposição da criação: por que as crianças se desenvolvem como se desenvolvem] (Nova York: Free Press, 2009, p. 44, revisado e atualizado). Discordo de Harris em quase todos os pontos substanciais, mas gosto de sua formulação mais simples das categorias de Baumrind. Para uma análise recente, feita pela própria Baumrind, do seu programa de pesquisa, ver seu capítulo "Authoritative parenting revisited: History and current status" [A paternidade autoritativa revisitada: história e status atual], em *Authoritative Parenting: Synthesizing Nurturance and Discipline for Optimal Child Development* [Paternidade autoritativa: sintetizando cuidado e disciplina para um desenvolvimento infantil ideal] (editado por Robert Larzelere, Amanda Sheffield e Amanda Harrist. Washington, D.C.: American Psychological Association, 2013, pp. 11–34).

[6] Entre os pais "brandos demais", os pesquisadores agora distinguem dois subtipos: o pai indulgente e o pai negligente. Os pais negligentes, em geral, não compram livros sobre criação de filhos. É improvável que você ou eu sejamos pais negligentes. Essa não é a nossa tentação. Se estiver interessado em saber mais sobre a distinção entre o pai indulgente e o pai negligente, você pode começar com o artigo de Susie Lamborn e colegas, "Patterns of competence and adjustment among adolescents from authoritative, authoritarian, indulgent, and neglectful families" [Padrões de competência e adaptação entre adolescentes de famílias autoritativas, autoritárias, indulgentes e negligentes], em *Child Development*, 1991, vol. LXII, pp. 1045–1065.

são quebradas. Ao longo de mais de quatro décadas de pesquisa, Baumrind acumulou provas contundentes de que o estilo de paternidade mais saudável é o estilo "equilibrado". Os filhos de pais "no ponto" são os que têm maior probabilidade de obter bons resultados, independentemente do tipo de resultado que se observe. Os pais "no ponto" são rigorosos, dentro de limites razoáveis, e também amorosos.[7]

Quando apresento essas três categorias, quase todos os pais dizem que querem ser "no ponto". Porém, o "ponto" que eles consideram certo é diferente do que seus pais considerariam o "ponto certo". Nos últimos trinta anos, a noção americana de "ponto certo" tem se movido da firmeza em direção à permissividade. A própria Baumrind observou recentemente que houve "um desvio de definição" na maneira como os acadêmicos usam suas categorias. Ela cita um grupo de estudiosos que incluiu "tranquila" como uma das características da paternidade "com autoridade"; os mesmos estudiosos deixaram de incluir qualquer parâmetro relacionado à rigidez, que Baumrind considera essencial para a paternidade com autoridade.[8]

Atualmente, muitos pais percebem uma tensão entre "rigoroso" e "amoroso". Eles acham que é possível ser rigoroso *ou* amoroso, mas não ambos. A pesquisa de Baumrind prova que essa noção está errada. Os pais que ela descobriu serem "no ponto" eram ao *mesmo* tempo rigorosos *e* amorosos.[9] Se você não impõe as regras — se seus filhos o consideram carinhoso, mas não rigoroso

---

[7] Ver Baumrind, op. cit.

[8] Ver Baumrind, "Authoritative parenting revisited". O comentário sobre "desvio de definição" está na p. 12. O artigo que Baumrind está criticando, no qual os estudiosos incluíram "tranquilo/boa onda" como uma característica da paternidade autoritativa, mas não incluíram nenhuma medida de rigor, é de Clyde Robinson e colegas, "Authoritative, authoritarian, and permissive parenting practices: Development of a new measure" [Práticas paternais autoritárias, autoritárias e permissivas: Desenvolvimento de uma nova medida], em *Psychological Reports*, 1995, vol. LXXVII, pp. 819–830.

[9] Ver, por exemplo, Diana Baumrind, "The impact of parenting style on adolescent competence and substance use" [O impacto do estilo de criação na competência do adolescente e no uso de substâncias], em *Journal of Early Adolescence*, 1991, vol. XI, pp. 56–95. Embora essas descobertas não sejam bem conhecidas pelos pais americanos, esse artigo tem sido influente entre os acadêmicos no campo da paternidade; em julho de 2015, ele havia sido citado em mais de 2.700 outros artigos acadêmicos.

—, então você é "brando demais". Como eu disse, o estilo americano de paternidade passou de "no ponto" para "brando demais" conforme os padrões de 1985. Essa mudança ajuda a explicar a concepção errônea do pai que está preocupado com um "rebote" no comportamento da filha se ele aplicar um código de conduta virtuosa enquanto a filha estiver no ensino fundamental e médio. Atualmente, muitos pais parecem acreditar que uma educação mais rígida agora resultará em um "rebote" para um comportamento degenerado quando seus filhos forem para a faculdade. Às vezes, essa crença é uma racionalização posterior ao fato para uma educação menos firme. Em outras palavras: uma forma de justificar o que os pais vão fazer de qualquer maneira. Quando pergunto aos pais *por que* acreditam que uma educação mais rígida agora resultará em um comportamento menos cuidadoso daqui a alguns anos, eles geralmente respondem citando um filme sobre um adolescente que teve pais puritanos ou mencionando algo que viram anos atrás na *Oprah*.

Respondo a esses pais apontando que as pesquisas não oferecem nenhum suporte para essa ideia. Na verdade, a contradizem totalmente. Mas, em vez de insistir nos estudos acadêmicos, peço aos pais que considerem se essa mesma perspectiva faria sentido em qualquer outro contexto.

Suponha que você esteja contratando um novo funcionário e tenha de escolher entre Sonya e Vanessa. Os empregadores anteriores de Sonya disseram que ela sempre chega ao trabalho no horário, nunca mente ou rouba e nunca usa o tempo da empresa para tarefas pessoais. Os empregadores anteriores de Vanessa lhe disseram que ela costuma chegar uma ou duas horas atrasada ao trabalho, que roubou bens do escritório e depois mentiu sobre isso e que costuma acessar o Instagram em um computador da empresa quando deveria estar trabalhando. Você diria: "Tenho certeza de que Vanessa se livrou de todos os seus impulsos ruins, então agora é a hora de contratá-la"? Você diria: "Não vou contratar a Sonya porque ela é muito reprimida, é bem provável que em breve tenha um rebote"? Não, você não diria isso.

Nesse exemplo, o possível empregador está seguindo uma regra que costumava ser bem conhecida pelos pais americanos: *virtude gera virtude e vício gera vício*. O funcionário que tem um histórico de honestidade e virtude no passado tem mais chances de ser honesto e virtuoso no futuro. No ambiente de trabalho, a maioria dos americanos entende isso.

Mas em casa, eles esquecem. Essa noção de "rebote" não se baseia em evidências, mas na cultura popular do início do século XXI: uma fonte de informações não-confiável. E essa noção é propagada, acredito, em parte pelo desejo de pelo menos alguns pais justificarem a si mesmos seu próprio estilo de criação menos autoritário.

Não aceite essa ideia de "rebote". Não acredite nela. Como eu disse no capítulo anterior: se você treinar seu filho ou filha no caminho que eles devem seguir, quando crescerem e saírem de casa, você terá aumentado significativamente as chances de que eles se comportem com sabedoria. Virtude gera virtude. Vício gera vício.

Próxima concepção errônea:

> "Tenho receio de que, se eu seguir seu conselho, meu filho seja um alienado. Ele será o único que não poderá jogar *Halo* ou *Grand Theft Auto*. Estou preocupado que ele seja impopular e me culpe por isso. E ele terá razão. Estou tentando encontrar o equilíbrio".

Recentemente, fui convidada para participar do TODAY Show ao lado da Doutora Meg Meeker, autora de *Strong Fathers, Strong Daughters* [Pais fortes, filhas fortes] e *Strong Mothers, Strong Sons* [Mães fortes, filhos fortes]. A Doutora Meeker também é uma pediatra experiente que, por acaso, tem quatro filhos — três moças e um rapaz, Walter. Ela sempre dizia a Walter:

— Nada de jogos. Nada de aparelhos de *videogame*. Você não vai perder seu tempo com isso — as filhas dela não tinham muito interesse em jogos eletrônicos.

Walter reclamou:

— Todos os outros meninos estão jogando *Call of Duty*. Eu sou o único que não tem permissão para jogar.

Mamãe disse:

— Que pena.

Quando Walter completou dezoito anos, ele disse:

— Agora sou um adulto. Tenho dinheiro que ganhei com meu trabalho. Vou comprar um Playstation 3 e alguns jogos, como *Call of Duty*.

Mamãe disse:

— Tudo bem.

Um ano depois, perto do final de seu primeiro ano na Universidade de Dayton, Walter ligou para sua mãe.

— Acabei de ganhar US$ 400! — disse ele à mãe. — Adivinha como consegui?

Mamãe disse:

— Não faço ideia.

— Vendi meu PS3 e todos os meus *videogames*. Eles estavam juntando poeira mesmo — disse Walter. Ele explicou que viu muitos outros rapazes na faculdade que começaram a jogar esses jogos muitas horas por semana aos dez, doze ou catorze anos de idade. Esses garotos se definiam como *gamers*. Seu senso de identidade estava ligado à sua habilidade com os jogos eletrônicos. Eles esperavam que Walter ficasse impressionado com suas habilidades "videogamísticas".

Mas Walter não ficou impressionado. Ele tinha uma perspectiva diferente. Durante aqueles anos cruciais da adolescência, quando *não podia* jogar *videogames*, ele havia desenvolvido uma grande variedade de *hobbies* e interesses, bem como habilidades pessoais, que os jogadores provavelmente não tinham. Ele observou que os gamers geralmente eram desajeitados em situações sociais da vida real.

A idade é importante. Se um garoto começar a jogar jogos eletrônicos aos nove, doze ou catorze anos, esses jogos poderão se "imprimir" em seu cérebro de uma forma que não ocorrerá se ele começar a jogar aos dezoito anos. Antes de completar a puberdade, o cérebro é extremamente plástico, conforme discutido no capítulo 1. Isso é bom e ruim. A plasticidade do cérebro antes e durante a puberdade permite que ele mude em aspectos fundamentais conforme as circunstâncias. Mas as áreas do cérebro responsáveis pelo julgamento e pela perspectiva não estão maduras. Quando o processo da puberdade estiver totalmente concluído — quando o menino se tornar um homem ou a menina uma mulher —, as áreas do cérebro responsáveis por antecipar as consequências e pensar no futuro estarão mais fortes.[10]

Agora vamos voltar à questão em pauta: os benefícios de restringir os jogos eletrônicos superam os custos (presumidos) de seu filho ser menos popular?

Fiz uma apresentação para pais para compartilhar pesquisas recentes sobre jogos eletrônicos. Concentrei-me em uma pesquisa longitudinal na qual os pesquisadores acompanharam um grande grupo de crianças durante vários anos para ver, após o ajuste e o controle de todas as outras variáveis, como e se as crianças mudaram em decorrência dos tipos de jogos eletrônicos que jogavam.[11] Essa pesquisa sugere fortemente que as crianças que passam muitas horas por semana jogando jogos violentos, como *Grand Theft Auto* e *Call of Duty*, tornam-se mais hostis, menos honestas e menos gentis. Não imediatamente, nem em uma semana ou um mês, mas depois de anos jogando.

Ao analisar vários estudos sobre os resultados de longo prazo de jogos de tiro em primeira pessoa, como *Grand Theft Auto*, passei a recomendar que esses jogos sejam banidos de casa. Se seu filho quiser atirar em coisas, faça com que ele entre em um clube local de tiro ao alvo. E se o seu filho for à casa de um

---

10 Sarah-Jayne Blakemore e Kathryn Mills, "Is adolescence a sensitive period for sociocultural processing?" [A adolescência é um período sensível para o processamento sociocultural?], em *Annual Review of Psychology*, 2014, vol. LXV, pp. 187–207, fornece uma análise útil dos mecanismos pelos quais o desenvolvimento do cérebro na adolescência influencia a socialização, a espera por gratificação e assim por diante.

11 Ver, por exemplo, Douglas Gentile e colegas, "Mediators and moderators of long-term effects of violent video games on aggressive behavior" [Mediadores e moderadores dos efeitos de longo prazo dos videogames violentos no comportamento agressivo], em JAMA *Pediatrics*, 2014, vol. CLXVIII, pp. 450–457.

amigo, ligue para os pais com antecedência e pergunte se as crianças têm permissão para jogar jogos eletrônicos violentos. Se tiverem, então você não deve permitir que seu filho vá à casa desse amigo. Essa criança pode ser convidada para ir à sua casa, onde você é o responsável.

Tal recomendação pareceu dura para uma mãe. Ela disse que era "totalmente irrealista. Não há como eu policiar o que meu filho vai fazer na casa de outra pessoa". Além disso, ela temia que, se tentasse impor a proibição de jogos violentos de tiro em primeira pessoa, como *Call of Duty* e *Grand Theft Auto*, seu filho seria menos popular porque seria o único garoto que não poderia jogar esses jogos. Ela disse: "Estou tentando encontrar o equilíbrio".

Vamos analisar as várias suposições que motivam as preocupações dessa mãe.

- *Suposição nº 1:* é importante que meu filho seja popular. Falso. Ser popular nos Estados Unidos no século XXI geralmente implica em comportamentos e atitudes daninhos, a começar pelo desrespeito à autoridade dos pais. Evidências recentes sugerem que ser popular nos Estados Unidos aos treze anos de idade pode, na verdade, ser um grande fator de risco para resultados ruins no início da vida adulta.[12] Você precisa ter clareza sobre o que é importante. Ajudar seu filho a se tornar gentil, bem comportado e autocontrolado é importante. Seu filho ser popular com muitos colegas da mesma idade não é.
- *Suposição nº 2: não é realista que eu responsabilize meu filho pelo comportamento fora de casa.* Falso também. Observei muitos pais "no ponto" de perto e em primeira mão

---

12 Veja Jan Hoffman, "Cool at 13, adrift at 23" [Descolado aos treze, à deriva aos vinte e três], em *Well* (blog). *New York Times*, 23 de junho de 2014. Disponível em: http://well.blogs.nytimes.com/2014/06/23/cool-at-13-adrift-at-23. Hoffman relata um estudo realizado por Joseph Allen e colegas que foi posteriormente publicado como "What ever happened to the 'cool' kids? Long-term sequelae of early adolescent pseudomature behavior" [O que houve com a turma descolada? Sequelas a longo prazo do comportamento pseudomaturo entre adolescentes], em *Child Development*, 2014, vol. LXXXV, pp. 1866–1880.

nos últimos vinte anos em minha prática médica, primeiro em Maryland e, mais recentemente, na Pensilvânia. Todos os pais "no ponto" que conheci esperam que seus filhos se comportem fora de casa exatamente como se comportam em casa. Existe uma palavra para essa consistência de comportamento: a palavra é "integridade". Integridade é um dos traços ligados à conscienciosidade. Os pais "no ponto" não hesitam em telefonar ou mesmo aparecer sem aviso na casa dos amigos dos filhos para verificar o que eles estão fazendo. Essa é uma maneira de ensinar integridade.

- *Suposição nº 3: os pais devem encontrar um equilíbrio entre "firmes demais" e "brandos demais".* É verdade, mas mal compreendida. A mãe que fez essa pergunta aceitou a noção americana contemporânea de que os pais têm de escolher entre ser rígidos *ou* amorosos. Como resultado, ela acha que não é possível tentar ser rígida *e* amorosa. Ela está enganada.

Essa mãe em particular estava falando sobre jogos eletrônicos. Mas a mesma análise se aplica a diferentes domínios. Se sua filha passa muito tempo livre editando *selfies* para o Instagram ou se seu filho passa o tempo todo navegando na *internet*, é seu dever desconectar o dispositivo e reconectar sua criança ou adolescente ao mundo da experiência real — seja essa experiência conversar com outro ser humano cara a cara, jogar hóquei em campo ou ficar na beira de um rio pescando.

Uma mãe de Sandy, Utah (perto de Salt Lake City), me contou que não permitia que seus filhos tivessem telefones celulares, ponto final, até o ensino médio. "Eu simplesmente nunca vi a necessidade disso", disse-me essa mãe. E as outras crianças não tinham problemas com isso. Nada de mais. Mas os outros *pais* criticaram essa mãe. "Por que você está transformando sua filha numa diferentona?", perguntavam a ela.

Não importa se você mora em Utah, na Califórnia, na Flórida ou em Nova York: faça o que for melhor para seu filho. Não se preocupe muito com o que outras crianças ou outros pais possam dizer.

Próxima concepção errônea:

> "Quero que minha filha seja independente. Portanto, quando ela me responde com maus modos ou é desrespeitosa, tento ver isso de forma positiva, como um sinal de que ela está se tornando mais independente. E eu apoio isso".

Nunca é aceitável que seu filho desrespeite você. Isso não significa que ela tenha de concordar com você. É normal que ela diga: "Não concordo. Acho que você está cometendo um erro". Mas nunca é aceitável que ela diga: "Cale a boca. Você não sabe do que está falando". No entanto, esse tipo de linguagem se tornou comum nos Estados Unidos, tanto em comunidades ricas quanto em comunidades de baixa renda. A linguagem desrespeitosa também se tornou comum nos programas de televisão americanos mais populares. Não permita esse tipo de linguagem em sua casa.

Mas a verdadeira independência de pensamento é útil. Como cultivar essa independência sem incentivar o desrespeito? A maioria dos pais "no ponto" que conheço consegue realizar essa façanha. Uma estratégia gira em torno da conversa na hora do jantar. Longos passeios de carro também são uma boa oportunidade. Para as crianças menores, pode ser uma conversa sobre sua comida favorita ou sobre filmes. Peça a seus filhos que digam qual é o filme favorito deles entre os que assistiram recentemente e expliquem por que é o favorito deles. Descreva como e por que sua opinião é diferente. Mostre a eles que duas pessoas podem discordar sobre a preferência por um filme em detrimento de outro ou sobre o gosto alimentar sem se desrespeitarem ou desgostarem.

Para os adolescentes, você pode escolher um tópico polêmico das notícias. Peça ao seu filho para expressar uma opinião sobre energia nuclear *versus* energia convencional *versus* energia solar ou eólica. Ou faça uma pergunta sobre o conflito entre palestinos e israelenses. Ouça com atenção e respeito a posição de seu filho. Em seguida, diga como sua opinião é diferente e por que não concorda com a posição de seu filho. Para fins deste exercício, evite tópicos pessoais, como, por exemplo, se seu filho deve ter permissão para ficar acordado até tarde jogando *videogame* ou navegando na *internet*. O objetivo do exercício é desenvolver a habilidade de discordar respeitosamente — de construir independência sem hostilidade. Quando essa habilidade for aperfeiçoada, você e seu filho ou adolescente poderão lidar com discordâncias mais pessoais com menos probabilidade de a discussão degenerar em uma briga.

Próxima concepção errônea:

> "Eu só quero que meu filho seja feliz. O que o faz feliz é diferente do que me faz feliz. Estou pensando que talvez eu tenha que aceitar isso".

A mãe que me disse isso tem um filho adolescente que passa pelo menos vinte horas por semana jogando *videogame*. Durante meses, ela tentou restringir o tempo que ele passava jogando para voltar a atenção aos estudos. Ele está indo bem na escola, mas não tão bem quanto poderia. Ela costumava dizer coisas como: "Se você quiser entrar em uma faculdade de primeira linha, precisa se sair melhor na escola. Eu sei que você pode melhorar, mas está perdendo muito tempo com *videogames*. Você deveria dedicar mais tempo aos trabalhos escolares e menos tempo aos jogos eletrônicos".

Finalmente, um dia ele explodiu. "*Estou pouco me f*&#ndo* se vou entrar em uma faculdade de ponta!", gritou. "Eu não quero ir para a faculdade. Você não sabe nada sobre *World of Warcraft*, mas eu sou uma celebridade por causa desse jogo. Estou no nível 85. Sou Mestre de Guilda. Você nem sabe o que isso significa. Significa que há pessoas em Cingapura, Joanesburgo e Tóquio que basicamente me idolatram. Isso vale alguma coisa. Posso monetizar isso. Não me importo com trigonometria, espanhol, história americana ou qualquer outra porcaria que ensinam na escola. EU. NÃO. LIGO, C#%*LHO! Então me deixa em paz, ouviu?".

A mãe ficou atônita e em silêncio. Seu filho tinha razão em uma coisa: ela não tinha ideia do que significava ser Mestre de

Guilda no *videogame online* World of Warcraft (wow). Ela entrou na *internet* e descobriu o quão grande é o wow. Descobriu que alguns jovens realmente ganham dinheiro jogando wow em tempo integral. Nunca havia lhe ocorrido que alguns meninos e rapazes poderiam valorizar mais as conquistas em mundos virtuais *online*, como o *World of Warcraft*, do que no mundo real da escola e das amizades pessoais.

Nas semanas entre a explosão de seu filho e sua conversa comigo, ela passou a questionar sua própria posição. O mundo contemporâneo é diferente do mundo de vinte anos atrás, ela refletiu. Há vinte anos, não existia o wow. Há vinte anos, não era possível ganhar dinheiro criando e vendendo acessórios para combate em mundos imaginários *online*. Mas hoje é possível fazer isso. Então, talvez ela devesse parar de se preocupar com o desempenho acadêmico insatisfatório do filho e, em vez disso, apoiá-lo no que ele quiser fazer. "Eu só quero que ele seja feliz", ela me disse mais de uma vez.

Eu disse àquela mãe que ela estava confundindo *felicidade* com *prazer*.[13] Isso é comum hoje em dia. Uma ida ao fliperama pode ser uma fonte de prazer, mas não proporcionará felicidade duradoura. O filho dessa mãe sente prazer ao jogar *videogame*, mas é improvável que jogar *videogame* em um mundo *online* seja uma fonte de realização verdadeira. O prazer derivado de um *videogame* pode durar semanas ou até meses. Mas não durará muitos anos, conforme minha observação em primeira mão de muitos jovens nas últimas duas décadas. O rapaz passa para outra coisa ou a felicidade se transforma, maligna e silenciosamente, em vício. A marca registrada do vício é a diminuição do prazer ao longo do tempo. Desenvolve-se a tolerância. Jogar o jogo se torna uma

---

13 Na literatura acadêmica, a confusão entre *felicidade* e *prazer* é muitas vezes expressa em termos de "bem-estar eudaimônico", que é a verdadeira felicidade, e "bem-estar hedônico", que é o mero prazer. A propósito, alguns estudiosos acreditam que a *gratidão* seja a chave para se tornar verdadeiramente feliz e observam que essa premissa é fundamental para o judaísmo, o cristianismo e o islamismo. Ver Robert Emmons e Cheryl Crumpler, "Gratitude as a human strength: Appraising the evidence" [A gratidão como uma força humana: apreciação da evidência], em *Journal of Social and Clinical Psychology*, 2000, vol. XIX, pp. 56–69.

compulsão, algo quase involuntário. Ele não proporciona mais a emoção e o prazer de antes. Mas o viciado já não encontra prazer em outra coisa.

Prazer não é a mesma coisa que felicidade. A gratificação do desejo produz prazer, não felicidade duradoura. A felicidade vem da *realização*, de viver de acordo com o seu potencial, o que significa mais do que jogar jogos eletrônicos *online*.

Essa mãe deveria confiar em seus instintos. Seu filho, que passa vinte horas por semana jogando *World of Warcraft*, não está realizando seu potencial. Ele está satisfazendo um desejo não educado. A mãe precisa desconectar o *videogame* e redirecionar o filho.

Esse redirecionamento não é divertido. Não é fácil. Seu filho não lhe agradecerá por isso agora, nem na próxima semana, nem no próximo mês. Talvez ele agradeça em cinco anos. Talvez. Mas você não está fazendo esse trabalho para obter a aprovação do seu filho. Você está fazendo esse trabalho porque é sua *função*, como pai e mãe, ajudar seu filho a encontrar e realizar seu potencial. Isso nunca é simples porque você e seu filho podem não saber de antemão exatamente onde está o potencial dele. Mas, certamente, seu potencial não consiste em passar vinte horas por semana jogando jogos eletrônicos *online*.

Desligue o aparelho.

Novamente, essa recomendação não se aplica apenas a jogos eletrônicos. As mesmas considerações valem se seu filho ou filha disser que é mais feliz ao postar fotos no Instagram, navegar na *web* ou trocar mensagens de texto. Parte da tarefa dos pais é, e sempre foi, *educar o desejo*: ensinar o filho a desejar e desfrutar de coisas maiores e melhores do que o algodão doce. Jogos eletrônicos, Instagram e mensagens de texto são o algodão doce da cultura popular americana atual.

Nos Estados Unidos, a cultura popular valoriza a satisfação dos desejos pessoais. "Viva o agora". "O que importa é curtir". Se você tentar ensinar conscienciosidade — honestidade, autocontrole e integridade —, estará lutando contra a cultura.

Criar um filho em oposição à cultura em que se vive é desafiador. Como David Brooks observou recentemente, "todos nós vivemos em ecologias morais distintas. O ambiente geral influencia o comportamento que consideramos normal sem que estejamos muito conscientes disso".[14] Atualmente, o pressuposto que permeia a cultura americana é a crença de que a realização pessoal de seu filho é mais ou menos equivalente à realização dos desejos de seu filho. Presume-se que uma criança conheça seus próprios desejos melhor do que seus pais podem conhecer. Se a chave para a realização humana é a satisfação do desejo imediato e não educado, então a autoridade dos pais se subordina aos caprichos da criança.

Como já disse, uma suposição que agora orienta a cultura americana, conforme vivenciada por crianças nascidas e criadas neste país, é: "Se você curte algo, faça-o". "As inibições apenas o impedem". "O que importa é curtir"; "se algo faz você se sentir bem, faça". Arthur C. Brooks, presidente do American Enterprise Institute, comentou recentemente sobre o *slogan* americano "se algo faz você se sentir bem, faça". Ele observou que esse slogan equipara as metas existenciais de um ser humano às dos protozoários.[15]

Somos seres humanos, não protozoários. Ser uma pessoa significa mais, e *deveria* significar mais, do que a mera gratificação do desejo. Serviço ao próximo. Domínio das artes. Fé em algo maior do que si mesmo. Disciplina na busca de um objetivo maior. Todos esses e outros têm sido tradicionalmente reconhecidos como os objetivos dignos da vida humana. A gratificação do desejo não educado — "se algo faz você se sentir bem, faça" — tem sido historicamente vista como uma distração, uma tentação de se desviar da meta da verdadeira realização, não como a meta em si. O resultado da aceitação cultural dessa noção — "viva o agora" — é a

---

14 David Brooks, "Baseball or Soccer?" [Beisebol ou futebol?], em New York Times, 10 de julho de 2014. Disponível em: www.nytimes.com/2014/07/11/opinion/david-brooks-baseball-or-soccer.html.

15 Arthur C. Brooks, "Love people, not pleasure" [Ame as pessoas, não o prazer], em New York Times, 18 de julho de 2014. Disponível em: www.nytimes.com/2014/07/20/opinion/sunday/arthur-c-brooks-love-people-not-pleasure.html?src=xps.

infantilização da cultura americana, agravando o culto à juventude que já é uma de nossas maiores fraquezas.

A solução é criar uma cultura alternativa. Construir um lar subversivo no qual a conversa à mesa de jantar seja realmente uma conversa, com as telas desligadas. Valorizar o tempo compartilhado pela família, mais do que o tempo que os filhos passam com os colegas da mesma idade. Criar um espaço para o silêncio, para a meditação, para a reflexão, para que seu filho possa descobrir um verdadeiro eu interior que seja mais do que a mera gratificação do impulso.

Não é fácil lutar contra o peso da cultura. Mas é possível.

Próxima concepção errada:

> "Se amo minha filha, isso significa que também confio nela, certo? Se ela diz que não colou na prova, e se eu a amo, então tenho que confiar nela, certo? Não é possível ter amor sem confiança".

Novamente, esse erro é mais fácil de entender se você conhecer o contexto. Essa garota estava fazendo uma prova na escola. A professora a flagrou olhando o celular durante a prova e copiando as respostas do aparelho. A professora confiscou o celular e mandou a menina para a sala do diretor. A menina insistiu em que a professora havia cometido um erro. O celular estava em seu colo, mas ela não estava olhando para ele. Foi o que ela disse. O diretor apoiou a decisão da professora de dar zero na prova da aluna.

Os pais ficaram furiosos. Eles entraram em cena como advogados de acusação. "É apenas a palavra da professora contra a palavra de nossa filha", disse o pai. "Nossa filha disse que não fez isso. E nossa filha nunca mentiria para nós".

A mãe adotou um tom mais reflexivo e menos contraditório do que o marido. Foi quando ela disse: "Se eu amo minha filha, isso significa que também confio nela, certo? Se ela diz que não colou na prova, e se eu a amo, então tenho que confiar nela, certo? Não se pode ter amor sem confiança".

Resposta curta à pergunta da mamãe: *as regras do amor entre pais e filhos são diferentes das regras entre adultos*. Talvez seja verdade que o amor entre adultos exija confiança cega. Mas com certeza isso não se aplica ao amor dos pais pelos filhos. O pai, nesse caso, disse: "Nossa filha nunca mentiria para nós". Não conheço essa família, mas sei que esse pai está errado. Qualquer pai que diga uma coisa dessas está errado. É mais provável que sua filha (ou filho) minta mais para você do que para qualquer outra pessoa, porque ela não quer decepcioná-lo. Ela não quer deixar você desapontado. E ela espera que você a tenha em bom conceito, mesmo que ela valorize mais a opinião dos colegas do que a sua.

O que nos leva de volta à cola na prova. No capítulo anterior, discutimos o aumento da cola entre as crianças americanas, inclusive entre as crianças que trabalham duro e tiram boas notas. Hoje em dia, as crianças americanas geralmente consideram que colar não é nada demais. Quase todo mundo faz isso ou conhece alguém que faz. Mas muitas crianças também têm uma sensação incômoda — que por acaso está correta — de que seus pais foram criados em uma época diferente, uma época em que as crianças boas não colavam. Portanto, a tentação de mentir para os pais sobre esse tipo de trapaça é muito forte.

Há uma geração, havia uma aliança entre os pais e a escola. Se um professor, ou o diretor, notificasse os pais de que seu filho havia sido pego colando, os pais provavelmente imporiam penalidades em casa para reforçar a disciplina da escola. Nos Estados Unidos, essa aliança foi rompida. Hoje em dia, quando um aluno é pego colando e a escola procura impor algum tipo de disciplina, os pais geralmente agem como adversários, desafiando a autoridade da escola.

Falei sobre esse assunto em uma escola de ensino médio em Menlo Park, Califórnia, uma comunidade abastada do Vale do Silício. Eu estava palestrando para um público de cerca de trezentos pais. Uma mulher na primeira fila levantou a mão. Eu passei-lhe a palavra. Ela disse:

— Doutor Sax, gostaria de compartilhar uma história com todos aqui. No ano passado, peguei uma menina colando em um teste, uma situação muito semelhante à que o senhor acabou de descrever. Eu a repreendi por ter colado, na frente da classe, e dei zero na prova. Mas acontece que os pais dela são capitalistas de risco milionários. Eles têm amigos na diretoria da escola. Fazem doações para o distrito escolar. Depois que repreendi a filha deles, eles fizeram algumas ligações telefônicas, e em duas semanas fui chamada à sala do diretor. Disseram-me que, como condição para continuar trabalhando, eu teria de pedir desculpas a essa menina, em sala de aula, na frente de todos os outros alunos. Foi o que fiz. Eu não estava preparada para me demitir. Então, quer saber o que eu fiz neste outono, quando começou o novo ano letivo? Disse a todos os meus alunos: "Podem colar, se quiserem. Não vou nem tentar impor as regras, porque aprendi que o distrito não quer que eu o faça. Espero que vocês não colem, mas se colarem, não direi uma palavra a respeito".

Muitas vezes, nos últimos anos, ouvi histórias como essa. Mas geralmente eu as ouço em sussurros. Certa vez, uma professora literalmente me puxou para dentro do armário do zelador e fechou a porta para me contar sua história. O elemento incomum na história que a professora compartilhou em Menlo Park é o fato de que ela teve a coragem de contá-la em voz alta, para um público de cerca de trezentos de seus vizinhos.[16]

Não diga: "Minha filha nunca mentiria para mim". Em mais de vinte anos de prática clínica, descobri que sempre que um pai diz: "Minha filha nunca mentiria para mim", você pode ter certeza de que a criança está fazendo exatamente isso: mentindo para o pai.

Uma última concepção errônea:

> "Tenho medo de que, se eu seguir seu conselho, meu filho não me ame mais".

---

16 Esta professora falou durante uma apresentação que fiz aos pais na Hillview Middle School em Menlo Park, Califórnia, em 22 de outubro de 2013. A escola onde ela trabalha não é a Hillview Middle School, mas outra escola próxima.

Leia a descrição de seu trabalho. Sua tarefa como pai ou mãe é criar seu filho para ser a melhor pessoa que ele ou ela pode ser. Sua recompensa vem da certeza de ter feito um bom trabalho. Por mais maravilhoso que seja receber de seu filho um abraço carinhoso ou um "*adoro* estar com você" espontâneo, essas demonstrações de afeto não podem ser seu objetivo principal.

Muitos pais estão em casamentos ou relacionamentos de longo prazo que se desgastaram. Outros são solteiros, sem um parceiro amoroso. O pai ou a mãe que não tem um(a) companheiro(a) ou cujo(a) companheiro(a) não é amoroso(a) pode buscar calor e afeto no relacionamento com os filhos. Entendo isso. Minha mãe, por exemplo, era solteira e passou metade da vida procurando o companheiro ideal. Ela nunca o encontrou. Em meus pacientes adultos, vejo a solidão de pais solteiros e de pais e mães presos a parceiros que não amam mais ou que não os amam mais.

Mas tentar fazer com que seu filho lhe dê mais afeto, a fim de preencher o vazio que um parceiro adulto deveria preencher, enfraquece muito sua autoridade como pai. Em um relacionamento com um parceiro adulto, tudo é negociável. Vocês são iguais. Vocês não podem dar ordens um ao outro. Seu relacionamento com seu filho é diferente. Você precisa estabelecer as regras e aplicá-las, mesmo que ele não concorde que os legumes devam vir antes da sobremesa. É confuso para todos os envolvidos se, em um momento, você estiver tentando ser o pai carinhoso e "legal" e, no momento seguinte, estiver tentando ser o pai "no ponto". O resultado mais comum é que os pais deixam de ser "no ponto" e passam a ser "brandos demais", porque não querem comprometer o afeto que esperam obter de seus filhos.

Abigail, uma mãe que mora perto de Tampa, na Flórida, compartilhou comigo uma história que, na minha opinião, ilustra as prioridades corretas. Sua filha Kasey, de catorze anos, queria ir a Cancún com as amigas nas férias de primavera. Sem nenhum pai ou mãe. Sua mãe ressaltou que Cancún se tornara um destino popular para as férias de primavera dos estudantes universitários americanos. E, embora Kasey tivesse catorze anos, ela parecia tranquilamente já ter dezoito — seu processo de amadurecimento sexual estava completo.

— Como é que os rapazes vão saber que você é menor de idade? — perguntou a mãe.

— Mãe, deixe de ser tão paranoica — disse Kasey. — Vai ficar tudo bem. Nós vamos ficar juntas. Vamos estar com nossos celulares.

— Acho que não é seguro — disse a mãe.

— É totalmente seguro — disse Kasey.

— Você não vai — disse Abigail.

— Mãe! Você vai *arruinar* totalmente a minha *vida*! Todas as minhas amigas vão! Todo mundo vai!

— Você não vai — repetiu Abigail.

— Eu odeio você! — Kasey gritou. — Eu odeio você! Nunca mais quero falar com você enquanto eu viver!

— Bem — respondeu Abigail —, para ser sincera, às vezes também não sou muito sua fã. Mas sou sua mãe. Isso significa que meu trabalho número um é mantê-la segura. E eu sei mais sobre o comportamento de universitários bêbados do que você. Você não vai.

E Kasey não foi.

***

Ao longo de mais de duas décadas como médico de família, estive envolvido profissionalmente em alguns casos de abuso sexual, sempre com vítimas meninas. Em um caso, meu único envolvimento foi conversar com a mãe após o fato. "Eu sabia que não deveria ter deixado ela ir", disse-me essa mãe. "Ela tem apenas quinze anos de idade. Era uma festa para universitários. Eu sabia que não deveria ter deixado ela ir".

Parte de mim queria sacudir a mãe e gritar: "ENTÃO POR QUE VOCÊ DEIXOU ELA IR?". Mas é claro que não fiz isso. Porque eu já sabia a resposta. Essa mãe queria que sua filha gostasse dela. Ela não queria que sua filha ficasse chateada.

Se você estiver fazendo o seu trabalho como pai ou mãe, às vezes terá de fazer coisas que incomodarão seu filho ou filha. Se você temer que sua cria deixe de amá-lo, essa preocupação pode impedir você de cumprir sua tarefa.

Cumpra sua tarefa.

8
Em primeiro lugar, ensine a humildade

Às vezes pergunto, quando converso com pais, em relação a seus filhos: "O que é mais importante para você? O que você pretende ajudar seus filhos a se tornarem?". Os pais geralmente respondem: "Quero que meus filhos sejam felizes, realizados, gentis".

"Isso é ótimo", respondo. Mas quando pergunto: "Como você vai ajudar seu filho a ir de um ponto ao outro? O que será necessário para que seu filho atinja essa meta — crescer e se tornar uma pessoa gentil, uma pessoa honesta?", muitos pais não sabem ao certo como responder. Principalmente nos Estados Unidos, é provável que os pais confundam realização com sucesso. O pressuposto deles parece ser que, se o filho for para uma boa faculdade e conseguir um bom emprego, a realização pessoal estará garantida. Quando aponto para as evidências de que a realização profissional não é garantia de realização pessoal ou satisfação com a vida, muitos pais não sabem o que dizer.

O que você precisa ensinar ao seu filho? Minha resposta: a primeira tarefa dos pais americanos deve ser ensinar a humildade.

Por que a humildade? *Porque a humildade se tornou a mais antiamericana das virtudes*. E, em parte por esse motivo, a humildade é hoje a virtude mais essencial para qualquer criança que esteja crescendo nos Estados Unidos. *Porque muitos pais americanos pensam que virtude é o mesmo que sucesso*. O único pecado, para muitos pais de média e alta renda hoje, é o fracasso. Ensinar a humildade e tentar praticar o que se prega é o corretivo mais útil.

A maioria dos pais americanos não tem problemas com a ideia de ensinar abertura, docilidade e assim por diante. Mas humildade? Eles não sabem por onde começar, nem como, nem por quê. Alguns pais sequer entendem mais o significado da palavra "humildade". Acham que significa tentar se convencer de que você é estúpido, sabendo que é inteligente. Isso não é humildade, é psicose: distanciar-se da realidade. O fato de que a psicose pode ser procurada com boas intenções não a torna menos psicótica.

Não. Humildade significa simplesmente estar tão interessado em outras pessoas quanto em si mesmo. Significa que, ao conhecer novas pessoas, você tenta aprender algo sobre *elas* antes de começar a falar sobre como seu projeto atual é incrível. Humildade significa realmente ouvir quando outra pessoa está falando, em vez de apenas preparar seu próprio discurso mentalmente antes de ouvir de fato o que a outra pessoa está dizendo. Humildade significa se esforçar continuamente para que outras pessoas compartilhem os pontos de vista antes de tentar afogá-las com os seus.

O oposto da humildade é a autoestima inflada. Recentemente, visitei uma escola de ensino fundamental na qual os alunos da terceira série tinham de escrever cinco palavras para relatar o quanto eram incríveis. Em seguida, cada aluno anexou as palavras a um grande recorte de seu próprio nome. Tudo foi colado na parede para que todos pudessem ver. Tirei uma foto do pôster de um menino. Ele escolheu estas palavras para descrever a si mesmo:

- Maravilhoso
- Incrível
- Talentoso
- Exelente [sic]
- Um Jenho [sic]

Não quero implicar com esse garoto. Afinal de contas, ele estava apenas fazendo a tarefa que o professor lhe havia dado. Compartilho essa história para ilustrar a pouca consciência que existe em algumas escolas sobre a maneira como um ego inflado aos oito ou catorze anos pode levar ao ressentimento aos vinte ou vinte e cinco anos.

Recentemente tirei, em uma escola pública americana, outro retrato, dessa vez de um cartaz florido com os dizeres: "Sonhe até que seus sonhos se tornem realidade". Esse é um mau conselho, pois cultiva um senso de direito adquirido sem mérito. Um conselho melhor poderia ser: "Trabalhe até que seus sonhos se tornem realidade". Pode não soar tão bem, mas estaria um pouco mais próximo da realidade. Uma declaração mais verdadeira, possivelmente adequada para ser emoldurada, seria: "Trabalhe em busca de seus sonhos, mas perceba que a vida é o que acontece enquanto você está fazendo outros planos. O amanhã pode nunca chegar ou pode ser irreconhecivelmente diferente".[1]

Recentemente, debati esse ponto com Charlene, uma estudante americana do ensino médio. Charlene espera ser uma romancista famosa algum dia. Ela é uma adolescente que vivenciou os problemas comuns da adolescência e usou essas experiências como a base da sua ficção. Seus professores elogiaram sua habilidade na escrita. Ela enviou manuscritos para agentes, mas recebeu apenas avisos de rejeição.

Charlene tem uma autoestima muito alta. Não acho que isso seja muito bom. Sua autoestima elevada aos quinze anos a está preparando para a decepção e o ressentimento aos vinte e cinco. Já testemunhei essa trajetória muitas vezes. A autoestima elevada na infância e na adolescência, cuidadosamente nutrida por pais e professores, previsivelmente leva a um colapso após a faculdade, geralmente cerca de três a cinco anos após a formatura, quando o jovem adulto — o mesmo adulto que tinha sido tão talentoso

---

[1] "Life is what happens while you are making other plans" [A vida é o que acontece enquanto você está fazendo outros planos] é uma paráfrase da música *Beautiful boy*, de John Lennon, de 1980, que contém esta frase: "Life is what happens to you while you're busy making other plans" [A vida é o que acontece enquanto você está ocupado fazendo outros planos]. Na música, Lennon está falando com seu filho Sean Taro Ono Lennon, que tinha quatro anos de idade na época. Lennon foi baleado e morto em 8 de dezembro de 1980, apenas três semanas após o lançamento do disco, em 17 de novembro de 1980.

na adolescência — aos poucos percebe que, na verdade, não é tão talentoso quanto pensava e descobre que o fato de terem dito repetidamente que ele era incrível não significa que ele fosse, de fato, incrível.[2]

Falando sem rodeios, *a cultura da autoestima leva a uma cultura de ressentimento*. Se sou tão maravilhoso, mas meus talentos não são reconhecidos e, aos vinte e cinco anos, ainda sou um zé-ninguém e trabalho em um cubículo — ou simplesmente não trabalho —, posso sentir inveja e ressentimento daqueles que são mais bem-sucedidos do que eu. *Como é que aquela jovem escritora conseguiu publicar seu romance e apareceu no* TODAY SHOW *e eu não consigo nem mesmo um agente?*

Um pai me disse recentemente: "As crianças precisam de autoestima. Quero que minha filha tenha a coragem de se candidatar àquele emprego importante, o emprego dos sonhos dela. E isso requer autoestima".

Não exatamente, respondi. Assumir riscos adequados requer *coragem*, antes de mais nada. Novamente, muitos pais confundem autoestima com coragem, assim como alguns tendem a confundir humildade com timidez e covardia. Ser corajoso significa que você reconhece os riscos e suas próprias limitações, mas tem a determinação de seguir em frente de qualquer maneira. O jovem com autoestima elevada, inconsciente de suas próprias deficiências, provavelmente não se sairá bem na entrevista de emprego. Mas o jovem genuinamente interessado no que o recrutador tem a dizer tem mais chances de conseguir o emprego.

O tipo certo de humildade o ajuda a reconhecer suas próprias deficiências. A estar mais bem preparado. Entender os riscos. E a assumir esses riscos com coragem, quando necessário.

---

2 Parafraseio a paráfrase de Alina Tugend do notório discurso de formatura de David McCullough Jr. em 2012: "Só porque lhes disseram que vocês são incríveis, não significa que sejam". O artigo de Tugend é intitulado "Redefining success and celebrating the ordinary" [Redefinido o sucesso e celebrando o ordinário], em *New York Times*, 29 de junho de 2012. Disponível em: www.nytimes.com/2012/06/30/your-money/redefining-success-and-celebrating-the-unremarkable.html.

O antídoto para a cultura da autoestima inflada é a cultura da humildade. Se eu estiver na cultura da humildade, então me regozijarei com o sucesso dos outros e ficarei feliz com minha parte. *A cultura da humildade leva à gratidão, ao apreço e ao contentamento.* A chave para a felicidade duradoura é o contentamento.

Essa conclusão está fundamentada em algumas pesquisas persuasivas. Recentemente, pesquisadores descobriram que, se uma pessoa tem uma atitude de gratidão em relação à vida, é mais provável que ela se sinta satisfeita, mais contente e mais feliz.[3]

Mais uma vez, essa não é exatamente uma percepção nova. Tradicionalmente, os pais americanos ensinavam essa verdade a seus filhos com frases como: "Conte suas bênçãos",[4] e: "Seja grato pelo que você tem". É menos comum ouvir os pais americanos dizerem essas coisas hoje em dia, exceto como consolo depois que o filho não é escolhido para estrelar a peça da escola ou quando o adolescente recebe o envelope fino[5] de Stanford.

A sequência de eventos é importante aqui. Muitos de nós consideram a gratidão como um *resultado*. O Papai Noel traz para a criança um presente maravilhoso e inesperado, e a criança fica grata ao Papai Noel. Mas os pesquisadores estão descobrindo que uma atitude de gratidão é a *causa* da felicidade, do bem-estar psicológico e de um senso de quem é senhor de si mesmo.[6]

---

3 Ver Alex Wood e colegas, "Gratitude predicts psychological well-being above the Big Five facets" [A gratidão prevê o bem-estar psicológico, mais que as cinco grandes facetas], em *Personality and Individual Differences*, 2009, vol. XLVI, pp. 443–447. Robert Emmons e Michael McCullough descobriram que o simples fato de dizer às pessoas para "contarem suas bênçãos" trazia benefícios significativos e contínuos; ver o artigo "Counting blessings versus burdens: An experimental investigation of gratitude and subjective well-being in daily life" [Contando bênçãos *versus* fardos: uma investigação experimental sobre gratidão e bem-estar subjetivo na vida diária], em *Journal of Personality and Social Psychology*, 2003, vol. LXXXIV, pp. 377–389; veja também o artigo de acompanhamento, "Gratitude in intermediate affective terrain: Links of grateful moods to individual differences and daily emotional experience" [Gratidão em terreno afetivo intermediário: ligações entre gratidão e diferenças individuais e experiências emocionais diárias], em *Journal of Personality and Social Psychology*, 2004, vol. LXXXVI, pp. 295–309.

4 Curiosamente, alguns jovens dizem para outros, ecoando a moral da cultura *woke* (na qual ocorre uma competição em que ganha quem for mais oprimido), "cheque seus privilégios" — NT.

5 Indicando que não foi aceito na prestigiosa universidade — NT.

6 Veja Wood e colegas, "Gratitude predicts psychological well-being above the Big Five facets", para uma análise da gratidão como *causa* do bem-estar e não como *resultado* do bem-estar.

Gratidão e humildade. Essas são as principais virtudes que as crianças americanas de hoje provavelmente não possuem depois de anos de doutrinação sobre sua própria sublimidade. Essas são as virtudes que você deseja ensinar a seu filho ou adolescente *antes que* a decepção chegue.

Entendo que isso pode desagradar a alguns de vocês. Eu mesmo passei por uma fase Ayn Rand quando era adolescente.[7] Essa fase pode ser uma parte normal da adolescência, parte integrante do implacável egocentrismo dos jovens. Mas, à medida que você se torna adulto — e com certeza quando se torna pai —, percebe que o mundo é, e deveria ser, maior do que você. Você não é o centro do mundo. E quando você percebe e aceita isso, com gratidão, pode dar um suspiro de alívio.

Lembre-se de Aaron e Julia, as duas crianças cujas histórias contei no capítulo 5. Aaron era o jogador que desistiu do futebol depois de um dia de testes. Julia era a aluna exemplar cujo autoconceito desmoronou quando descobriu que teria de se esforçar para passar em física. Pense em como suas experiências poderiam ter sido diferentes se seus pais tivessem lhes ensinado algo sobre humildade antes. Aaron poderia ter aprendido a perseverar, poderia ter entrado em forma, poderia ter entrado para a equipe — o que, por sua vez, poderia ter fundamentado seu autoconceito em algo mais real do que o mundo dos jogos eletrônicos. Julia poderia ter criado um autoconceito mais maduro, menos relacionado à sua perfeição como aluna. Ela também poderia ter chegado mais perto de descobrir se estava fazendo o curso de física no terceiro ano por causa de um interesse genuíno em física ou porque queria impressionar as pessoas fazendo o curso de física no terceiro ano.

***

---

[7] Ayn Rand ganhou fama por seus romances *A fonte* e *A revolta de Atlas*, que apresentam protagonistas fortes e desavergonhadamente egoístas, que buscam seus próprios interesses de forma implacável e orgulhosa. Quando voltei a ler esses romances depois de adulto, notei que nenhum dos principais protagonistas é pai ou mãe. A própria Rand não teve filhos.

Em todas as épocas e em todas as culturas, há muitos avisos sobre os erros aos quais essa cultura é menos propensa. Em eras puritanas, os pastores pregam sobre os perigos de ceder à carne. Em eras mais indulgentes, os apresentadores de programas de entrevistas na TV alertam sobre os perigos do puritanismo. Em uma era de "andar de cabeça erguida" e de "postura e brio", é preciso coragem para ensinar a humildade. E isso não lhe renderá muitos amigos.

Como você faz isso? Como ensinar seu filho a caminhar *humildemente* em uma época em que todos os pais que você conhece estão tentando aumentar a autoestima de seus filhos?

Minha primeira resposta é: tarefas. Exija que seus filhos façam coisas, como arrumar suas camas, lavar a louça, cortar a grama, alimentar os animais de estimação, pôr a mesa e aspirar a casa.

Já mencionei anteriormente o falecido Bill Phillips, sua esposa, Janet, e seus quatro filhos. Bill Phillips era um empresário bem-sucedido e, simultaneamente, também atuava como advogado e lobista de sucesso em Washington. Sua família tinha um estilo de vida abastado. Mas ele e sua esposa insistiam que seus quatro filhos dedicassem várias horas por semana, na maioria das vezes no domingo, à manutenção da casa.

Seu filho mais velho, Andrew, me explicou da seguinte maneira: a rotina habitual de domingo de manhã era ir à igreja em família. Depois da igreja, um *brunch*. Depois do *brunch*, eles vestiam roupas de trabalho e todos saíam para realizar tarefas. A grande propriedade da família perto de Potomac, Maryland, exigia muita manutenção.

— Literalmente, era necessário um exército para manter aquele lugar funcionando — escreveu Andrew em um *e-mail* para mim. — Normalmente, havia uma tarefa principal do dia. Lembro-me de fazer coisas como mover pilhas de mato, derrubar árvores, remover arbustos, reconstruir cercas, limpar a piscina e fazer sua manutenção, aplicar cobertura vegetal, lavar lugares, plantar flores, capinar, pintar, limpar veículos, mover detritos, arrancar ervas daninhas, substituir lajotas etc. Meu pai tinha uma política rígida de "se você está aqui em um domingo, você trabalha". Lembro-me de várias ocasiões em que amigos nossos queriam passar a noite aqui, mas não o fizeram porque não queriam ter que trabalhar no dia seguinte. Meu pai deixava claro que receber um amigo em casa não era desculpa para faltar ao trabalho no domingo. Sinceramente, isso causou algumas interações constrangedoras com amigos que claramente não estavam muito animados com a perspectiva de passar duas horas fazendo tarefas antes de seus pais irem buscá-los. Na verdade, pouquíssimas coisas eram motivo para alguém ficar livre das tarefas de domingo. Tenho lembranças nítidas de todos nós tentando escapar, dizendo: "Mas eu tenho TANTO dever de casa!" e desculpas semelhantes.

Janet e Bill poderiam ter pago um serviço de paisagismo. A maioria das famílias que vivem em grandes propriedades em Potomac emprega paisagistas profissionais. Por que eles simplesmente não contrataram uma equipe? Fiz essa pergunta a Janet. Aqui está sua resposta:

— Teria sido mais fácil, com certeza. Passar um cheque e deixar todo o trabalho para os profissionais teria sido mais fácil do que orientar os meninos a fazê-lo. Mas eu achava que entender o valor do trabalho deveria ser uma parte importante da criação deles, assim como foi para mim. Eu cresci trabalhando todos os domingos em um "projeto" familiar. Lembre-se, eu cresci em uma pequena cidade no sudoeste de Minnesota. Meu pai era o advogado da cidade. Todos os domingos, depois de irmos à igreja, toda a nossa família ia para a cidade. Morávamos em uma pequena fazenda na periferia da cidade, e embarcávamos na perua da família e íamos para o pequeno escritório de meu pai. Como uma família, limpávamos seu escritório. Isso nunca me pareceu estranho. Eu achava que era o que todas as famílias normais faziam. Mas eu odiava! O aviso de que era "hora de ir para a cidade" interrompia nosso jogo bola no quintal da frente. Eu odiava tanto esse ritual familiar que uma vez me escondi em nosso galinheiro, torcendo para que mamãe e papai pensassem que eu havia sido sequestrada e fossem para a cidade com o resto da equipe e se esquecessem de mim. Não tive essa sorte. Aprendi que, se você resistisse, seria designado para o pior trabalho: limpar o piso de ladrilho, o que era uma tortura na época de chuva. Eu tinha vergonha de que meus amigos nos vissem. Preocupava-me que, se os clientes de papai nos vissem limpando e não empregando "profissionais", pensariam que ele não era um bom advogado. Por fim, meu pai se tornou juiz local e eu me lembro de ter ficado muito aliviada por não precisarmos limpar o fórum da comarca depois que ele foi eleito. Ao crescer, entendi o que aprendi naquelas tardes de domingo juntos. Antes de tudo, aprendi a limpar. Isso me deixou com um duradouro apreço por lugares limpos e pelas pessoas que os mantêm limpos. Também me lembro de pensar que nossa família sempre poderia sobreviver se o mundo virasse de cabeça para baixo, porque sabíamos como fazer as coisas. Meus pais me ensinaram a não depender dos outros, a menos que o trabalho envolvesse eletricidade. Nossos domingos em família também eram a fonte de muitas, muitas de nossas histórias familiares favoritas, porque estávamos todos juntos. Eu queria que meus filhos conhecessem a mesma força. A vida não é tão assustadora se você souber como fazer as coisas, mesmo as mais simples.

Alguns pais, especialmente os abastados, me disseram que preferem contratar uma empregada doméstica ou um serviço de paisagismo, ou ambos. Eles preferem que seus filhos dediquem seu tempo a trabalhos escolares ou atividades extracurriculares em vez de tarefas domésticas. Acho que esses pais estão cometendo um erro. Você pode contratar um serviço de paisagismo, suponho, se for necessário e se puder pagar, mas ainda assim deve exigir que seu filho faça algumas tarefas domésticas. Ao isentar seu filho de todas as tarefas, como muitas famílias americanas ricas fazem atualmente, você está enviando a mensagem: "Seu tempo é muito valioso para ser gasto em tarefas domésticas", o que facilmente se transforma na mensagem não intencional: "*Você* é muito importante para fazer tarefas domésticas". E essa mensagem não intencional piora a autoestima inflada que hoje caracteriza muitas crianças americanas. Eu vejo isso com frequência.

***

Conheço Beth Fayard, seu marido, Jeff Jones, e seus filhos há mais de vinte anos. Beth e seu marido são pais "no ponto", na minha opinião — uma opinião que se baseia em muitos anos de observação em meu papel como médico da família e vizinho deles. Beth e Jeff são rigorosos *e* amorosos. E são observadores atentos com uma visão real do que aconteceu na cultura americana, pelo menos no subúrbio de Maryland, nos arredores de Washington, D.C., onde exerci minha profissão por mais de dezoito anos.

Visitei Beth e sua filha mais velha, Grace (que nasceu em 1989), para perguntar o que elas pensam sobre algumas das questões que levanto neste livro. Grace me disse: "Meus pais me ensinaram desde cedo que eu não seria a criança descolada. E eu não me importava muito com isso, porque o que realmente importava para mim não era o que as outras crianças pensavam de mim. O que mais importava para mim era o que meus pais pensavam de mim".

Beth acrescentou: "Hoje em dia, para uma garota americana, ser 'descolada' significa vestir-se de maneira provocante e inadequada, desrespeitar seus pais e ficar na rua até tarde da noite. Minhas filhas não podiam fazer nada disso".

Perguntei a Beth qual era sua política com relação às tarefas domésticas dos filhos. Ela explicou que seus filhos começaram a ajudar na casa aos quatro anos de idade ou até mais cedo.

— Mesmo quando eram bebês, eles nos ajudavam. Tirar o pó, por exemplo. Eu dizia: "Veja o que eu faço. Esse será seu trabalho". Assim, aos quatro anos de idade, eles realmente podem ajudar a tirar o pó. Não há nenhum grande mistério nisso.

— O que os outros pais da vizinhança acham de sua abordagem? — perguntei.

— A maioria deles não aprova — disse ela sem rodeios. — Eis algo que aconteceu recentemente. Depois do jogo do meu filho, os outros pais queriam que todos os meninos fossem juntos comer *pizza*. Eu disse: "Não, não podemos sair para comer *pizza* porque temos que ir para casa fazer faxina. Temos que limpar o galinheiro".

A família Fayard-Jones cria galinhas há muitos anos, principalmente para produzir ovos, que eles comem. Atualmente, eles têm doze galinhas.

— Os outros pais disseram: "Ora, Beth, você vai afastá-lo dos amigos? Não acha que está sendo um pouco radical?". Mas essas tarefas precisam ser feitas. O jogo já tinha sido seu momento de lazer.

Diferentes pais terão opiniões diferentes sobre as melhores práticas nesse caso. Até mesmo alguns pais "no ponto" podem achar que Beth está sendo muito rigorosa nessa situação. Mas acho que Beth está ensinando aos filhos uma lição importante. *O mundo não gira em torno de você. Você é um membro desta família com obrigações para com ela, e essas obrigações são fundamentais.*

O ator Denzel Washington conta uma história que ilustra esse ponto. "Lembro-me de uma vez em que cheguei em casa, me achando, e disse: 'Você tinha imaginado isso? Agora eu sou um *astro*'", disse ele. "Minha mãe disse: 'Em primeiro lugar, você não sabe quantas pessoas estão orando por você e há quanto tempo'... Então, ela me disse para pegar o balde e o rodo e limpar as janelas".[8]

***

Ensine a humildade. Além de fazer com que seus filhos façam tarefas, também recomendo limitar o uso das redes sociais pelas crianças: Instagram, Facebook, Twitter e assim por diante. Muitos outros autores fizeram recomendações semelhantes, embora por motivos diferentes. Alguns estão preocupados com a privação de sono resultante do excesso de tempo de tela. Outros estão preocupados com o *cyberbullying* ou mensagens de texto com teor sexual. Outros ainda estão preocupados com a forma como

---

8 Esse comentário foi extraído de uma entrevista que Washington deu no *talk show* de Oprah Winfrey em 31 de outubro de 2006. A transcrição completa está disponível em *Boys and Girls Clubs of the Mississippi Delta*: www.bgcmsdelta.org/Boys_&_Girls_Clubs_of_the_Mississippi_Delta/Media_files/Denzel%20Transcript%20-%20Oprah.pdf.

o uso das redes sociais pelas crianças parece prejudicar suas habilidades sociais no mundo real.⁹

Essas preocupações são válidas. Mas estou apresentando um outro argumento. Em minha observação, mesmo quando as crianças usam a mídia social adequadamente — sem *cyberbullying*, sem mensagens sexuais — a cultura da mídia social é a antítese da cultura da humildade. As mídias sociais, da forma como de fato são usadas por crianças e adolescentes, têm tudo a ver com autopromoção: "Este sou eu na festa, me divertindo muito". "Esta sou eu me vestindo para o baile de formatura". "Este sou eu enfiando o dedo no nariz".

"Este sou eu. Olhem para mim". Tudo se trata de propagar engrandecer o ego.

Sei muito bem que as redes sociais *podem* ser usadas para chamar a atenção para a situação dos pobres e dos sem-teto. Mas não é assim que a maioria das crianças e adolescentes americanos usa esses sites. Conheci pais que estão tentando fazer tudo certo, de acordo com as diretrizes apresentadas neste livro, mas seus filhos ainda são desrespeitosos, afrontosos e não se envolvem com os pais. Cada vez mais, descubro que a causa principal nesses casos é o envolvimento das crianças com as redes sociais.

Enquanto isso, os pais debatem se devem ou não ser amigos de seus filhos no Facebook; se devem ou não seguir o *feed* do Instagram de seus filhos. Minha resposta é que, se seu filho ou sua filha estiver vinculado à cultura americana de desrespeito, talvez ele ou ela não devesse sequer estar no Facebook ou no Instagram.

Desligue o aparelho e leve seu filho ou filha para passear no bosque ou fazer uma caminhada em uma montanha. Façam uma

---

9 Para saber como as redes sociais estão prejudicando a família, recomendo o livro da Doutora Catherine Steiner-Adair, *The Big Disconnect: Protecting Childhood and Family Relationships in the Digital Age* [A grande desconexão: protegendo a infância e as relações familiares na era digital] (Nova York: Harper, 2013). Para uma visão geral anterior de como as redes sociais prejudicam a alfabetização e outras habilidades sociais, recomendo o livro de Mark Bauerlein, *The Dumbest Generation: How the Digital Age Stupefies Young Americans and Jeopardizes Our Future (or, Don't Trust Anyone Under 30)* [A geração mais idiota: como a era digital entorpece os jovens americanos e põe em risco nosso futuro (ou não confie em ninguém com menos de trinta anos)] (Nova York: Tarcher, 2009).

viagem para acampar. Tarde da noite, quando estiver totalmente escuro, pegue a mão de sua filha e peça a ela que olhe para as estrelas. Converse com ela sobre a vastidão do espaço e a pequenez de nosso planeta no universo. Essa é a realidade. Isso é perspectiva.

Essa também é uma boa maneira de começar a ensinar humildade.

9
Em segundo lugar, aproveite

Quase todos os dias vejo no consultório pais que não aproveitam seu tempo com o filho ou a filha. Muitas vezes, os pais não têm uma boa percepção sobre esse ponto. Eu digo aos pais: "Você precisa aproveitar o tempo que passa com seu filho".

O pai ou a mãe me olha com uma expressão vazia, e depois diz: "Mas eu aproveito o tempo que passo com ele".

"Quando foi a última vez que você e seu filho fizeram algo totalmente divertido juntos?" pergunto. "Algo que vocês dois realmente gostaram?"

Outro olhar vazio. Finalmente, a mãe diz: "Estamos muito ocupados ultimamente. Ela tem tantas atividades depois da escola. E ainda há a lição de casa. Mas fomos à Disney nas férias de primavera".

Aproveite o tempo que você passa com seu filho. À primeira vista, esse conselho parece tão previsível, tão trivial, que quase parece não significar nada. Mas significa, sim. A surpreendente verdade é que a maioria dos pais americanos, especialmente as mães, não aproveitam muito o tempo que passam com seus filhos.

O economista ganhador do Prêmio Nobel Daniel Kahneman e seus colegas fizeram uma pesquisa com trabalhadoras nos Estados Unidos. Veja a seguir como essas mulheres classificaram o prazer que sentem em várias atividades de seu dia a dia. As atividades mais satisfatórias estão no começo da lista, e as menos estão no final:

1. Relações íntimas
2. Socializar fora do trabalho
3. Ceia
4. Almoço
5. Exercícios
6. Rezar
7. Socializar no trabalho
8. Assistir TV em casa
9. Falar ao telefone em casa
10. Cochilar
11. Cozinhar
12. Compras
13. Trabalho doméstico
14. Tempo com as crianças
15. Trabalho remunerado

Como se pode ver, os cuidados com os filhos estavam no final da lista: abaixo de cozinhar, abaixo das tarefas domésticas.[1] Kahneman e sua equipe posteriormente compararam mulheres americanas em Columbus, Ohio, com mulheres francesas em Rennes, França. A equipe "esperava encontrar diferenças substanciais entre os determinantes da satisfação com a vida e a felicidade experimentada nas duas cidades e, em vez disso, ficou surpresa com a notável semelhança".[2] As mulheres americanas não diferiram significativamente das francesas no que se refere ao quanto gostavam de lazer ativo, lazer passivo, comer, conversar, trabalhar e ir para o trabalho. Em outras palavras, as mulheres eram semelhantes umas às outras. A cultura francesa e a cultura americana não são tão diferentes quanto se poderia imaginar.

---

[1] Daniel Kahneman e colegas, "Toward national well-being accounts" [Sobre os relatos nacionais de bem estar], em AEA *Papers and Proceedings*, maio de 2004, pp. 429–434. Disponível em: http://www2.hawaii.edu/~noy/300texts/nationalwellbeing.pdf.

[2] Daniel Kahneman e colegas, "The structure of well-being in two cities: Life satisfaction and experienced happiness in Columbus, Ohio; and Rennes, France" [A estrutura do bem-estar em duas cidades: satisfação com a vida e felicidade vivenciada em Columbus, Ohio; e Rennes, França], em *International Differences in WellBeing*, editado por Ed Diener, Daniel Kahneman e John Helliwell. Nova York: Oxford University Press, 2010, p. 26.

Mas havia uma grande diferença no quanto as mulheres de ambos os países gostavam de estar com seus filhos. Como a equipe de Kahneman resumiu suas descobertas: "As mães americanas passavam mais tempo concentradas nos cuidados com os filhos, mas gostavam menos disso". O tempo gasto com um filho impacta negativamente a satisfação das mulheres americanas, mas positivamente a das mulheres francesas. O fato de ter um cônjuge atenuava um pouco a negatividade das mulheres americanas, mas Kahneman e seus colegas concluíram que "os valores correspondentes nos casos em que há filhos sugerem que a presença do cônjuge dificilmente torna os filhos americanos menos desagradáveis para a mãe".

"A relativa infelicidade das mães americanas obviamente exige mais estudos", concluiu a equipe de Kahneman. "Nosso membro da equipe francesa sugeriu que as crianças francesas, simplesmente, se comportam melhor".[3]

Suspeito que o membro da equipe francesa estava correto.

***

Observe também que Kahneman pesquisou apenas *mulheres* nesses estudos. Em seu livro *All Joy and No Fun: The Paradox of Modern Parenthood*, Jennifer Senior sugere que os homens gostam mais de ser pais do que as mulheres de ser mães. Isso se deve, em parte, ao fato de que os homens têm maior probabilidade de fazer as coisas divertidas, enquanto as mulheres fazem as coisas menos divertidas. O pai joga o bebê no ar para fazê-lo rir. A mãe troca as fraldas. O pai leva a filha para um baile de pai e filha. A mãe passa o vestido para a ocasião.[4]

As mães costumavam passar muito mais tempo com os filhos do que os pais, mas essa diferença de gênero está diminuindo.

---

3 Todas as três citações desta seção são de Kahneman e colegas, "The structure of well-being in two cities", p. 29.

4 Jennifer Senior, *All Joy and No Fun: The Paradox of Modern Parenthood* [Só alegria e nenhuma diversão: o paradoxo da paternidade moderna]. Nova York: Ecco [HarperCollins], 2014, pp. 55-59.

Entre 1975 e 2010, o tempo que os pais americanos casados passavam com seus filhos triplicou, passando de 144 minutos por semana em 1975 para 432 minutos por semana (o triplo do tempo) em 2010.[5] Mas ainda há uma grande diferença na *forma como* pais e mães passam o tempo com seus filhos. Como observa Senior, os pais normalmente passam mais tempo *brincando* com os filhos, enquanto as mães passam mais tempo fazendo atividades rotineiras, como escovar os dentes, dar banho e alimentar. "Pergunte a qualquer pai ou mãe que tipo de cuidado infantil eles preferem", escreve Senior.[6] A maioria de nós prefere brincar com nossos filhos a ajudá-los a escovar os dentes. Isso pode ser parte da razão pela qual, na média, os homens americanos gostam mais de ser pais do que as mulheres de ser mães: porque os pais estão brincando, não trabalhando.

Mas Jennifer Senior destaca outro motivo, mais fundamental, pelo qual as mães americanas não gostam de ser mães. As mães americanas enfrentam jornadas duplas e triplas. Elas se esforçam por ser mães ao mesmo tempo em que tentam realizar tarefas domésticas ou trabalhos profissionais. Os homens entrevistados por Senior eram menos propensos a tentar essas duplicidades e triplicidades de função. Senior observa que as mulheres com filhos têm mais do que o dobro da probabilidade de "às vezes ou sempre" se sentirem sobrecarregadas, em comparação com as mulheres sem filhos. Mas os pais americanos não têm maior probabilidade de se sentirem sobrecarregados em comparação com os homens americanos sem filhos.[7]

Os relatos de Senior sobre mulheres que tentam integrar o trabalho doméstico ou profissional com a criação dos filhos me comovem, porque já ouvi, em meu próprio consultório e em conversas com pais em todos os Estados Unidos, relatos semelhantes

---

5 Suzanne Bianchi e colegas, "Housework: Who did, does or will do it, and how much does it matter?" [Trabalho doméstico: quem fez, faz ou fará e o quanto isso importa?], em *Social Forces*, 2012, vol. XCI, pp. 55–63.

6 Senior, op. cit., p. 57.

7 Ibid., p. 59.

de várias mulheres. Elas me contam como estão tentando realizar algo em suas vidas adultas e, ao mesmo tempo, passar tempo com seus filhos. Estão tentando responder a uma mensagem de texto de um amigo ou a um e-mail do trabalho ao mesmo tempo em que brincam de *Candyland* com sua criança.

Não faça isso. Não é divertido. Quando estiver com seu filho, dedique-se totalmente a ele. Quando estou de plantão cuidando da minha filha, tento fazer algo ao ar livre, em parte para não sentir a tentação de dar uma olhada na tela do computador para ver um *e-mail*. Certa vez, insisti com minha filha para que fôssemos jogar minigolfe. Ela nunca tinha jogado minigolfe antes e não queria ir. Mas eu insisti. Dirigimos até o campo de minigolfe e ela protestou durante todo o trajeto. Mas, uma vez lá, nós nos divertimos muito. Hoje de manhã, ela e eu demos uma volta em um bosque próximo e fingimos que estávamos isolados longe da civilização.

— Não temos nada para comer. Não temos nada para beber — disse ela.

— Sim. Provavelmente vamos morrer — eu disse.

Nós nos divertimos muito.

※ ※ ※

Às vezes não é fácil aproveitar o tempo com seu filho. Às vezes, seu filho pode nem mesmo querer estar com você.

Kayden tinha quatro anos de idade quando seus pais se divorciaram. Sua mãe obteve a custódia integral, em parte porque James, o pai do menino, havia sido condenado por porte de maconha vários anos antes. Quatro anos depois, quando Kayden tinha oito anos, a mãe dele foi presa e condenada por vender drogas ilegais. A assistente social ligou para James e lhe disse que o tribunal estava concedendo a guarda total a ele, o pai.

Desde o primeiro dia em que foi morar com seu pai, Kayden foi infeliz. Ele sentia falta de sua mãe e se ressentia do pai.

— Todo dia era uma luta — disse-me James. — Não importava o que eu fizesse, nada funcionava. Se eu tentasse ser legal, de me ignorava. Se eu tentasse ser durão e falar com firmeza, ele começava a gritar tão alto que eu temia que os vizinhos ouvissem. E ele percebia que eu estava preocupado com isso. Então, cerca de três semanas depois que ele veio morar comigo, eu disse: "Vamos fazer tubing". Ele disse: "O quê?". Ele não sabia o que era "tubing". Quando expliquei que iríamos descer uma montanha nevada em um tubo de borracha, ele gritou que não queria ir. Mas eu disse: "Só lamento, você vai sim". A Blue Mountain fica a cerca de uma hora de carro. Nos primeiros vinte minutos, mais ou menos, ele gritou e chorou, dizendo que não queria ir. Nos quarenta minutos seguintes, ele não falou nada. Mas quando chegamos lá, ele não brigou comigo ao sair do carro. Acho que ficou interessado na montanha. Ele nunca tinha estado em um lugar como aquele antes. Depois que comprei as passagens do teleférico e ele olhou para a montanha e viu as crianças descendo a colina, seu rosto se iluminou. Ele ainda não tinha dito nada, mas pude ver que estava animado. Quando entramos no tubo, ele nem fingiu mais estar chateado. Estava empolgadíssimo. Quando chegamos ao fundo, ele disse: "Vamos fazer isso de novo!". Passamos o dia inteiro na montanha. E isso mudou tudo. Depois disso, ele me viu sob uma luz totalmente nova. Descobriu que podíamos nos divertir juntos. Então, quando chegamos em casa, começamos a brincar jogando bola, lutando dentro de casa, tudo. Agora nos damos bem. E tudo começou com aquele dia na montanha.

Viver momentos divertidos com seu filho não é uma alternativa a ser incluída após o término do trabalho exigido pelo dia. É essencial. Você precisa planejar. Você precisa insistir. Você precisa reservar tempo para fazer isso.

Kayden tinha oito anos de idade quando seu pai conseguiu mudar sua disposição em um dia na montanha. Se Kayden tivesse quinze anos, talvez não tivesse sido tão fácil ou acontecido tão rapidamente. Quanto mais nova for a criança, mais fácil será mudar o comportamento dela em relação à diversão e a você. Os adolescentes geralmente são um desafio maior. Mas nem sempre.

***

Bronson Bruneau[8] é uma americaníssima história de sucesso adolescente. Como capitão do time de basquete do ensino médio, ele liderou a equipe ao título de campeã estadual de Minnesota. Ele também foi um jogador de futebol da All-Conference (jogando como *tight end*).[9] Formou-se com a segunda melhor média de notas de sua classe. A garota que se formou com a melhor média, por acaso, era sua namorada. Recebeu oito bolsas de estudo diferentes de grupos comunitários locais. Ganhava dinheiro extra cortando a grama dos vizinhos. Outros grupos comunitários lhe deram os principais prêmios por serviços comunitários.[10] Agora, ele está estudando na Duke University, onde joga futebol americano como reserva.

Como convém a um estudante-atleta de sucesso nos Estados Unidos, Bronson é popular. Ele poderia ter passado todas as noites de seu último ano do ensino médio em uma festa ou na casa de um amigo. Mas quando nos falamos por telefone durante o último ano, ele me disse que sua atividade favorita no tempo livre era ficar com os pais. Em mais de uma ocasião, ele recusou convites para festas a fim de ficar em casa e jogar jogos de tabuleiro com os pais ou assistir a filmes antigos com eles.

Depois de conversar com Bronson e sua irmã mais velha, Marlow,[11] estou bastante confiante de que eles têm pais "no ponto", no sentido de que são ao mesmo tempo rigorosos e amorosos. Marlow me contou como às vezes ficava chateada com seus pais quando era adolescente. Ela não pôde colocar um *piercing* nas orelhas até completar treze anos. Ela não podia assistir a um filme

---

8 Esse é seu nome verdadeiro.
9 Posição nos times de futebol americano — NT.
10 A meu pedido, Bruneau me forneceu uma lista de seus prêmios. Alguns deles refletem conquistas acadêmicas ou atléticas; outros refletem serviços comunitários; outros ainda, como ser eleito para a Corte do Baile, são simplesmente uma medida de popularidade. Bruneau demonstra que ainda é possível ser popular nos Estados Unidos sem desrespeitar os pais. Ser um atleta campeão ajuda.
11 Esse é seu nome verdadeiro.

de classificação restrita até os dezessete anos e tinha de avisar seus pais com antecedência sobre os filmes que iria assistir. Ela nunca podia ficar sozinha em casa com os amigos; pelo menos um dos pais sempre tinha de estar presente. Seu pai insistia em entrevistar qualquer rapaz que desejasse sair com ela, antes de permitir o encontro. Ela nunca teve permissão para levar um namorado para o quarto, mesmo que suas amigas tivessem todo tipo de privacidade nos quartos *delas*.

— Durante todo o ensino médio, eu dizia aos meus pais: "Vou ter que fazer terapia pelo resto da vida por causa dessas coisas terríveis que vocês fazem comigo" — contou Marlow. — Eu sempre fui a garota esquisita, a garota que não tinha permissão para fazer as coisas que todo mundo fazia. Depois fui para a Universidade da Virgínia e, após cerca de dois anos lá, vendo como os jovens estavam em colapso e fazendo todo tipo de loucura para destruir as próprias vidas, subitamente percebi que NÃO *vou precisar fazer terapia, nem agora nem depois, por causa da maneira como meus pais me criaram.*

Apesar — ou talvez por causa — da rigidez de seus pais, tanto Marlow quanto Bronson gostam de passar tempo com eles. Os Bruneaus (mamãe e papai) não fazem nada de extraordinário. Eles jogam jogos de tabuleiro com seus filhos. Banco Imobiliário. Eles assistem a filmes antigos juntos. Jogam beisebol em família. Papai e Bronson gostam de jogar sinuca ou golfe juntos.

São as pequenas coisas que trazem mais felicidade.[12]

* * *

Aproveite o tempo que você tem com seus filhos. Isso significa que não haja aparelhos ligados na hora das refeições. Quando estiverem sentados à mesa juntos, o foco deve ser a interação. Ouça seu filho e converse com ele.

---

12 Esta é a minha paráfrase do aforismo de Friedrich Nietzsche em *Also sprach Zarathustra*, "Wenig macht die Art des besten Glücks" (o melhor tipo de felicidade é criada por pouca coisa).

Em segundo lugar, aproveite

Tentamos aplicar essa regra rigorosamente em nossa casa. Nada de telas à mesa de jantar. Nada de olhar para o celular. Nada de TV ligada no cômodo ao lado. Nada de iPads. Quando minha filha estava na primeira série, ela escreveu uma lista de tópicos para ajudá-la a se lembrar do que queria falar no jantar daquela noite: comida, livros, animais, plantas, números, letras, nomes, filmes, brinquedos, cores e veículos. O plano da minha filha era pedir a todos na mesa que dissessem o nome de sua comida favorita, seu livro favorito, seu animal favorito e assim por diante. Levamos cerca de uma hora na mesa para falar sobre nossas comidas, livros e animais favoritos. Foi o máximo que conseguimos. Depois, era hora de limpar tudo.

Da mesma forma: não são permitidos fones de ouvido no carro. Quando minha esposa e eu fomos comprar um carro recentemente, ela queria bancos traseiros aquecidos. Acontece que a única maneira de obter bancos traseiros aquecidos é comprar o pacote de entretenimento, que inclui um sistema de entretenimento para os bancos traseiros. Guardei o material promocional da concessionária. Uma foto mostra uma mãe no banco do passageiro dianteiro, olhando para trás e sorrindo para seus dois filhos nos bancos traseiros. As duas crianças estão usando fones de ouvido e assistindo a um vídeo. A mãe parece estar dizendo: "Que maravilha! Podemos dirigir por horas e eu não preciso falar com meus filhos!".

Você não é o único: todos estão sobrecarregados. Aproveite cada momento que puder. O tempo no carro deve ser um momento para as crianças e os pais conversarem. Não permita que seu filho se afaste de você com um fone de ouvido no carro ou em qualquer lugar em que estejam juntos.

***

Seguir esse conselho — não fazer várias tarefas ao mesmo tempo, dedicar-se 100% ao seu filho quando estiver com ele — requer tempo. Um investimento significativo de tempo. Além do tempo que passam juntos no carro, como você encontra tempo para seguir essas diretrizes?

É tudo uma questão de equilíbrio. Equilíbrio em sua vida e na vida de seu filho. Talvez você tenha que reduzir sua agenda e a agenda de *seu filho*. Discuti esse problema com muitos pais que trabalham e me convenci de que muitos de nós estamos tentando fazer coisas demais e nossos filhos estão tentando fazer coisas demais. Uma mãe de nossa vizinhança mencionou que todas as tardes fica tão ocupada, levando os filhos para diversas atividades, que eles quase nunca têm tempo para fazer uma refeição em casa. Em vez disso, elas pedem sanduíches no *drive thru* e comem no carro, entre a aula de balé e o treino de futebol. Quando chegam em casa, é hora de fazer a lição de casa e depois ir para a cama.

Qual é o recado transmitido nesse caso? Sem querer, o recado é que o tempo em família e sem pressão é a última prioridade de todas.

Os pais também estão sobrecarregados, tentando fazer muita coisa em pouco tempo, sem dormir o suficiente. Mas, em vez de reduzir nossa própria agenda, muitos de nós — pais americanos — agimos como se a resposta fosse preencher a agenda de nossos filhos para que eles fiquem tão estressados e sobrecarregados quanto nós.

Esse tipo de comportamento é mais comum nos Estados Unidos do que em qualquer outro lugar. Fora da América do Norte, não é comum encontrar adultos que se vangloriem do quanto são ocupados e de quão pouco dormem. Fora da América do Norte, é raro encontrar mães em tempo integral que passam o dia levando seus filhos de uma atividade para outra, mesmo durante as férias de verão.[13] Como observa o ensaísta e cartunista Tim Kreider, "se

---

13 Há duas décadas, temos boas evidências de que os americanos trabalham mais horas por semana, em média, do que os trabalhadores de qualquer outro país desenvolvido. Ver, por exemplo, Jerry Jacobs e Kathleen Green, "Who are the overworked Americans?" [Quem são os americanos sobrecarregados?], em *Review of Social Economy*, 1998, vol. LVI, pp. 442-459. Para um relato mais anedótico do contraste cultural sobre esse parâmetro entre os Estados Unidos e a Europa, ver a matéria de capa de John de Graaf para o *The Progressive*, "Wake up Americans: It's time to get off the work treadmill. We need to come up with a different approach to work" [Acordem, americanos: é hora de sair da rotina de trabalho. Precisamos encontrar

você mora nos Estados Unidos no século XXI, provavelmente já teve de ouvir muitas pessoas dizerem o quanto são ocupadas [...]. Obviamente, sob a máscara da queixa, estão a se gabar". Ele descreve uma amiga que deixou a cidade de Nova York e se mudou para a França. Ela

> se descreveu como feliz e relaxada pela primeira vez em anos. Ela ainda faz seu trabalho, mas esse trabalho não consome todo o seu dia e cérebro... O que ela erroneamente supôs ser sua personalidade — determinada, irritadiça, ansiosa e triste — no fim era uma deformação causada pelo ambiente. Não se pode dizer que qualquer um de nós queira viver assim [...]. É algo que coletivamente forçamos uns aos outros a fazer.[14]

* * *

Recentemente, conversei com uma mulher que tem uma filha, Darby. Darby se esforça muito na escola. Sua mãe e seu pai apoiam suas ambições acadêmicas, mas são cautelosos em não ajudá-la demais com a lição de casa. Eles não querem ser pais ultraprotetores. Ela treina futebol todos os sábados e todas as terças-feiras à tarde, tem aula de dança em outro dia e aula de programação em outro dia.

Darby tem oito anos de idade.

Quando perguntei à mãe de Darby por que ela faz tantas coisas, ela respondeu:

— Porque Darby realmente gosta de todas essas atividades.

— Isso é ótimo — eu disse. — Mas você não acha que precisa ensinar a ela algo sobre *equilíbrio*, sobre não ficar sobrecarregada?

---

uma abordagem diferente para o trabalho], em *Progressive*, setembro de 2010, pp. 22–24. Embora seja bastante fácil encontrar documentação que comprove que os americanos trabalham mais horas por semana, em média, do que os trabalhadores de outros países desenvolvidos, é mais difícil encontrar qualquer documentação que comprove que os americanos *se vangloriem* de estar mais ocupados do que as pessoas de outros países. Essa é minha observação pessoal. É também uma observação compartilhada por Tim Kreider em "The 'Busy' Trap" [A armadilha da ocupação], em *Opinionator* (blog). *New York Times*, 1º de julho de 2012. Disponível em: http://opinionator.blogs.nytimes.com/2012/06/30 /the-busy-trap.

14 Kreider, op. cit.

Algo sobre a alegria de um momento tranquilo, de ficar deitada de costas na grama, olhando para o céu?

A mãe fez uma pausa. Ela podia ver onde eu estava querendo chegar.

— Programação é uma habilidade muito valiosa — disse ela.
— Especialmente para as meninas.

Não prossegui com a discussão. Não tinha muita esperança de realmente mudar a opinião daquela mãe, e não vejo sentido em discutir só por discutir. É claro que programação é uma habilidade valiosa. Especialmente para meninas. Mas, ao lotar de atividades a vida de uma criança, com pouco tempo para reflexão, sem tempo de silêncio para um jantar descontraído entre pais e filhos, essa mãe está enviando uma mensagem não intencional: "O que você *faz* é mais importante do que quem você é". E essa mãe está ensinando à filha que se tornar mais talentosa, aprimorando suas habilidades nesta e naquela atividade, é mais importante do que o tempo livre, do que o relaxamento, do que uma boa conversa e ouvir os outros. Mais importante do que a família.

O foco em atividades pós-escolares para crianças, assim como a cultura do Instagram e do Facebook, tem tudo a ver com o aumento a valorização do ego. *Veja minha filha: ela é uma dançarina talentosa, uma jogadora de futebol habilidosa e um gênio em programação.*

O mesmo acontece com os pais: encontrei muitos que estão sobrecarregados com compromissos no trabalho, trabalho voluntário e outras tarefas que deixam muito pouco tempo para uma refeição descontraída em casa com seus filhos. Muitos pais querem dizer: "Olhe para mim: sou um profissional bem-sucedido, um ótimo pai e *blá blá blá*".

Tal mãe, tal filha. Tal pai, tal filho.

Os americanos inverteram tudo. Esqueça as realizações. Não force seu filho a viver a vida como se estivesse sempre se candidatando à universidade. Ensine-o a não se preocupar com ser incrível aos olhos de outras pessoas. Isso significa fazer menos e ser mais.

Fazer essas mudanças pode exigir grandes ajustes pessoais e profissionais. Talvez você tenha que se mudar de um estado para outro para encontrar um emprego menos exigente ou para viver confortavelmente com uma renda menor. Está tudo bem com isso. Você precisa ter clareza sobre quais são as prioridades.

Você precisa ensinar o sentido da vida.

10
Em terceiro lugar, tenha em mente o sentido da vida

Quando visito escolas, frequentemente me reúno com alunos, em grupos grandes e pequenos. Quando me reúno com alunos do ensino fundamental ou médio, às vezes os envolvo em discussões semi-socráticas. Faço perguntas e passo a palavra aos alunos que levantam a mão.

— Para que serve a escola? — eu pergunto. — Qual é o sentido de se esforçar aqui?

— Para entrar em uma boa faculdade — é a resposta que mais ouço dos alunos americanos do ensino médio.

— Então, qual é o propósito da faculdade?

— Conseguir um bom emprego, para poder me sustentar — os alunos respondem.

Esse diálogo é a base para o que passei a chamar de "roteiro da classe média". O roteiro é o seguinte:

1. Você deve se esforçar na escola para poder entrar em uma boa faculdade.
2. Entre em uma boa faculdade para conseguir um bom emprego.
3. Consiga um bom emprego e você terá uma boia renda e uma vida boa.

Há vários defeitos nesse roteiro. O primeiro é o fato de que todas as falas dele são falsas.

1. *Esforçar-se na escola não é garantia de ser aceito em uma faculdade de primeira linha.* Todos nós conhecemos histórias de crianças que se esforçaram muito, tiraram boas notas e não conseguiram entrar em nenhuma de suas primeiras opções.
2. *Ser aceito em uma boa faculdade não é garantia de um bom emprego.* A mídia e a blogosfera estão repletas de histórias de jovens que obtiveram diplomas de bacharel em Princeton e Harvard e que agora estão trabalhando como garçons ou simplesmente desempregados.[1]
3. *Conseguir um bom emprego não é garantia de ter uma vida boa.*

Falaremos mais sobre o número três em instantes. Mas primeiro você e eu precisamos fazer, mais seriamente, essa pergunta: para que serve a escola?

Percebo que os pais nos Estados Unidos, mais do que em qualquer outro país, foram convencidos pelo roteiro da classe média. Na Alemanha e na Suíça, por exemplo, não é vergonha para um jovem de quinze anos optar por um treinamento para se tornar um mecânico de automóveis em vez de ingressar na universidade. E isso é verdade mesmo que ambos os pais sejam professores universitários. Nesses países, os mecânicos são respeitados e ganham um bom dinheiro.

Os mecânicos também podem ganhar um bom dinheiro nos Estados Unidos, mas aqui atualmente há um estigma e um desprestígio

---

[1] Ver, por exemplo, Jennifer Lee, "Generation Limbo", em *New York Times*, 31 de agosto de 2011. Disponível em: www.nytimes.com/2011/09/01/fashion/recent-college-graduates-wait--for-their-real-careers-to-begin.html, traçando o perfil dos formandos de Harvard, Dartmouth e Yale que atualmente trabalham em biscates para conseguir pagar as contas. É claro que essas anedotas são apenas anedotas, não dados. Para obter evidências quantitativas de que uma grande proporção de formandos de faculdades seletivas não está conseguindo fazer uma transição bem-sucedida para o local de trabalho, ver Richard Arum e Josipa Roksa, *Aspiring Adults Adrift: Tentative Transitions of College Graduates*. Chicago: University of Chicago Press, 2014. A fixação em entrar em uma faculdade ou universidade "de ponta" não é apenas injustificada pelos dados sobre resultados de longo prazo; ela também é totalmente prejudicial aos adolescentes, restringindo seu foco e limitando seus horizontes. Para um relato comovente dos danos causados por essa obsessão, ver Frank Bruni, *Where You Go Is Not Who You'll Be: An Antidote to the College Admissions Mania* [Aonde você vai não é quem você será: um antídoto para a mania de admissões a faculdades] (Nova York: Hachette, 2015).

ligado ao trabalho "braçal" que de todo inexiste na *Mitteleuropa*. Nos Estados Unidos, é difícil imaginar o filho de dois professores escolhendo ir direto para um "curso profissionalizante" para ser mecânico, a menos que esse filho tenha sido diagnosticado com algum tipo de deficiência de aprendizado. Atualmente, a maioria dos americanos considera o "curso profissionalizante" como uma opção de baixo prestígio, adequado apenas para alunos com QI abaixo da média ou com dificuldades de aprendizado.

Em algum nível, às vezes subconscientemente, muitos americanos — tanto pais quanto alunos — aceitaram a ideia de que um dos objetivos principais do ensino fundamental e médio, talvez até mesmo *o* objetivo principal, é levar o aluno a ser aceito em uma universidade de elite e prepará-lo para a faculdade. Isso é um erro. O objetivo principal da educação deve ser a preparação para a *vida*, não para mais estudos. E muitas das habilidades necessárias para ter sucesso na vida são diferentes das habilidades necessárias para ser aceito em uma faculdade de primeira linha.

Para ser admitido em uma universidade de elite, geralmente é necessário ter uma boa média de notas e bons resultados nas provas. O aluno também precisa ter participado de atividades extracurriculares que impressionem a equipe de admissões. Assim, um aluno racional evitará matérias que talvez lhe interessem, mas nas quais ele não tem tanta certeza de tirar uma nota boa; em vez disso, ele se inscreve para aulas de matérias que sabe que pode dominar. Ele pode se inscrever em uma atividade após o horário escolar, não porque a atividade é de seu interesse, mas porque acha que o ajudará em sua inscrição para a faculdade. Em resumo, ele mais *atua* do que *vive*, fazendo um espetáculo para impressionar a banca de admissão da faculdade. E me parte o coração ver tantos pais ajudando e incentivando esse *show* de marionetes, acreditando que estão fazendo o melhor para seus filhos.

Há algumas trajetórias de vida — mas apenas algumas — em que essa abordagem pode fazer sentido. Se você tem certeza absoluta de que quer ser médico e tem certeza de que nada mais o realizará, então o roteiro da classe média pode ser uma boa opção para você. Trabalhe duro na escola; entre em uma faculdade de elite. Trabalhe duro na faculdade; obtenha a graduação de medicina. Trabalhe duro na faculdade de medicina; seja escolhido para uma boa residência médica. Trabalhe duro na residência; consiga um bom emprego. Simples. A profissão médica é uma escolha popular entre os estudantes universitários, em parte porque o caminho que ela oferece para uma vida boa parece claro aos dezoito anos de idade.

Como médico, posso dizer que muitos de meus colegas nunca realizaram o trabalho árduo de se responder, na infância ou na adolescência, as respostas para as perguntas realmente importantes: "Quem sou eu?", "o que eu realmente quero?", "o que me faria feliz?". Essas não são perguntas triviais. O grande psicólogo americano Doutor Abraham Maslow observou que muitos adultos nunca respondem a essas perguntas.[2] Já vi alguns desses adultos entre meus colegas médicos. Tal homem pode ser considerado um cirurgião de sucesso, pode ganhar US$ 600 mil dólares por ano,

---

2 Uma das principais ideias de Maslow foi a hierarquia das necessidades. Todos precisam ter atendidas suas necessidades humanas básicas, como alimentação, vestuário e abrigo. A maioria dos seres humanos também tem necessidade de amor e pertencimento. Quando essas necessidades são atendidas, acreditava Maslow, as pessoas buscam o respeito e a estima de seus pares. No topo da hierarquia de Maslow está a necessidade de autorrealização, de cumprir o propósito mais profundo da pessoa. Maslow acreditava que um foco restrito na obtenção de riqueza não traria satisfação, porque, em última análise, os seres humanos precisam de mais do que satisfazer seus apetites. Na perspectiva de Maslow, todas as pessoas devem descobrir por si mesmas o que precisam para se tornarem "autorrealizadas". Ver, por exemplo, Abraham Maslow, *The Farther Reaches of Human Nature*, edição reimpressa. Nova York: Penguin, 1993. Estou ciente das críticas às teorias de Maslow; ver, por exemplo, Mahmoud Wahba e Lawrence Bridwell, "Maslow reconsidered: A review of research on the need hierarchy theory" [Maslow reconsiderado: uma revisão da pesquisa sobre a teoria da hierarquia de necessidades], em *Organizational Behavior and Human Performance*, 1976, vol. xv, pp. 212-240. Não estou lhe pedindo que aceite cegamente as teorias de Maslow. Estou apenas salientando que descobrir o que você quer da vida, o que realmente o fará feliz, não é uma tarefa trivial. Pelo contrário, é uma tarefa substancial, pois a resposta é diferente para cada pessoa. Meu outro ponto aqui é que a resposta americana contemporânea está prejudicada. A suposição tácita na cultura americana contemporânea é que o sucesso material — ganhar muito dinheiro — proporcionará a qualquer um uma vida satisfatória. Arthur C. Brooks observou recentemente que essa premissa básica da vida americana do século xxi não é compatível com os resultados das pesquisas sobre esse assunto. Se você leu o capítulo 6 deste livro, isso não será uma surpresa. Como você deve se lembrar desse capítulo, a conscienciosidade prevê a satisfação com a vida mais fortemente do que a renda. E uma vida dedicada à busca de dinheiro *por si só* pode não ser uma vida caracterizada por altos níveis de conscienciosidade. Veja Arthur C. Brooks, "Love people, not pleasure", em *New York Times*, 18 de julho de 2014.

mas é infeliz. Ele é infeliz porque trabalha oitenta horas por semana em um emprego que passou a detestar.

Se você trabalha oitenta horas por semana em um emprego que enfraquece a sua alma, então você é um escravo. Não me importa se você está ganhando US$ 600 mil dólares por ano ou mais. A vida é preciosa. Cada minuto é um presente inestimável. Nenhum dinheiro pode recuperar o tempo perdido. Se você estiver desperdiçando seu tempo em um trabalho que detesta, poderá vir a lamentar o tempo perdido. Se você é médico, pode passar a desgostar de seus pacientes. Aprendi a reconhecer esses médicos e tento afastar meus pacientes deles.

De acordo com alguns especialistas em força de trabalho, no século XXI, a maioria dos americanos mudará de um emprego para outro, até mesmo de uma carreira para outra, várias vezes ao longo de suas vidas.[3] Esse tipo de vida que a maioria de nossos filhos levará, pulando de um emprego para outro, exige uma habilidade muito diferente do conjunto de habilidades que funciona bem na escola. Seu filho terá de estar disposto a tentar coisas diferentes, a seguir direções diferentes para encontrar seu nicho, seu chamado, sua vocação. E o nicho, o chamado ou a vocação dele podem mudar com o tempo. Se você e seu filho estão seguindo o roteiro da classe média, então a escola não está preparando seu filho para a vida real. Em vez disso, a escola está deixando seu filho *menos* preparado para a vida real, pois o pressiona a ser exageradamente cauteloso e avesso a riscos.

As regras para o sucesso na vida são diferentes das regras para ser admitido em Princeton ou Stanford. *Aceitar o fracasso* é uma das chaves para o sucesso na vida real. Para ser um dos melhores alunos, você precisa tirar 10 em tudo ou, pelo menos, quase tudo.

---

3 Segundo uma estimativa, o trabalhador médio do século XXI pode esperar ter dezenove empregos diferentes durante sua vida profissional; veja Sarah Womack, "19 jobs for workers of the future" [Dezenove empregos para os trabalhadores do futuro], em *Daily Telegraph*, 25 de fevereiro de 2004. Disponível em: www.telegraph.co.uk/news/uknews/1455254/19-jobs-for--workers-of-the-future.html. A revista *Forbes* informou que 60% dos jovens trabalhadores americanos agora trocam de emprego a cada três anos ou menos: Kate Taylor, "Why Millennials are ending the 9 to 5" [Por que os millenials estão acabando com o trabalho em horário comercial], 23 de agosto de 2013. Disponível em: www.forbes.com/fdc/welcome_mjx.shtml.

Os valores inculcados na maioria das escolas atuais, tanto públicas quanto privadas, reforçam a relutância em assumir riscos, a relutância em fracassar.

Seu trabalho como pai ou mãe não é reforçar o roteiro da classe média, mas enfraquecê-lo. Capacite sua filha ou seu filho a assumir riscos e parabenize-os não apenas quando tiverem sucesso, mas também quando *fracassarem*, pois o fracasso gera humildade. E a humildade nascida do fracasso pode gerar crescimento, sabedoria e abertura para coisas novas de uma forma que o sucesso quase nunca faz. Steve Jobs disse algo semelhante em seu discurso de formatura em Stanford, em 2005: "Na época eu não vi isso, mas no fim ser demitido da Apple foi a melhor coisa que poderia ter me acontecido. O peso de ser bem-sucedido foi substituído pela leveza de ser novamente um iniciante, com menos certeza sobre tudo. Isso me libertou para entrar em um dos períodos mais criativos da minha vida".[4]

Nos últimos quinze anos, visitei mais de trezentas e oitenta escolas. Tenho tentado entender o que as crianças precisam e como as escolas ajudam ou não. Muitas vezes me decepcionei. Muitas escolas que visitei, especialmente nos Estados Unidos, adotam completamente o roteiro da classe média. Como resultado, elas geralmente tornam as crianças mais frágeis em vez de menos. Mas algumas escolas se libertaram desse roteiro. Uma dessas escolas é a Shore, a escola australiana que mencionei anteriormente.

Robert Grant, sexto diretor da Shore, gostava de fazer uma observação específica aos pais dos alunos recém-matriculados na escola. Ele gostava de dizer: "Espero que seu filho tenha *muitas decepções* enquanto estiver nesta escola". Os pais geralmente ficavam confusos. "Por que o diretor desejaria que meu filho tivesse muitas decepções?". Grant explicava que, se um aluno não tiver uma decepção real na escola, ele não estará preparado para a decepção quando ela ocorrer na vida real.

---

4 Para obter o texto completo do discurso de formatura de Steve Jobs em 2005, ver "'You've got to find what you love,' Jobs says" ["Você precisa encontrar o que ama", diz Jobs]. Stanford University, 14 de junho de 2005. Disponível em: http://news.stanford.edu/news/2005/june15/jobs-061505.html.

E a decepção virá. Sonhos serão destruídos. Pessoas queridas morrerão. Relacionamentos terminarão. A educação correta, juntamente com o tipo certo de criação, deve preparar seu filho ou filha para lidar com a decepção e o fracasso, para aceitar a perda de um sonho quando ele acabar, para seguir rumo a outro campo de atuação sem perder o entusiasmo. Algumas escolas ensinam isso explicitamente e bem. Mas, nos Estados Unidos, são muito poucas. Algumas das escolas americanas consideradas "as melhores", porque muitos de seus formandos frequentam faculdades de elite, nem sequer tentam ensinar essas habilidades, as habilidades necessárias para o sucesso na *vida*. Essas escolas estão ocupadas demais preparando seus alunos para obter as melhores notas e os melhores resultados nas provas.

Flashdance foi um filme popular quando estreou em 1983. É sobre uma adolescente que sonha em fazer um teste para uma prestigiada companhia de dança. Mas ela não tem o treinamento e os recursos de muitas das outras garotas. Ela fica desanimada. Em um determinado momento do filme, ela está prestes a desistir. Então, seu namorado, Nick, lhe diz: "Quando você desiste de seu sonho, você morre". Então ela persevera e seu sonho se torna realidade.

Muitos pais e filhos americanos de hoje estão presos ao que chamo de "ilusão *do Flashdance*". Tomam o filme como metáfora. Mesmo que nunca tenham assistido a *Flashdance*, as crianças americanas já viram dezenas de outros filmes com o mesmo tema. "Vá atrás de seu sonho. Se você trabalhar duro o suficiente, ele se tornará realidade. Se você fizer qualquer coisa, vai ser recompensado". E os pais geralmente estão presos ao mesmo roteiro.

Mas esse é um roteiro tóxico. Ele leva as crianças a se concentrarem em uma trajetória, em um enredo: "Se no começo você fracassar, deve enfrentar essa situação com a determinação de se esforçar mais, alcançando o sucesso final". *Flashdance* poderia ser um filme mais interessante e instrutivo para a vida real se, no meio do caminho, a personagem de Jennifer Beals tivesse dito: "Sabe, talvez eu não seja uma dançarina tão boa, afinal. Talvez eu esqueça a dança e vá para o Colorado tentar a sorte como instrutora de esqui. Ou talvez eu abra uma pousada na Nova Escócia".

A metáfora *do Flashdance* é tóxica por motivos semelhantes aos da cultura do Instagram e do Facebook, onde tudo gira em torno de *mim*. O que importa é sempre o que estou fazendo, meu sucesso. Para muitos pais americanos de renda média e alta, o sentido mais profundo da vida que podem oferecer aos filhos é essa noção de sucesso pessoal. Acertar na loteria da fama e da fortuna tornou-se o novo sonho americano. Muitos americanos atualmente parecem acreditar, hoje em dia, que sucesso é igual a realização. Como observou recentemente David Brooks, colunista *do New York Times*, a cultura americana atual baseia-se na premissa "de que a carreira e o sucesso econômico podem levar à realização pessoal", uma suposição que Brooks chama de "a ilusão central de nosso tempo".[5]

O outro lado do sonho é aquilo que Mark Shiffman, professor de ciências humanas da Universidade Villanova, chama de "o jogo do medo": a preocupação, por parte de muitos jovens americanos, de que não encontrarão seu lugar e de que terão menos sucesso do que seus pais. "Sempre foi difícil responder às perguntas profundas e permanentes da vida", observa Shiffman. Mas ele acredita que a cultura americana contemporânea "torna difícil até mesmo fazer as perguntas". Ele ressalta que os jovens adultos de hoje se acostumaram a confiar em critérios institucionalizados para serem validados e terem uma confirmação de seu valor. O resultado é um foco no que os jovens *fazem*, nas coisas que conquistam, em vez de em quem eles *são*, em seu caráter.

Faz parte do seu trabalho como pai ajudar seu filho a desenvolver o caráter, o autocontrole e a consciência. Ajudar seu filho a aprender o que importa e o que não importa. Ao fazer isso, conclui o Professor Shiffman, você dará a seu filho

---

[5] David Brooks, "The ambition explosion" [A explosão da ambição], em *New York Times*, 28 de novembro de 2014. Disponível em: www.nytimes.com/2014/11/28/opinion/david-brooks-the-ambition-explosion.html.

uma orientação mais clara em meio às incertezas da vida e um lugar para se posicionar fora do jogo do medo. Isso também ajuda com o medo que talvez seja o mais profundo de todos: o fato de que uma série infinita de conquistas pode não resultar em uma vida cheia de sentido e de que vencer as corridas da disputa acadêmica e profissional pode não trazer felicidade genuína.[6]

O antídoto para a cultura do *Flashdance* e do Facebook é ensinar humildade e gratidão. Com essas virtudes, as coisas deixam de girar todas em torno de *mim* e passam a se referir ao serviço que se pode fazer aos outros. Integridade. Mesmo que meu serviço e minha integridade nunca sejam notados por ninguém e nunca resultem em uma única migalha de fama ou fortuna. No fim das contas, o que importa é a pessoa que você realmente é, não a pessoa que você finge ser.

A vida real não se adapta às convenções dos filmes. As crianças e adolescentes americanos e seus pais precisam se libertar da ideia de que a vida é uma espécie de filme sobre sucesso pessoal. Abandonem essa ideia. Encontrem outro sonho. O filme não é uma boa metáfora.

Uma das obrigações mais difíceis da paternidade responsável é dizer ao seu filho ou à sua filha que o sonho deles não vai se realizar, que eles precisam encontrar outro sonho. Pais inseguros quanto à própria autoridade, cuja prioridade máxima é agradar o filho, nunca dirão essas verdades difíceis. Mas, se você não o fizer, quem o fará?

***

O que é mais importante, ser realizado ou ser feliz? Essa é uma pergunta errada.

Muitos pais já ouviram falar de "mães tigresas" que se concentram nas conquistas de seus filhos. Eles conhecem alguns "pais

---

6 Mark Shiffman, "Majoring in fear" [Formados em medo], em *First Things*, novembro de 2014, pp. 19–20.

irlandeses" que só querem que os filhos se divirtam.[7] Eles se perguntam: "Será que devo pressionar mais meu filho para que ele atinja seus objetivos? Ou devo me soltar e deixá-los relaxar?".

Mas essa questão — realização *versus* felicidade — baseia-se em premissas falsas. Não adianta insistir para que seu filho se esforce mais para conquistar coisas se ele não tiver uma meta ou um senso de propósito que dê algum contexto às suas conquistas. Da mesma forma, não faz muito sentido deixar seus filhos relaxarem e fazerem o que quiserem se você não tiver *educado* o desejo deles.

Uma de suas tarefas como pai ou mãe é incutir um senso de sentido, um desejo por algo mais elevado e profundo. Sem sentido, a vida começa a parecer vazia e fútil. Sem sentido, os jovens têm maior probabilidade de ficar ansiosos e deprimidos.

Uma vez que nossos filhos tenham um senso de sentido, eles podem confiantemente ir em busca de realizações, pois sabem *por que* vale a pena buscar aquela vitória. Uma vez que o desejo tenha sido educado, os jovens podem aproveitar o tempo livre de forma mais profunda e completa, seja lendo um livro, ouvindo música ou fazendo uma caminhada pela floresta. Ou numa viagem de pesca no Alasca.

No capítulo anterior, mencionei a importância de aproveitar o tempo que você passa com seu filho. Programe férias com o objetivo de fortalecer o vínculo entre pais e filhos. Era isso que Bill Phillips estava fazendo na manhã de 9 de agosto de 2010, quando ele e seu filho mais novo, Willy, subiram a bordo de um avião anfíbio de doze lugares em um canto remoto do sudoeste do Alasca, a caminho de alguns dos melhores lugares para pescar salmão e truta no mundo, onde o Rio Nushagak se junta ao Lago Nerka. Seria uma grande aventura.

O avião — um monomotor DeHavilland DHC construído em 1957 — nunca chegou ao seu destino. O piloto, Theron "Terry"

---

[7] "Mãe tigresa" é uma referência a Amy Chua, *Battle Hymn of the Tiger Mother* [O hino de batalha da Mãe tigresa] (Nova York: Penguin, 2011). "Pai irlandês" é uma referência ao artigo de P. J. O'Rourke, "Irish Setter dad", em *Weekly Standard*, 4 de abril de 2011. Disponível em: www.weeklystandard.com/articles/irish-setter-dad_55 5534.html.

Smith, sessenta e dois anos, havia sobrevivido a um derrame quatro anos antes e estava de luto pela morte recente de seu genro, que havia morrido em um acidente de avião.[8] O grupo embarcou no hidroavião por volta das 11h. A equipe do alojamento ligou para o acampamento de pesca por volta das 17h para perguntar quando o grupo viria jantar.[9] Foi quando ficaram sabendo que as nove pessoas a bordo do avião nunca haviam chegado ao acampamento de pesca. Aeronaves civis e da Guarda Aérea Nacional do Alasca foram rapidamente despachadas para realizar buscas ao longo da rota do voo.

Um dos pilotos avistou os destroços do avião. Ele pensou: "É impossível que alguém tenha sobrevivido a esse acidente". Os destroços cobriam uma subida com inclinação de quarenta graus. Havia uma cicatriz na encosta, no lugar onde o avião havia colidido e se arrastado pela colina íngreme. A cicatriz tinha cerca de setenta e cinco metros de comprimento. A frente da aeronave havia sido completamente arrancada.[10]

Em seguida, outro piloto informou pelo rádio que havia avistado um sobrevivente. "Há alguém no local do acidente, acenando e pedindo ajuda". Essa mão acenando transformou uma missão de busca em uma missão de resgate. Os pilotos alertaram a cadeia

---

8 Esses detalhes sobre Theron "Terry" Smith foram extraídos da Associated Press, "Ted Stevens plane crash: NTSB issues report on cause of crash that killed Alaska senator" [Acidente de avião com Ted Stevens: NTSB emite relatório sobre a causa do acidente que matou o senador do Alasca], em *Huffington Post*, 25 de maio de 2011. Disponível em: www.huffingtonpost.com/2011/05/24/ted-stevens-plane-crash-n_n_866585.html.

9 De acordo com os relatórios publicados poucas horas após o acidente aéreo — antes que qualquer um dos quatro sobreviventes tivesse sido entrevistado —, o avião havia decolado por volta das três horas daquela tarde. No entanto, Willy e sua mãe, Janet, me disseram que o avião decolou por volta das onze horas da manhã. Mais de seis horas se passaram antes que alguém soubesse que eles estavam desaparecidos.

10 O piloto que pensou que ninguém poderia ter sobrevivido ao acidente foi Eric Shade, proprietário da Shannon's Air Taxi, conforme relatado por Mark Thiessen e Becky Bohrer para a Associated Press, "Rescuers saw a waving hand" [A equipe de resgate viu uma mão acenando], em *Boston.com*, 12 de agosto de 2010. Disponível em: www.boston.com/news/nation/articles/2010/08/12/rescuers_saw_a_waving_hand. A descrição da cena do acidente foi extraída dos comentários de Jonathan Davis, oficial da Guarda Nacional Aérea do Alasca, conforme relatado por Jim Kavanagh, "Rescuers battled weather, terrain at Alaska crash site" [Equipes de resgate lutaram contra o clima e o terreno no local do acidente no Alasca], em CNN, 11 de agosto de 2010. Disponível em: www.cnn.com/2010/US/08/11/alaska.crash.conditions.

de comando médico: "Há pelo menos uma pessoa ainda viva lá embaixo". Mas como executar um resgate? Não havia lugar para um helicóptero aterrissar. E o tempo era curto. As condições na encosta eram frias e úmidas. Um médico e uma equipe de apoio foram levados de helicóptero para o local de pouso mais próximo, a cerca de trezentos metros de distância, e se arrastaram até o local do acidente através de uma densa vegetação "enquanto a neblina e a chuva fria cobriam a área e o anoitecer chegava", de acordo com uma reportagem.[11]

Willy Phillips, de treze anos de idade, sobreviveu. Seu pai, Bill Phillips, estava morto. Willy havia quebrado o pé e sofrido outros ferimentos. Na confusão e no horror imediatamente após o impacto — que ocorrera sem nenhum sinal prévio, segundo o testemunho dos quatro sobreviventes —, Willy percebeu, primeiro, que seu pai estava morto; segundo, que ele mesmo estava ferido; terceiro, que o avião se tornara um emaranhado de destroços. (Mais tarde, os socorristas tiveram de abrir a fuselagem de aço para retirar os outros três sobreviventes). Mas Willy conseguiu rastejar para fora do emaranhado de partes quebradas da aeronave, escorregadias por causa do óleo, combustível e chuva fria, e ficar no chão pronto para acenar para a primeira aeronave de busca que sobrevoou a área a baixa altitude, embora esse movimento tenha agravado ainda mais seus próprios ferimentos.

É difícil imaginar um estresse muito pior do que testemunhar a morte de um pai querido e, ao mesmo tempo, sentir a dor cruciante de ossos quebrados. Ninguém poderia culpar Willy se ele tivesse se encolhido em posição fetal ao lado do cadáver de seu pai. Mas, em vez disso, Willy procurou heroicamente pedir ajuda.

A maioria dos pais americanos não prepara seus filhos a sério para a decepção, o fracasso e a tristeza. Bill e Janet prepararam seus quatro filhos, creio eu. E isso fez toda a diferença.

***

---

11 Essa descrição foi extraída de Thiessen e Bohrer, op. cit.

Em terceiro lugar, tenha em mente o sentido da vida

Já mencionei minha visita à Shore, uma escola particular em Sydney, Austrália. Durante minha visita, conversei com o atual diretor, Doutor Timothy Wright. Fiz a ele a pergunta que sempre faço aos alunos:

— Para que serve a escola?

Ele respondeu imediatamente:

— Para preparar para a vida.

Essa não é uma resposta trivial. O Doutor Wright constantemente relembra seus professores, seus alunos e os pais deles que o principal objetivo da escola não é ajudar a entrar em uma universidade de ponta, mas preparar para a vida. As habilidades necessárias para entrar em uma universidade de ponta não são as mesmas necessárias para o sucesso na vida, como discutimos há pouco.

Eu disse:

— *Ok*, preparar para a vida. Então, qual é o propósito da vida?

O Doutor Wright respondeu sem hesitar:

— 1) Um trabalho dotado de sentido. 2) Uma pessoa para amar. 3) Uma causa para abraçar.

Fiz uma pausa.

— Isso é persuasivo — disse por fim.

Não estou dizendo que o Doutor Wright é um guru. Não estou sugerindo que sua fórmula seja a resposta que todos nós devemos aceitar. Mas ela é uma resposta. E acredito que *você deve ter uma resposta* quando seu filho lhe perguntar: "Por que devo me esforçar na escola?". Você deve ter uma resposta que seja maior do que "para ser aceito em Stanford" ou "para ter uma vida boa". Você deve oferecer uma visão mais ampla. Algum conceito do sentido geral. Algum entendimento de que ter experiências com pessoas importa mais do que a comprar coisas.[12] E você deve ter a autoridade para comunicar esse panorama geral ao seu filho. Para fazer isso, você precisa ser mais importante na vida de seu filho do que os colegas dele.

---

12 Essa frase é uma paráfrase de Brooks, op. cit.

A consequência mais grave da mudança de uma cultura em que os pais são o centro para uma cultura orientada em que os colegas ocupam essa posição é essa: *os pais não conseguem mais oferecer esse panorama geral aos filhos*. Aos dez anos de idade, é mais provável que uma criança americana procure obter orientação sobre o que realmente importa na vida com os colegas do que com os pais. Mas as crianças não são competentes para orientar outras crianças. Essa é a função dos adultos. A mudança de uma sociedade centrada nos pais para uma sociedade centrada nos colegas transformou o ensino fundamental e médio em uma "corrida para lugar nenhum", para usar o título de um documentário recente.[13] Crianças e adolescentes de lares de renda média e alta sentem que estão em correndo em uma rodinha de *hamster*: tentando tirar boas notas, entrar em uma boa faculdade, mas não têm ideia *do porquê*, além da vaga promessa de um emprego confortável no fim do arco-íris e da falta de qualquer alternativa coerente.

Sem uma forte orientação dos pais, as crianças e os adolescentes esperam que o mercado os oriente a respeito do que é importante. E, atualmente, o mercado americano — a cultura dominante da qual faz parte a maioria das crianças e adolescentes americanos — está focado, de perto e implacavelmente, na fama e na riqueza. Na cultura de Justin Bieber, Miley Cyrus, Lady Gaga e Kim Kardashian, a fama, o dinheiro e "ser descolado" são o que mais importa. Mas a busca da fama pela fama, da riqueza pela riqueza e da beleza pela beleza empobrece a alma.

Ser um bom pai significa — entre outras coisas — ajudar sua filha ou filho a encontrar e realizar seu verdadeiro potencial. A resposta do Doutor Wright fornece um roteiro para pensar sobre o que isso pode significar, de forma concreta. "Um trabalho dotado de sentido. Uma pessoa para amar. Uma causa para abraçar". Em qual trabalho seu filho pode encontrar mais sentido? Como você pode preparar seu filho para dar e receber amor em um relacionamento

---

13 *Race to nowhere*, 2010.

duradouro? Como você pode ajudar seus filhos a encontrar uma causa, algo maior do que eles mesmos, que eles possam defender com entusiasmo?

É mais provável que a criança ou o adolescente conscencioso se torne um adulto consciencioso: uma mulher ou um homem maduro o bastante para estabelecer metas significativas e trabalhar para alcançá-las com integridade. Para servir aos outros. E para amar, honesta e fielmente.

Maduro o bastante para encontrar o sentido da vida.

Conclusão

Você e eu não somos os únicos a tentar criar os filhos de forma correta em uma cultura que tende a levá-los levará para o lado errado. Conheci pais que pensam da mesma forma em todos os Estados Unidos e em todo o mundo. Juntos, você, eu e outros pais como nós podemos criar uma comunidade de pais que entendem os desafios e que estão tentando criar uma cultura de respeito que funcione no contexto do século XXI.

Precisamos reavaliar nossos valores.[1] Há cinquenta anos, nossa cultura popular celebrava a vida de pessoas comuns em programas

---

1 Meu apelo para "reavaliar nossos valores" é uma alusão ao apelo de Friedrich Nietzsche para *Umwertung aller Werte*, uma reavaliação de todos os valores. O argumento de Nietzsche é que no mundo europeu tradicional, antes do Iluminismo, a maioria das pessoas buscava na religião o fundamento de seus valores. No mundo contemporâneo, muitas pessoas não aceitam mais a doutrina religiosa ou a Bíblia como base de sua perspectiva moral. Nietzsche foi, sem dúvida, o primeiro a reconhecer que, em um mundo assim, não se pode contar com *nada* da moralidade. Ele enfatizou esse ponto em um de seus últimos livros, *Twilight of the Idols* [Crepúsculo dos Ídolos]: "O cristianismo é um sistema, uma visão completa de coisas pensadas em conjunto. Ao romper com um conceito fundamental (*einen Hauptbegriff*), a fé em Deus, destrói-se (*zerbricht*) o todo: nada necessário permanece entre seus dedos [...]. A moralidade cristã é um mandamento; sua origem é transcendente; está além de toda crítica, de todo direito à crítica; ela só tem verdade se Deus for a verdade, ela se mantém e cai com a fé em Deus. Quando os ingleses de fato acreditam saber 'intuitivamente' o que é bom e o que é mau, quando subsequentemente supõem que não é mais necessário ter o cristianismo como garantia da moralidade, isso é meramente o efeito do domínio do juízo de valor cristão e uma expressão da força e da profundidade desse domínio: de tal forma que a origem da moralidade inglesa foi esquecida, de tal forma que a própria condicionalidade (*das SehrBedingte*) de seu direito à existência não é percebida. Para os ingleses, a moralidade ainda não é um problema". A tradução é de minha autoria. Nos passos em que minha tradução se afasta do comum das traduções em inglês, mostro o original alemão entre colchetes. Nietzsche usa a palavra "inglês" para se referir a "aqueles que falam inglês". Ele não tinha interesse nas distinções entre inglês, escocês, irlandês, australiano e americano. Para saber mais sobre Nietzsche, ver meu artigo "What was the cause of Nietzsche's dementia" [Qual foi a causa da demência de Nietzsche], no *Journal of Medical Biography*, 2003, vol. 11, pp. 47–54. Disponível em: www.leonardsax.com/Nietzsche.pdf. As *conclusões* de Nietzsche sobre valores são muito diferentes das minhas. Mas ele e eu partimos da mesma *premissa*: ou seja, que em uma era pós-cristã, não há nada com que se possa contar. Todos os valores devem ser reavaliados. Vivemos agora

de televisão como *I Love Lucy*, *The Dick Van Dyke Show* e *The Andy Griffith Show*. Os personagens retratados nesses programas não eram famosos ou ricos. Mas eram bons modelos de conduta para as crianças, porque eram boas pessoas. Hoje, a cultura popular americana — especialmente a cultura infanto-juvenil — celebra artistas famosos ou aspirantes a artistas em programas como *iCarly*, *The X Factor*, *So You Think You Can Dance*, *The Voice* e *American Idol*. Como a jornalista Alina Tugend observou recentemente, nós, pais, "acabamos convencidos de que ser mediano condenará nossos filhos a uma vida que ficará muito aquém do que queremos para eles". A própria palavra "ordinário" se tornou um termo depreciativo. Brené Brown, professora de serviço social, sugere que nos Estados Unidos do século XXI, "uma vida comum tornou-se sinônimo de uma vida sem sentido".[2]

Nas últimas três décadas, nós americanos nos afastamos muito da compreensão daquilo que as crianças precisam para se tornarem adultos realizados e independentes. Minamos a autoridade dos professores e dos pais. Permitimos que as crianças fossem orientadas por colegas da mesma idade em vez de insistir na primazia da orientação por parte dos adultos. Como resultado, as crianças americanas agora crescem menos imaginativas, menos adaptáveis e menos criativas do que poderiam ser.

Mas você pode mudar isso, em sua própria casa, a partir de hoje.

Se mora nos Estados Unidos e quer que seu filho cresça feliz, produtivo e realizado, então terá de educá-lo de forma diferente da forma empregada pela maioria de seus vizinhos. Seus vizinhos talvez não entendam. Eles podem murmurar entre si sobre como você é antiquado. Você não permite que seu filho de onze anos

---

no mundo que Nietzsche profetizou em 1888, um mundo em que todas as moralidades estão em questão. Portanto, todos os valores devem ser reavaliados. O que quero dizer é que se você não empreender essa tarefa de forma explícita e séria e, por acaso, viver nos Estados Unidos hoje, é provável que seus filhos adotem os valores da cultura popular americana, na qual o que mais importa é a busca pela fama, riqueza e boa aparência, ou "o que quer que agrade".

2 Citado em Alina Tugend, "Redefining success and celebrating the ordinary", em *New York Times*, 29 de junho de 2012. Disponível em: www.nytimes.com/2012/06/30/your-money/re-defining-success-and-celebrating-the-unremarkable.html.

Conclusão

jogue jogos eletrônicos violentos como *Grand Theft Auto* ou *Call of Duty*. Ele deve se sentir tão isolado! Sua filha de doze anos é uma das três únicas meninas da classe que não tem seu próprio *smartphone* e que não tem uma conta no Instagram.

Que horror!

Você será *tão* quadrado.

Não se deixe intimidar. Empreste seu exemplar deste livro ao seu vizinho. Mas, enquanto isso, você terá de ser corajoso, para o bem de seu filho. Para que ele ou ela possa crescer e ser corajoso.

E humilde.

Como você.

***

Em todo o mundo, os pais dos países desenvolvidos estão cada vez mais confusos quanto ao seu papel. Eles devem ser os melhores amigos dos filhos ou seus guias firmes? Muitos pais estão se confundindo ao tentar ser o colega descolado em um momento e o pai firme em outro. Meu conselho é: não faça isso. Seu trabalho é ser o pai firme, não o colega descolado. O relacionamento entre pais e filhos é diferente do relacionamento entre colegas da mesma idade. Entenda as diferenças. Descobri que esse conselho é tão necessário em Edimburgo, Auckland e Brisbane quanto em Dallas, Nova York e Seattle.

Mas outros desafios são peculiarmente americanos. Neste livro, destaquei três deles:

1. *Cultura*: a cultura do desrespeito está mesclada com a cultura do "viva o agora". Quando alguém vê o *outdoor* da Pepsi "viva o agora" na Inglaterra ou na Nova Zelândia, é fácil reconhecer a mensagem como um produto importado americana, que qualquer pessoa pode aceitar ou rejeitar livremente. Mas, nos Estados Unidos, "viva o agora" é nossa cultura nativa. É a cultura padrão que as crianças americanas encontram se as deixarmos livres para navegar por conta

própria, como alguns figurões gostariam que fizéssemos.[3] Sem orientação firme, essa é a cultura que elas adotarão como sua.

2. *Medicação*: nos Estados Unidos, tornou-se comum medicar crianças com poderosos medicamentos psiquiátricos como primeiro recurso, e não como último. Como expliquei no capítulo 3, esse é um dos principais motivos pelos quais as crianças americanas agora têm probabilidade muito maior de tomar medicamentos do que as crianças de fora da América do Norte. Estamos fazendo experimentos em crianças de uma forma sem precedentes, com medicamentos cujos riscos de longo prazo são amplamente desconhecidos.

3. *Sobrecarga de atividades*: como mencionei no capítulo 9, nós, americanos, gostamos de nos gabar de como somos ocupados. A rotina ininterrupta de escola, atividades e deveres de casa começa cedo pela manhã e continua até tarde da noite. Isso não é saudável. Encontre uma perspectiva diferente. Vanglorie-se de como você e seu filho passaram uma tarde deitados na grama, olhando para o céu, encontrando formas nas nuvens.

Para ser um pai sábio nos Estados Unidos hoje, você precisa entender esses desafios. Seja o guia competente; apresente a seu filho uma visão de mundo com um sentido mais profundo do que "viva o agora". Resista às pressões para medicar seu filho, exceto como último recurso e não como primeira intervenção. Não ceda à tentação de se sobrecarregarem de atividades; ensine seu filho que passar um tempo com a família e sem pressão é mais importante do que encaixar mais duas ou três atividades extracurriculares na semana.

***

---

[3] Aqui estou me referindo a Jennifer Finney Boylan, que citei no final do capítulo 6. Veja seu artigo "A Common Core for all of us", em *New York Times*, 23 de março de 2014. Sunday Review, p. 4.

Conclusão

Todo relacionamento humano é caracterizado por responsabilidades, mas essas responsabilidades diferem dependendo do relacionamento. Um médico tem responsabilidades para com um paciente: avaliar os sinais e sintomas do paciente, fazer um diagnóstico e explicar a abordagem terapêutica proposta. Um amigo tem responsabilidades para com um amigo: ser gentil, ser confiável, estar disponível da melhor forma possível em momentos de necessidade. Um marido tem responsabilidades para com sua esposa e uma esposa para com seu marido: cada um deles assumiu o compromisso de amar o outro, renunciando a todos os outros, por toda a vida. Cada uma dessas conexões humanas — entre médico e paciente, entre amigos e entre marido e mulher — é vital. Mas não há responsabilidade maior entre os seres humanos do que a de um pai com um filho. É responsabilidade dos pais não apenas alimentar, vestir e abrigar a criança, mas também instruí-la em uma cultura, incutir um senso de virtude e um desejo de integridade e ensinar o sentido da vida de acordo com o melhor entendimento dos pais.

A cultura dominante contemporânea sabotou a autoridade de que os pais precisam para realizar seu trabalho. O resultado foi o colapso da paternidade em todo o mundo, talvez na América do Norte mais do que em qualquer outro lugar. O colapso da paternidade levou, não surpreendentemente, a uma explosão de ansiedade e depressão entre crianças e adolescentes e a um aumento extraordinário na proporção de crianças frágeis de maneiras desconhecidas pelas gerações anteriores.

Para o bem de seu filho, você precisa criar uma cultura alternativa em sua casa.

Você precisa afirmar sem desculpas a primazia do relacionamento entre pais e filhos sobre os relacionamentos entre colegas da mesma idade.

É preciso ensinar que a família vem em primeiro lugar, apesar de vivermos em uma cultura em que os laços familiares raramente são respeitados.

Você deve ensinar a seu filho que cada escolha que ele faz tem consequências imediatas, de longo alcance e imprevistas.[4]

Você deve ajudar seu filho a encontrar um sentido para a vida que não tenha a ver com a última conquista, com a aparência ou com o número de amigos que ele tem, mas com quem ele é, com seu verdadeiro eu.

Você deve avaliar o seu sucesso como pai ou mãe não pelo número de amigos que seu filho tem, não pela média das notas, nem pelas pontuações nas provas, nem pela sua capacidade atlética, não por uma carta de aceitação de uma faculdade ou universidade famosa, mas pelo fato de seu filho estar no caminho da realização e por ser capaz de governar suas necessidades e desejos em vez de ser governado por eles.

Não se deixe paralisar por suas próprias inadequações. Talvez você não seja um modelo perfeito de honestidade e integridade. Eu também não sou. Pode haver lugares escuros em sua alma, coisas das quais você se envergonha. Também sofro com isso. Ao tentar pregar a seu filho sobre virtude e caráter, você talvez se sinta tolo, porque sabe o quanto se desviou no passado, até mesmo recentemente. Muitas vezes eu me senti da mesma forma.

Mas não há o que fazer. Para usar uma analogia da sala de aula: educar seu filho para conhecer e se importar com a virtude e o caráter não é uma tarefa especial, reservada aos pais superiores, que dá créditos extra. É uma obrigação para todos os pais. E quando uma tarefa obrigatória lhe é incumbida, você deve dar o melhor de si, independentemente de suas próprias deficiências.[5] Independentemente de seus semelhantes — os outros pais — estarem se importando com a tarefa ou não.

---

4 No capítulo 8, descrevi Beth Fayard e Jeff Jones como pais "no ponto". Em minhas conversas com Beth, mais de uma vez ela me disse que se esforça para ensinar a seus filhos que "cada escolha que você faz tem consequências imediatas, de longo alcance e imprevistas".

5 Aqui estou parafraseando o comentário de C. S. Lewis sobre deveres que "não são um exercício muito atraente para a classe alta", mas são obrigatórios. Lewis observa que quando se depara "com uma pergunta opcional em uma prova, o aluno considera se pode ou não respondê-la; quando se depara com uma pergunta obrigatória, sabe que deve fazer o melhor que puder". Ver C. S. Lewis, *Mere Christianity*. São Francisco: HarperCollins, 2009, pp. 195, 100–101.

Não há responsabilidade maior.

Desejo a você tudo de bom — para você e para seu filho. E espero que nos mantenhamos em contato.

Agradecimentos

Minha primeira dívida é com os pais e as crianças que me procuraram no consultório, de 1989 até hoje, em Maryland e na Pensilvânia. Mais de noventa mil consultas com crianças e pais de diversas origens me proporcionaram uma formação direta que não pode ser encontrada em nenhum livro, *site* ou página do Facebook.

A segunda é com as mais de trezentas e oitenta escolas, nos Estados Unidos e no mundo todo, cujos líderes me convidaram para visitar entre 2000 e 2015. Observar as salas de aula, conversar com alunos e professores, reunir-se com administradores de escolas e ouvir os pais foi de grande valia para trabalhar as questões deste livro. Consulte meu *site* (www.leonardsax.com) para ver as listas de minhas visitas a escolas de 2006 até o presente.

Sou grato às famílias e pessoas que concordaram em permitir que eu as citasse nominalmente neste livro: Janet Phillips e seus quatro filhos, Andrew, Colter, Paul e Willy; Beth Fayard, seu marido, Jeff Jones, e seus filhos, Grace, Claire e Roland; Doutora Meg Meeker e seu filho, Walter; e Bronson Bruneau e sua irmã Marlow Phillips (esposa de Andrew).

Ao longo deste livro, faço comparações entre os Estados Unidos e outros países. Sou muito grato aos anfitriões de fora da América do Norte que me convidaram a visitar suas escolas ou comunidades e que me ensinaram algo sobre as experiências vividas por crianças e adolescentes em outros países. Sou especialmente grato a Josep Maria Barnils, de Barcelona, Espanha; Jan Butler, de Hobart, Tasmânia, ex-diretor da Australasian

Girls' Schools Alliance; Rebecca Cody, ex-diretora da Woodford House, na Nova Zelândia, e atual diretora da Methodist Ladies' College, nos arredores de Perth, Austrália; Melanie L'Eef, de Christchurch, Nova Zelândia; Anne Everest, diretora da St George's School for Girls, em Edimburgo, Escócia; Andrew Hunter, diretor da Merchiston Castle School, em Edimburgo, Escócia, especialmente por me hospedar em sua casa em duas ocasiões e por me ensinar muito sobre as diferenças entre a Escócia e a Inglaterra; a Christine Jenkins, diretora da Korowa Anglican Girls' School, em Melbourne, Austrália; Robyn Kronenberg, de Hobart, Tasmânia, com agradecimentos especiais por dar-me um curso intensivo de futebol australiano no Melbourne Cricket Ground; Barnaby Lenon, ex-diretor da Harrow School, em Middlesex, Inglaterra; à Doutora Jane Muncke, de Zurique, Suíça; a Judith Poole, diretora da Abbotsleigh em Wahroonga, Austrália, que, como americana, tem um dom especial de explicar a cultura australiana para americanos como eu; a Belinda Provis, ex-diretora do Seymour College em Adelaide, Austrália, e atual diretora do All Saints' College em Perth; Karen Spiller, diretora da St Aidan's Anglican Girls School, perto de Brisbane, Austrália; ao Doutor Ralph Townsend, diretor da Winchester College em Winchester, Inglaterra; ao Doutor Timothy Wright, diretor da Sydney Church of England Grammar School, também conhecida como "Shore", e seus colegas David Anderson e Cameron Paterson; e a Garth Wynne, diretor da Christ Church Grammar School em Perth, Austrália. Cada uma dessas pessoas me ensinou algo sobre como sua cultura difere da cultura americana. Entretanto, o fato de citá-las aqui não implica que elas endossem qualquer coisa que eu tenha escrito no livro. Minha única intenção é dizer obrigado.

 O Doutor Gordon Neufeld é uma das principais autoridades citadas neste livro. Sou-lhe grato por ele ter concordado em se encontrar comigo pessoalmente durante a redação do livro e aprecio especialmente suas percepções sobre como a cultura canadense

Agradecimentos

anglófona está se tornando mais semelhante, conquanto ainda distinta, da cultura de massa americana.

Felicia Eth é minha agente há mais de uma década. Este é nosso quarto livro juntos. Sou grato por sua paciência, por orientar-me e abraçar minha causa.

Agradeço a toda a equipe da Basic Books, mas principalmente à editora Lara Heimert, por acreditar no livro e na minha capacidade de escrevê-lo, e por seus insights e sugestões editoriais, pelas quais ele foi muito melhorado. Também agradeço a ela por ter chamado Roger Labrie para realizar uma cuidadosa e utilíssima revisão, linha por linha. Quaisquer erros que permaneçam no texto são de minha exclusiva responsabilidade. Também estou em dívida com a editora sênior do projeto, Sandra Beris, e agradeço à sua colega, Jennifer Kelland, por sugerir o título do capítulo 4.

***

O diretor do meu programa de residência, Doutor Nikitas Zervanos, sempre observava que a medida mais importante da vida de qualquer pessoa não é a renda, nem a realização profissional, nem mesmo a felicidade, mas a qualidade dos relacionamentos pessoais mais próximos dessa pessoa. Ele nos incentivou a fazer de nosso cônjuge e de nossos filhos nossa maior prioridade. O Doutor Zervanos nos ensinou que a família deve vir antes do trabalho.

Acho que ele está certo. E tenho tentado viver de acordo com essa regra. Não cabe a mim julgar o quanto fui bem-sucedido; você terá de perguntar à minha esposa, Katie, ou à minha filha, Sarah. Devo a Katie qualquer dose de bom senso que possa ser encontrada neste livro e por sua leitura cuidadosa de muitas versões do manuscrito. Ela é minha crítica mais confiável, minha *ezer k'negedo*. Também estou em dívida com minha filha, Sarah, por ter me dado um motivo para pesquisar e escrever este livro, um projeto que empreendi na esperança de me tornar um pai melhor. Mal posso esperar para ver os próximos passos dela.

Também sou grato aos pais de minha esposa, Bill e Joan, que moram conosco. Minha filha tem a sorte de ter em casa não um, não dois, mas quatro adultos que a amam.

Essa é a minha família. Tudo o que faço, faço por eles.

* * *

Por fim, gostaria de lembrar minha falecida mãe, a Doutora Janet Sax, que, como pediatra, dedicou sua vida profissional a ensinar os pais a orientar seus filhos. Nos anos que antecederam sua morte, ela e eu tivemos inúmeras conversas sobre os tópicos que abordo aqui. Ela tinha uma vasta e profunda experiência direta com crianças e adolescentes, adquirida em mais de trinta anos de prática clínica. Ao longo do livro, muitas vezes me perguntei: "O que mamãe diria sobre isso?".

Onde quer que esteja, mãe, espero que goste deste livro.

Créditos e permissões

"Credo" de *All I Really Need to Know I Learned in Kindergarten: Fifteenth Anniversary Edition Reconsidered, Revised, & Expanded With TwentyFive New Essays* [Tudo o que realmente preciso saber aprendi no jardim de infância]: Robert Fulghum, copyright © 1986, 1988 by Robert L. Fulghum. Usado com a permissão da Ballantine Books, uma marca da Random House, uma divisão da Penguin Random House LLC. Todos os direitos reservados. Qualquer uso deste material por terceiros, fora desta publicação, é proibido. As partes interessadas devem solicitar permissão diretamente à Penguin Random House LLC.

A figura intitulada "Prevalence of obesity among American children and teenagers" [Prevalência de obesidade entre crianças e adolescentes americanos] foi adaptada de "CDC Grand Rounds: Childhood obesity in the United States", 21 de janeiro de 2011, pelos Centros de Controle e Prevenção de Doenças. Disponível em: www.cdc.gov/mmwr/preview/mmwrhtml/mm6002a2.htm#fig1. Essa figura é de domínio público.

A figura "The US economy has become less entrepreneurial: Firm Entry and Exit Rates in the United States, 1978–2011", do documento de pesquisa da Brookings intitulado "Declining business dynamism in the United States: A look at states and metros", de Ian Hathaway e Robert E. Litan, maio de 2014, é reproduzida com a permissão da Brookings Institution.

A figura "Self-control in childhood predicts adult wealth and credit rating", de Terrie Moffitt e colegas, "Lifelong impact of early self-control: Childhood self- discipline predicts adult quality of life", em *American Scientist*, 2013, vol. CI, é reproduzida com permissão da *American Scientist*, revista da Sigma Xi, The Scientific Research Society.

Anotações

Este livro acaba de imprimir-se
para a Quadrante Editora
aos 15 de fevereiro de 2025,
em papel Offset 75g/m².